Confirmación

Llenos del Espíritu Santo, proclamaron al Señor Jesús.

Confirmation

Filled with the Holy Spirit, they proclaimed the Lord Jesus.

RCL Benziger

Cincinnati, Ohio

Equipo de desarrollo de preparación para el Sacramento

Desarrollar un programa de preparación para un Sacramento requiere los dones de numerosas personas talentosas trabajando juntas como equipo. RCL Benziger se enorgullece al reconocer a estas personas dedicadas que colaboraron en el desarrollo de este programa de preparación para la Confirmación.

Reverendo Robert D. Duggan, STD
Autor, Asesor Litúrgico

Alan Talley
Escritor, Guía del catequista

NÍHIL ÓBSTAT
Rvdo. Mons. Robert Coerver
Censor Librorum

IMPRIMÁTUR
† Rvdmo. Charles V. Grahmann
Obispo de Dallas
22 de agosto de 2006

El Níhil Óbstat y el Imprimátur son declaraciones oficiales de que el material revisado no contiene ningún error doctrinal ni moral. Dichas declaraciones no implican que quienes han otorgado el Níhil Óbstat y el Imprimátur estén de acuerdo con el contenido, las opiniones o los enunciados aquí expresados.

Para solicitar información, diríjase a:
RCL Benziger
8805 Governor's Hill Drive • Suite 400
Cincinnati, OH 45249

Teléfono gratuito 877-275-4725
Fax 800-688-8356

Visítenos en **www.RCLBenziger.com**
Correo electrónico del Servicio al cliente:
cservice@RCLBenziger.com

30857 ISBN 978-0-7829-1681-2 (Libro del candidato)
30858 ISBN 978-0-7829-1682-9 (Guía del catequista)
30859 ISBN 978-0-7829-1683-6 (Manual de los padrinos)

Primera edición
Agosto de 2014

Rvdo. Louis J. Cameli, STD
Asesor Teológico

Elaine McCarron, SCN, M Div.
Asesora Catequética

Kate Sweeney Ristow
Asesora Nacional de Catequesis

Steven Ellair, Patricia Classick
Revisores del Proyecto

Jo Rotunno
Directora de Desarrollo Creativo

Susan Smith
Directora Editorial

Jenna Nelson
Directora de Producción

Laura Fremder, Directora
Composición de Páginas Digitales

Lisa Brent, Directora, **Tricia Legault**
Arte y Diseño

Joseph Crisalli, A. C. Ware
Webmasters

Ed DeStefano
Revisor General

Maryann Nead
Presidente y Editora

Equipo de la edición bilingüe

Mary Malloy
Revisor del Proyecto

Bob Ishee
Gerente de Servícios Creativos

Francisco Castillo, DMin
Especialista multicultural

Mary Wessel
Arte y Diseño

Peggy Theile
Composición de Páginas Digitales

Sacrament Preparation Development Team

Developing a Sacrament preparation program requires the talents of many gifted people working together as a team. RCL Benziger is proud to acknowledge these dedicated people who contributed to the development of this Confirmation preparation program.

Reverend Robert D. Duggan, STD
Author, Liturgical Advisor

Alan Talley
Writer, Catechist Guide

Rev. Louis J.Cameli, STD
Theological Advisor

Elaine McCarron, SCN, M Div.
Catechetical Advisor

Kate Sweeney Ristow
National Catechetical Consultant

Steven Ellair, Patricia Classick
Project Editors

Jo Rotunno
Director of Creative Development

Susan Smith
Managing Editor

Jenna Nelson
Production Director

Laura Fremder, Manager
Electronic Page Makeup

Lisa Brent, Director, Tricia Legault
Art and Design

Joseph Crisalli, A. C. Ware
Web Site Producers

Ed DeStefano
General Editor

Maryann Nead
President/Publisher

Bilingual Edition Team

Mary Malloy
Project Editor

Bob Ishee
Creative Services Manager

Francisco Castillo, DMin
Multicultural Specialist

Mary Wessel
Art and Design

Peggy Theile
Electronic Page Makeup

NIHIL OBSTAT
Rev. Msgr. Robert Coerver
Censor Librorum

IMPRIMATUR
† Most Rev. Charles V. Grahmann
Bishop of Dallas

August 22, 2006

The Nihil Obstat and Imprimatur are official declarations that the material reviewed is free of doctrinal or moral error. No implication is contained therein that those granting the Nihil Obstat and Imprimatur agree with the contents, opinions, or statements expressed.

Send all inquiries to:
RCL Benziger
8805 Governor's Hill Drive • Suite 400
Cincinnati, OH 45249

Toll Free   877-275-4725
Fax   800-688-8356

Visit us at **www.RCLBenziger.com**
Customer Service E-mail: **cservice@RCLBenziger.com**

30857   ISBN 978-0-7829-1681-2 (Candidate Book)
30858   ISBN 978-0-7829-1682-9 (Catechist Guide)
30859   ISBN 978-0-7829-1683-6 (Sponsor Handbook)

1st Printing
August 2014

Contenido

Contents

Bienvenidos

Bienvenido al programa de preparación para la Confirmación, de RCL Benziger. En cierto sentido, has venido preparándote desde hace varios años. Como sabes, la Confirmación es uno de los tres Sacramentos de la Iniciación Cristiana, que son las bases de la vida cristiana. Ya has recibido el Sacramento del Bautismo y de la Eucaristía. Ahora estás respondiendo a la gracia y a la invitación de Dios a prepararte para la Confirmación, a recibirla y a completar tu iniciación en la Iglesia. Mediante el Sacramento de la Confirmación, te unirás más íntimamente con Cristo, te vincularás más firmemente a la Iglesia, te fortalecerás con el don del Espíritu Santo y divulgarás la Buena Nueva. Cada capítulo de este libro ofrece el significado de un aspecto del Rito de la Confirmación. Esto te ayudará tanto a entender el rito como a participar en él activa y plenamente, y a vivir la fe de la Iglesia como un testigo fiel y responsable de Cristo.

Al comenzar tu preparación para la Confirmación, ten presentes estas reflexiones y escribe tus respuestas iniciales. Este momento de reflexión te ayudará a abrir la mente y el corazón al período de preparación que ahora estás comenzando. Durante el proceso de preparación, regresa de vez en cuando a ver si alguna de tus respuestas ha cambiado o si deseas agregar algo.

Al comenzar este período de preparación, comprendo que el Sacramento de la Confirmación es

_____

_____

Vivir como un testigo de Cristo significa

_____

_____

_____

Entraré plenamente en este período de preparación al

_____

_____

Mi oración por aquellos que también están preparándose para recibir este Sacramento es

_____

_____

_____

Welcome

Welcome to RCL Benziger's Confirmation preparation program. In one sense, you have been preparing for several years. As you know Confirmation is one of the three Sacraments of Christian Initiation, which are the foundation of the Christian life. You have already received the Sacrament of Baptism and the Eucharist. Now you are responding to the grace and invitation of God to prepare for and receive Confirmation and complete your initiation into the Church. Through the Sacrament of Confirmation, you will be united more closely with Christ, bound more firmly to the Church, strengthened with the gift of the Holy Spirit, and sent forth to spread the Good News. Each chapter of this book opens up the meaning of one aspect of the Rite of Confirmation. This will help you both understand the rite and participate in it actively and fully and live the faith of the Church as a faithful and responsible witness for Christ.

As you begin your preparation for Confirmation, consider these reflections and write your initial responses. This reflection time will help you open your mind and heart to the preparation time you are now beginning. Throughout the preparation process, refer back to your responses occasionally to see if any of your responses have changed or you wish to add to your responses.

As I begin this preparation time, I understand the Sacrament of Confirmation to be

_____

_____

To live one's life as a witness for Christ means to

_____

_____

I will enter into this time of preparation fully by

_____

_____

_____

My prayer for others who are also preparing to receive this Sacrament is

_____

_____

_____

Capítulo 1

Reunidos como Iglesia

Reflexión para el rito inicial

¿Qué parte del rito inicial te ayudó más a entender la presencia de Dios con nosotros? ¿Por qué?

Los habitantes de Nazaret, con quienes Jesús se reunió para la oración en la sinagoga "tenían los ojos fijos en él . . . y se quedaban maravillados, mientras esta proclamación de la gracia de Dios salía de sus labios" (Lucas 4:20–22). En nuestra oración juntos, nosotros también estamos, a veces, deslumbrados al saber que Jesús está con nosotros y nos proclama la gracia cada vez que nos reunimos en su nombre.

¿Cuándo te has reunido con otros y has sido consciente de la presencia de Jesús?

Reunión de participantes, Jornada Mundial de la Juventud, estadio Veltins, en Gelsenkirchen (Alemania), 14 de agosto del 2005.

Reflection on the Opening Ritual

What part of the opening ritual most helped you have a sense of God's presence with us? Why?

The people of Nazareth with whom Jesus gathered for prayer in the synagogue "looked intently at him . . . and were amazed at the gracious words that came from his mouth" (Luke 4:20–22). In our prayer together we too are sometimes awestruck at the knowledge that Jesus is with us and speaks gracious words to us whenever we gather in his name.

When have you gathered with others and been aware of Jesus' presence?

World Youth Day Madrid - August 16, 2011 - during a special gathering of English Speaking youth to celebrate and welcome the World Youth Day Cross.

El pueblo de Dios

Tema Bíblico

¿Cuál es la relación entre la Alianza y la Iglesia?

Vocabulario de fe

Alianza

Pacto solemne entre Dios y su pueblo por el cual acordaron un compromiso mutuo; la Alianza nueva y eterna se estableció en Jesucristo a través de su Misterio Pascual —el misterio salvador de su Pasión, Muerte, Resurrección y Ascensión— y la entrega del Espíritu Santo en Pentecostés.

Iglesia

El Pueblo de Dios, a quien Dios Padre reunió en Jesucristo por el poder del Espíritu Santo.

La Biblia revela que Dios ha llamado a un pueblo para que fueran su pueblo y ha hecho con ellas un acuerdo sagrado, llamado **Alianza**. El relato bíblico de la Alianza es la historia del acuerdo solemne entre Dios y su pueblo, en el cual se comprometieron mutuamente unos con otros.

La Alianza en el Antiguo Testamento

El relato de la Alianza comienza en la creación. Continúa con la Alianza que Dios hizo con Noé y con toda la humanidad (ver Génesis 3:14–16, 9:9–17) y con la Alianza que Dios hizo con Abrahán, prometiéndole que sería el padre de una gran nación (ver Génesis 12:1–3).

De un modo espectacular, Dios sacó a los descendientes de Abrahán, los israelitas, de la esclavitud en Egipto, los llevó a través del desierto e hizo la Alianza con ellos en el monte Sinaí, llamado también monte Horeb (ver Éxodo 19:4–6). En el Libro del Deuteronomio, Moisés recuerda a los israelitas lo que Dios ha hecho por ellos al reunirlos como el Pueblo de Dios. Moisés le dice al pueblo:

Moisés con los Diez Mandamientos. Domenic Mastrojanni, pintor italiano del siglo XX.

"Me refiero al día en que ustedes estuvieron en presencia de Yavé en el monte Horeb, . . . Y Yavé les dio a conocer su Alianza, en la que les ordenó observar . . ."

Deuteronomio 4:10, 13

A partir de ese día, los israelitas, o judíos, se han reunido regularmente para renovar su compromiso de vivir la Alianza al obedecer los Mandamientos que Dios les dio.

The People of God

The Bible reveals that God has called a people together to be his people and has entered into a solemn agreement, called the **Covenant,** with them. The biblical account of the Covenant is the story of the solemn agreement between God and his people in which they mutually committed themselves to each other.

The Covenant in the Old Testament

The story of the Covenant begins at creation. It continues with the Covenant God made with Noah and all humanity (see Genesis 3:14–16, 9:9–17) and with the Covenant God entered into with Abraham, promising that Abraham would be the father of a great people (see Genesis 12:1–3).

In dramatic fashion, God brought Abraham's descendants, the Israelites, out of slavery from Egypt, led them through the desert, and entered into the Covenant with them at Mount Sinai, also called Mount Horeb (see Exodus 19:4–6). In the Book of Deuteronomy, Moses reminds the Israelites what God has done for them by gathering them together as the People of God.

Moses with the Ten Commandments.
Domenic Mastrojanni,
twentieth-century Italian painter.

Moses tells the people:

> "There was the day on which you stood before the LORD, your God, at Horeb, . . . He proclaimed to you his covenant, which he commanded you to keep: . . ."
>
> DEUTERONOMY 4:10, 13

From that day forward, the Israelites, or Jewish people, have regularly gathered together to renew their commitment to live the Covenant by obeying the Commandments God gave them.

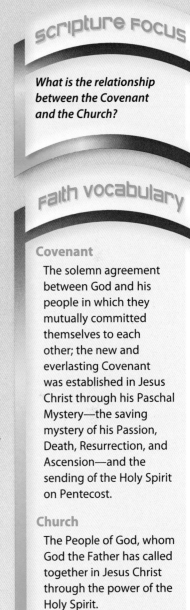

scripture FOCUS

What is the relationship between the Covenant and the Church?

Faith Vocabulary

Covenant
The solemn agreement between God and his people in which they mutually committed themselves to each other; the new and everlasting Covenant was established in Jesus Christ through his Paschal Mystery—the saving mystery of his Passion, Death, Resurrection, and Ascension—and the sending of the Holy Spirit on Pentecost.

Church
The People of God, whom God the Father has called together in Jesus Christ through the power of the Holy Spirit.

San Pablo en el areópago, detalle de un tapiz de lana. Rafael (1483–1520), pintor y arquitecto italiano.

La Alianza nueva y eterna

La **Iglesia** primitiva reconocía que el mismo Dios que reunió a los israelitas para que fueran su pueblo, los había llamado ahora para que fueran su pueblo en una Alianza nueva. El comienzo, o saludo, de muchas de las cartas de San Pablo, en el Nuevo Testamento, habla de la naturaleza de la Iglesia como el pueblo reunido por Dios en Cristo. En el saludo de la primera Carta a los Corintios, Pablo escribe:

> De Pablo, apóstol de Cristo Jesús por decisión de Dios que lo ha llamado, y de Sóstenes nuestro hermano, a la Iglesia de Dios que está en Corinto: a ustedes que Dios santificó en Cristo Jesús. Pues fueron llamados a ser santos con todos aquellos que por todas partes invocan el Nombre de Cristo Jesús, Señor nuestroy de ellos.

1.a Corintios 1:1–2

Los escritores del Nuevo Testamento usan con frecuencia la palabra griega *ekklesia* para nombrar a las personas que Dios ha reunido en Jesucristo, el Hijo de Dios Encarnado, que es verdadero Dios y verdadero hombre. Le dieron a esta palabra griega, que originalmente se refería a cualquier convocación, reunión o asamblea de personas, un significado nuevo y único.

La palabra *ekklesia* describía específicamente su identidad como Iglesia. La Iglesia es el Pueblo de Dios, a quien Dios Padre reunió en Jesucristo por el poder del Espíritu Santo. Cristo mora en la Iglesia, la gobierna y continúa su obra a través de ella.

¿Cómo describen las palabras de Pablo a la Iglesia?

ENLACES CON LA VIDA

En un grupo pequeño, comenta cómo Dios obra a través de las personas de tu parroquia. Anota tus pensamientos. Luego describe una actividad parroquial en la que puedas participar con los demás.

_____

_____

_____

The New and Everlasting Covenant

The early **Church** recognized that the same God who gathered the Israelites to be his people had now called them to be his people in a new Covenant. The beginning, or salutation, of many of the New Testament letters of Saint Paul speaks to the nature of the Church as the people called together by God in Christ. In the salutation of the first Letter to the Corinthians, Paul writes:

> Paul, called to be an apostle of Christ Jesus by the will of God, and Sosthenes our brother, to the church of God that is in Corinth, to you who have been sanctified in Christ Jesus, called to be holy, with all those everywhere who call upon the name of our Lord Jesus Christ, their Lord and ours.
>
> I CORINTHIANS 1:1–2

St. Paul Preaching at the Areopagus, detail from wool tapestry. Raphael (1483–1520), Italian painter and architect.

The writers of the New Testament often use the Greek word *ekklesia* to name the people whom God has gathered in Jesus Christ, the Incarnate Son of God, who is true God and true man. They gave this Greek word, which originally referred to any convocation, gathering, or assembly of people, a new and unique meaning.

The word *ekklesia* specifically described their identity as the Church. The Church is the People of God whom God the Father has called together in Jesus Christ through the power of the Holy Spirit. Christ dwells within the Church, rules over her, and continues to work through her.

How do Paul's words describe the Church?

lifelinks

In a small group discuss how God works through the people of your parish. List your thoughts. Then describe a parish activity in which you could participate with others.

_____

_____

_____

El Cuerpo de Cristo

tema doctrinal

¿Cuál es la función de la asamblea de los fieles en la liturgia?

vocabulario de fe

liturgia
Participación del Pueblo de Dios en la "obra de Dios": la obra de toda la Iglesia; de Cristo, la Cabeza de la Iglesia; y de todos los miembros del Cuerpo de Cristo, mediante la cual Cristo continúa su obra de Redención.

Cuando los inmigrantes solicitan la ciudadanía de los Estados Unidos de América y la reciben, adquieren la identidad de esos ciudadanos. Esta identidad recientemente conseguida trae consigo muchos derechos y responsabilidades. La manera en que los ciudadanos ejercen o no esos derechos y cumplen esas responsabilidades afecta a los Estados Unidos y a sus habitantes.

Una nación consagrada, un reino de sacerdotes

La primera Carta de Pedro reconoce que todos aquellos bautizados en Cristo constituyen un grupo que tiene una identidad única. Leemos: *"ustedes son una raza elegida, un reino de sacerdotes, una nación consagrada, un pueblo que Dios hizo suyo"* (1.a Pedro 2:9). Al reflexionar sobre este pasaje, la Iglesia ha llegado a comprender que adoramos a Dios como un pueblo al que Dios Padre ha reunido en Cristo. En el Concilio Vaticano II, los obispos enseñaron que cuando la asamblea de los fieles bautizados se reúne para la **liturgia**, Cristo está con ellos:

. . . Cristo está *siempre presente en su Iglesia* [cursivas añadidas], sobre todo en la acción litúrgica. Está presente en el sacrificio de la Misa, sea en la persona del ministro, . . . , sea sobre todo bajo las especies eucarísticas. . . . Está presente en su palabra, . . . Está presente, por último, cuando la Iglesia suplica y canta salmos, . . .

CONSTITUCIÓN SACROSANCTUM CONCILIUM SOBRE LA SAGRADA LITURGIA 7

Es con Cristo, por Cristo y en Cristo, y por el poder del Espíritu Santo que los fieles honran y glorifican al Padre como un solo pueblo. A Dios Padre se lo adora como fuente de todas las bendiciones de la creación y la Salvación con la que nos ha bendecido en su Hijo para que podamos ser sus hijos adoptivos.

The Body of Christ

When immigrants apply for and receive citizenship in the United States of America, they acquire the identity of those citizens. This newly acquired identity brings with it many rights and responsibilities. How citizens do or do not exercise those rights and fulfill those responsibilities affects America and all her people.

A Holy Nation, A Royal Priesthood

The first Letter of Peter recognizes that all those baptized into Christ constitute a group that has a unique identity. We read, ". . . you are 'a chosen race, a royal priesthood, a holy nation, a people of [God's] own'" (1 Peter 2:9). Reflecting on this passage, the Church has come to understand that we worship God as a people whom God the Father has gathered together in Christ. At the Second Vatican Council, the bishops taught that when the assembly of the baptized faithful gathers for the **liturgy,** Christ is with them:

> . . . Christ is *always present in his Church* [emphasis added] especially in its liturgical celebrations. He is present in the sacrifice of the Mass, not only in the person of his minister . . . but especially under the eucharistic elements. . . . He is present in his word, . . . He is present, lastly, when the Church prays and sings, . . . "
> CONSTITUTION ON THE SACRED LITURGY [SACROSANCTUM CONCILIUM] 7

It is with Christ and through Christ and in Christ and through the power of the Holy Spirit that the faithful offer honor and glory to the Father as one people. God the Father is adored as the source of all the blessings of creation and Salvation with which he has blessed us in his Son so we may become his adopted children.

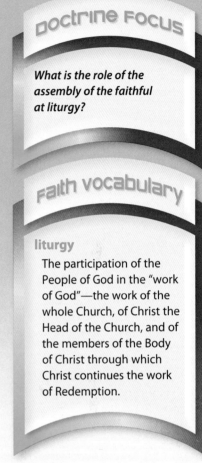

Doctrine Focus

What is the role of the assembly of the faithful at liturgy?

Faith Vocabulary

liturgy
The participation of the People of God in the "work of God"—the work of the whole Church, of Christ the Head of the Church, and of the members of the Body of Christ through which Christ continues the work of Redemption.

En el Ordinario de la Misa en Latín celebrada después del Concilio de Trento, la primera línea empezaba con las palabras *Sacerdos paratus* ("Cuando el sacerdote, ya preparado"). En el Ordinario de la Misa revisado, aprobado para su uso después del Concilio Vaticano II, estas palabras iniciales se cambiaron a *Populo congregato* ("Reunido el pueblo"). Este cambio en el Ordinario de la Misa revisado señala la función vital que tiene la asamblea de los fieles cada vez que se celebran la Eucaristía y los demás Sacramentos.

La asamblea de los fieles

El día de tu Confirmación, la Iglesia se reunirá alrededor del obispo o el sacerdote que este delegue. El obispo, los sacerdotes de tu parroquia y tu catequista, tu familia y tu padrino, los otros ministros y la asamblea se reunirán contigo y se unirán a ti. La Confirmación, por supuesto, sería administrada de manera válida si solo el obispo, o el sacerdote que él delegue, estuvieran allí para confirmarte. Ellos representan a la Iglesia y actúan en el nombre y la Persona de Cristo. El obispo es un sucesor de los Apóstoles y, en comunión con el Papa, gobierna a la Iglesia.

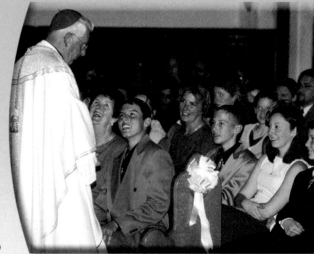

Sin embargo, la simple presencia de la asamblea no es suficiente. No solo es importante que nos reunamos para la liturgia, sino también cómo nos reunimos. La Iglesia nos recuerda que "para asegurar esta plena eficacia es necesario que los fieles se acerquen a la Sagrada Liturgia con recta disposición de ánimo, . . . y colaboren con la gracia divina, para no recibirla en vano" (*Constitución sobre la Sagrada Liturgia* 11).

Todos se unirán en la oración, pidiendo que el Espíritu Santo se derrame sobre ti. El lugar donde te reúnes estará lleno de creyentes, como María y los discípulos llenaron la habitación del piso superior durante Pentecostés.

¿Por qué es importante que la asamblea de los fieles se reúna para participar de tu Confirmación?

En un grupo pequeño, comenta qué actitudes de la mente y el corazón necesita llevar una persona a la celebración de la liturgia. En este espacio, anota la lista creada por tu grupo.

_____

_____

_____

The Assembly of the Faithful

On the day of your Confirmation, the Church will gather around the bishop or the priest delegated by him. The bishop, the priests of your parish and your catechist, your family and sponsor, the other ministers and the assembly will gather and join with you. Confirmation, of course, would be validly administered if only the bishop, or the priest delegated by him, were there to confirm you. They represent the Church and act in the name and Person of Christ. The bishop is a successor of the Apostles and, in communion with the Pope, governs the Church.

The simple presence of the assembly, however, is not enough. It is not only important that we gather for the liturgy but also how we gather. The Church reminds us that "in order that the liturgy may posses its full effectiveness, it is necessary that the faithful come to it with proper dispositions, . . . and that they cooperate with divine grace, lest they receive it in vain" (*Constitution on the Sacred Liturgy* 11).

Everyone will join in prayer, asking that the Holy Spirit bepoured out on you. The place where you gather will be filled como María y with believers, as Mary and the disciples filled the Upper Room on Pentecost.

Why is it important that the assembly of the faithful gather to participate in your Confirmation?

LITURGY LINK

In the Order of the Latin Mass celebrated after the Council of Trent, the first line began with the words *Sacerdos paratus* ("When the priest is ready"). In the revised Order of Mass approved for use after the Second Vatican Council, those opening words were changed to *Populo congregato* ("When the people have gathered"). This change in the Order of Mass signaled the vital role the assembly of the faithful has whenever the Eucharist and other Sacraments are celebrated.

lifelinks

In a small group discuss the attitudes of mind and heart that a person needs to bring to the celebration of the liturgy. In this space record the list generated by your group.

_____

_____

_____

La Iglesia se reúne

Tema del rito

¿Por qué está presente la asamblea en el Sacramento de la Confirmación?

Vocabulario de fe

Cuerpo de Cristo

Imagen de la Iglesia que usó San Pablo Apóstol, que enseña que todos los miembros de la Iglesia son uno en Cristo, la Cabeza de la Iglesia, y que todos los miembros tienen una tarea exclusiva y fundamental en la Iglesia.

Sacramentos

". . . [S]ignos eficaces de la gracia, instituidos por Cristo y confiados a la Iglesia por los cuales nos es dispensada la vida divina" (*Catecismo de la Iglesia Católica* 1131).

Algunas cosas que hacemos nos salen tan naturalmente que, a menudo, ni siquiera nos damos cuenta de lo que realmente significan estas acciones. Por ejemplo, cuando algunas familias rezan la acción de gracias antes de las comidas, los miembros de la familia pueden juntar espontáneamente las manos como una manera de expresar su unión en la oración. Mediante esa sencilla acción, los miembros de la familia están diciendo "Esto muestra quiénes somos".

Reunidos como el Cuerpo de Cristo

Muchas acciones rituales que usamos para celebrar la liturgia son tan naturales que, frecuentemente, no nos detenemos a pensar en su significado profundo. Una de estas acciones es cuando la Iglesia se reúne para la liturgia. No nos reunimos por iniciativa propia. Respondemos a la invitación de Dios. Es Dios quien llama a la asamblea a reunirse y es el Espíritu Santo quien construye y santifica a la Iglesia.

En sus cartas, San Pablo reflejaba la importancia de las acciones rituales de la Iglesia y exhortaba a los cristianos a tener conciencia de su importancia. Por ejemplo, San Pablo enseñaba que la Iglesia es el **Cuerpo de Cristo** (ver 1.ª Corintios 12:12–31) y amonestaba a la Iglesia de Corinto acerca de las maneras inapropiadas e irreverentes en que estaban reuniéndose y celebrando la Eucaristía. Su comportamiento revelaba que habían olvidado quiénes eran y qué estaban celebrando (ver 1.ª Corintios 11:17–34).

La Iglesia es el Cuerpo Místico de Cristo. Es, a la vez, visible y espiritual, humana y divina. Hay una unidad profunda que liga a Cristo y a todos los miembros del Cuerpo de Cristo, la Iglesia. Todos los miembros de la Iglesia son uno en Cristo, la Cabeza de la Iglesia.

San Pablo predicando en Corinto, escultura de piedra.

Some things that we do come so naturally that we are often not even aware of how significant these actions really are. For example, when some families pray grace before meals, family members may spontaneously join hands as a way of expressing their union in prayer. By that simple action the members of the family are saying, "This is who we are."

Gathering as the Body of Christ

There are many ritual actions that we use to celebrate the liturgy that come so naturally we often do not stop and think about their deeper meaning. One of those actions is when the Church assembles for liturgy. We do not gather on our own intiative. We respond to God's invitation. It is God who calls the assembly into being and it is the Holy Spirit who builds and sanctifies the Church.

In his letters Saint Paul reflected on the significance of the ritual actions of the Church and admonished Christians to be aware of their significance. For example, Saint Paul taught that the Church is the **Body of Christ** (see 1 Corinthians 12:12–31) and he admonished the Church in Corinth about the inappropriate and irreverent ways they were gathering and celebrating the Eucharist. Their behavior revealed that they had forgotten who they were and what they were celebrating (see 1 Corinthians 11:17–34).

The Church is the Mystical Body of Christ. She is both visible and spiritual, both human and divine. There is a profound unity that binds Christ and all the members of the Body of Christ, the Church. All the members of the Church are one in Christ, the Head of the Church.

Saint Paul preaching in Corinth, stone sculpture.

Ritual Focus

Why is the assembly present at the Sacrament of Confirmation?

Faith Vocabulary

Body of Christ
An image for the Church used by Saint Paul the Apostle that teaches that all the members of the Church are one in Christ, the Head of the Church, and that all members have a unique and vital work in the Church.

Sacraments
". . . [E]fficacious signs of grace, instituted by Christ and entrusted to the Church, by which divine life is dispensed to us" (*Catechism of the Catholic Church* 1131).

La *Instrucción General del Misal Romano* (IGMR) describe que el propósito de los Ritos iniciales de la Misa es "hacer que los fieles reunidos constituyan una comunidad y se dispongan a oír como conviene la Palabra de Dios y a celebrar dignamente la Eucaristía" (IGMR 46).

La celebración del **Sacramento** de la Confirmación comienza con la reunión de la asamblea de los fieles, después de la cual empiezan los Ritos iniciales de la Misa. El *Ritual para la Confirmación* enuncia: "Reunidos los confirmandos, con sus padrinos y padres y todo el pueblo, el obispo, con (los presbíteros que van a ayudarle en la administración de la Confirmación y) uno o varios diáconos y ministros, se dirige al santuario. Mientras tanto, los fieles, si parece oportuno, pueden entonar algún salmo o canto apropiado" (*Ritual para la Confirmación* 42).

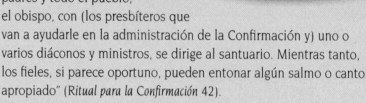

Esta directiva, o rúbrica, para celebrar la Confirmación nos recuerda que toda celebración de la liturgia está pensada para ser celebrada en común "con asistencia y participación activa de los fieles" (*Constitución sobre la Sagrada Liturgia* 27). Nos unimos a Cristo, el único, eterno Sumo Sacerdote, que es el principal celebrante de la liturgia. Con Él, ofrecemos las oraciones de la liturgia como el Pueblo sacerdotal de Dios.

Tu familia y tus amigos, y muchos miembros de tu parroquia, se reunirán para celebrar contigo en el día de tu Confirmación. La reunión de la Iglesia será un signo de que el Cuerpo de Cristo, el Pueblo sacerdotal de Dios, está presente de una manera especial.

¿Qué significa la reunión de la asamblea de los fieles?

enlaces con la vida

En un grupo pequeño, comenta lo que observas cuando las personas de tu parroquia se reúnen para el culto los domingos. Describe qué ves que te habla acerca de la comprensión que tienen de sí mismos como Cuerpo de Cristo.

Lo que veo	Lo que dice

The celebration of the **Sacrament** of Confirmation begins with the gathering of the assembly of the faithful after which the Introductory Rites of the Mass begin. The *Rite of Confirmation* states: "When the candidates, their sponsors and parents, and the whole assembly of the faithful have gathered, the bishop |walks in procession| to the sanctuary with the priests who assist him, one or more deacons, and the ministers. Meanwhile all may sing a psalm or appropriate song" (*Rite of Confirmation* 34).

This directive, or rubric, for celebrating Confirmation reminds us that every celebration of the liturgy is meant to be celebrated in common, "involving the presence and active participation of the faithful" (*Constitution on the Sacred Liturgy* 27). We join with Christ, the one, eternal, High Priest, who is the main celebrant of the liturgy. With him, we offer the prayers of the liturgy as the priestly People of God.

Your family and friends, and many members of your parish, will come together to celebrate with you on the day of your Confirmation. That gathering of the Church will be a sign that the Body of Christ, the priestly People of God, is present in a special way.

What does the gathering of the worshiping assembly signify?

lifelinks

In a small group discuss what you observe when people of your parish gather together for worship on Sunday. Describe what you see that tells about their understanding of themselves as the Body of Christ.

What I See	What It Says
_____	_____
_____	_____
_____	_____

La Iglesia
Vive la fe

Pueden suceder cosas maravillosas cuando las personas se reúnen con un buen propósito. Por ejemplo, el Movimiento por los Derechos Civiles de 1960 se adhirió a una filosofía de la no violencia. Sus miembros dependieron en gran medida en el poder de las personas congregadas para dar testimonio de la igualdad y dignidad de todas las personas, para trabajar en contrade de la injusticia y para buscar cambios dentro de la sociedad y en la mente y el corazón de los estadounidenses. Los cambios empezaron a aparecer cuando creció el tamaño de esas reuniones. Más y más ciudadanos empezaron a prestar atención y a participar en el movimiento.

Encuentra el Evangelio de la Vida

La Iglesia también sabe mucho acerca del poder de las personas que se congregan y de la diferencia que puede marcar la fuerza de tales reuniones. A fines de la década de 1990, un puñado de ministros de la pastoral juvenil de la Arquidiócesis de Washington, D.C., soñó con reunir a jóvenes y adultos de varias parroquias para que aprendieran y reflexionaran acerca de la Enseñanza Social Católica

y la pusieran en práctica. Al principio, esta reunión se llevó a cabo durante un "campamento de servicio" de verano de una semana. Esta reunión, conocida como Encuentra el Evangelio de la Vida, ha crecido hasta convertirse en un proceso anual de formación y transformación. Participan cientos de jóvenes, sus padres y adultos que participan en el ministerio de la pastoral juvenil.

The Church
Lives the Faith

Wonderful things can happen when people gather for a good purpose. For example, the Civil Rights Movement in the 1960s embraced a nonviolent philosophy. Its members relied heavily on the power of people gathering together to bear witness to the equal dignity of all people, to work against injustice, and to seek change within society and within the minds and hearts of Americans. Change began to happen as the size of those gatherings grew. More and more citizens began to take notice and take part in the movement.

Encounter the Gospel of Life

The Church also knows a great deal about the power of people gathering together and the difference that the power of such gatherings can make. In the late 1990s, a handful of youth ministers in the Archdiocese of Washington, D.C., dreamed of gathering youth and adults from various parishes to learn, reflect on, and put into practice Catholic Social Teaching. At first this gathering was held during a summertime weeklong "service camp." This gathering, known as Encounter the Gospel of Life, has grown to become a year-round process of formation and transformation. Hundreds of young people, their parents, and adults involved in youth ministry take part.

Seguir la orden de Cristo

El eje de la reunión Encuentra el Evangelio de la Vida es una semana intensiva de servicio con personas del área de Washington, D.C., que están viviendo en la pobreza o que tienen otro tipo de necesidades. Los comedores de beneficencia, los hogares para ancianos, los programas para los niños de las zonas marginales y muchos otros entornos brindan la oportunidad, no solo para hacer las Obras de Misericordia como Cristo encomendó en Mateo 25:31–46 y Juan 13:34–35, sino también, con igual importancia, para poner un rostro humano a los hermanos y hermanas necesitados.

Vivir el Evangelio en la vida cotidiana

Una atmósfera exuberante de aprendizaje sobre las conexiones entre esas buenas obras y la Enseñanza Social Católica llena la oración de la primera mañana, las conversaciones de la tarde y las sesiones de formación nocturnas. Canciones, dramatizaciones breves, danza, charlas testimoniales y muchas otras maneras animadas de explorar la fe mantienen a los participantes del campamento centrados en lo que están aprendiendo y emocionados por hacerlo. Descubrir las conexiones entre la Eucaristía y la acción por la justicia es uno de los valiosos resultados que caracterizan regularmente la experiencia tanto de los jóvenes como de los mayores.

Encuentra el Evangelio de la Vida es mucho más que una simple oportunidad de extender una mano amiga. Es un llamado a la conversión. Es una invitación a una fe más profunda y a una manera más intencional de vivir el Evangelio en la vida cotidiana. Puedes aprender más acerca de Encuentra el Evangelio de la Vida en su sitio: eglweb.org.

¿Qué reuniones de cristianos, que marquen una diferencia en nuestro mundo actual, puedes nombrar? Describe cómo cada reunión marca una diferencia al poner en práctica el Evangelio.

Following Christ's Command

The heart of the Encounter the Gospel of Life gathering is an intensive week of service with people in the Washington, D.C., area who are living in poverty or who experience needs in other ways. Soup kitchens, homes for the elderly, inner-city children's programs, and many other settings provide the opportunity, not only for doing Works of Mercy as Christ commanded in Matthew 25:31–46 and John 13:34–35, but just as importantly, for putting a human face on sisters and brothers in need.

Living the Gospel in Daily Life

An exuberant atmosphere of learning about the connections between such good works and Catholic Social Teaching fills early morning prayer, afternoon conversations, and evening formation sessions. Songs, skits, dancing, witness talks, and many other engaging ways of exploring faith keep the camp participants focused and excited about what they are learning. Discovering the connections between the Eucharist and action for justice is one of the valuable outcomes that regularly characterizes the experience of both young and old alike.

Encounter the Gospel of Life is much more than a simple opportunity to lend a helping hand. It is a call to conversion. It is an invitation to a deepened faith and to a more intentional way of living the Gospel in daily life. You can learn more about Encounter the Gospel of Life at their Web site: eglweb.org.

What gatherings of Christians can you name that make a difference in our world today? Describe how each gathering makes a difference by putting the Gospel into action.

Vivir la fe
Marca la differencia

Los adolescentes se reúnen de muchas maneras. Pasan su tiempo de muchas maneras. La manera en que los adolescentes se reúnen y pasan su tiempo dice mucho de ellos y marca una diferencia en su vida.

Pasar el tiempo con amigos

Los investigadores que estudian el crecimiento y el desarrollo humano han observado, durante mucho tiempo, la tremenda influencia que los adolescentes tienen sobre otros adolescentes, especialmente aquellos que pasan el tiempo juntos con regularidad. Aunque el movimiento de los adolescentes de pasar tiempo con la familia a pasar más tiempo con grupos centrados en amigos, o grupos de pares, a veces pueda ser una fuente de angustia y ansiedad para los padres, es a la vez un paso normal y esencial del desarrollo de los jóvenes.

La creciente función de los grupos de pares en tu vida puede ser una bendición o un riesgo, dependiendo de los valores y los comportamientos que refuerzan los amigos con los que pasas el tiempo. Con quién pasas el tiempo forma parte de tu formación de una identidad como persona independiente. Piensa en los amigos con quienes te reúnes frecuentemente. Las personas con las cuales pasas tiempo regularmente pueden decir mucho de quién piensas que eres y con qué valores vives.

Living the Faith
Makes a Difference

Teens gather in a variety of ways. They spend their time in a variety of ways. How teens gather and how they spend their time reveals a great deal about them and makes a difference in their lives.

Spending Time with Friends

Researchers who study human growth and development have for a long time observed the tremendous influence that teens have on one another—especially those who hang out regularly with one another. While the movement of teens from spending time with families to spending more time with friend-centered groups, or peer groups, can sometimes be a source of distress and anxiety to parents, it is both a normal and essential developmental step for young people.

The growing role of peer groups in your life can be a blessing or a risk, depending on the values and behaviors that the friends you spend time with reinforce. Who you hang out with is part of your forming an identity as an independent person. Think about the friends with whom you regularly gather. The people with whom you regularly spend time can tell a great deal about who you think you are and what values you live by.

Pasar el tiempo haciendo . . .

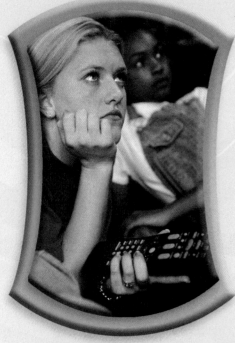

Los investigadores también estudian las tendencias sobre cómo pasan el tiempo los jóvenes. Un estudio de investigación encuestó a más de 2,500 adolescentes y jóvenes adultos.La investigación mostró que, en una semana promedio, los estadounidenses de entre 12 y 24 años pasan 16.7 horas en línea, 13.6 horas mirando televisión, 12 horas escuchando la radio, 7.7 horas hablando por teléfono y 6 horas leyendo libros y revistas.

Estos estudios frecuentemente aparecen con estadísticas fascinantes. Pero para alguien que desea ser conocido como discípulo de Jesucristo, estos números nos llaman a evaluar cómo pasamos nuestro tiempo. ¿Con quién disfrutas más pasar el tiempo? ¿Cuánto tiempo pasas con Cristo? ¿En dónde inviertes tu tiempo y tu energía en una semana dada? ¿Cuánto tiempo eliges conscientemente para vivir el Evangelio?

A menudo, los investigadores piden a los jóvenes que lleven un diario detallado de cómo pasan su tiempo cada día durante un período de una o dos semanas. ¿Qué podría decirte un diario así acerca de ti mismo como discípulo de Jesús? ¿Y acerca de tus prioridades y tus valores, y cómo se basan en el Evangelio? ¿Qué revelaría tu diario acerca de la importancia que la fe tiene en tu vida?

DECISIÓN DE FE

- En un grupo pequeño, intercambia ideas acerca de las actividades que crees que los adolescentes pasan el tiempo haciendo.

- Una vez que tu grupo haya hecho su lista, crea dos columnas en una hoja. En una, escribe cuál crees que es la cantidad de tiempo que los adolescentes pasan realmente en cada actividad. En la otra, escribe la cantidad de tiempo que crees que un adolescente cristiano responsable debería pasar en esa actividad.

Esta semana, escribiré cada día un registro personal de cuánto tiempo paso viviendo mi fe. Después de revisar mi registro, voy a

_____

_____

_____

Spending Time Doing . . .

Researchers also study trends in how young people spend their time. One research study polled more than 2,500 teens and young adults. Research showed that in an average week, twelve- to twenty-four-year-old Americans spend 16.7 hours online, 13.6 hours watching television, 12 hours listening to the radio, 7.7 hours talking on the phone, and 6 hours reading books and magazines.

Such studies often come up with fascinating statistics. But for someone who wishes to be known as a disciple of Jesus Christ, these numbers call us to evaluate how we spend our time. Who do you enjoy hanging out with most? How much time do you spend with Christ? Where do you invest your time and energy in a given week? How much time do you consciously choose to live the Gospel?

Researchers often ask young people to keep a detailed diary of how they spend their time each day over a period of a week or two. What might such a diary tell you about yourself as a disciple of Jesus? About your priorities and your values and how they are based on the Gospel? What would your diary reveal about the role that faith plays in your life?

Faith Decision

- In a small group brainstorm the activities that you think teens spend their time doing.

- Once your group has developed its list, create two columns on a piece of paper. In one column write what you think is the average amount of time teens actually spend on each activity. In the other column write the amount of time that you think a responsible Christian teen might spend on that activity.

This week I will keep a personal log each day of how much time I spend living my faith. After reviewing my time log, I will

_____

_____

_____

mis pensamientos

En este capítulo, aprendiste acerca de la acción litúrgica de reunirse. Investigaste la manera en que nos reunimos para el culto mientras el Cuerpo de Cristo refleja, de muchas maneras, los valores que dan forma a nuestra vida cotidiana. También comentaste que dónde, cómo y con quién nos reunimos durante la semana nos ayuda a dar forma a las actitudes y la disposición que llevamos cuando nos congregamos para el culto dominical.

> *Reflexiona sobre los diferentes grupos con los cuales te has reunido y has pasado tiempo esta semana. Escribe acerca de cómo saludas a los demás y das la bienvenida a los grupos. ¿Qué más podrías haber hecho para que estas reuniones tengan éxito?*

_____

_____

_____

_____

_____

_____

_____

_____

_____

_____

_____

Para preguntarles a tu padrino o madrina y a tus padres:

¿Cómo crees que nuestros patrones de reunión—que incluyen cómo, dónde, para qué y con quién nos reunimos—hacen que nos reconozcan como discípulos de Jesús?

my thoughts

In this chapter you learned about the liturgical action of gathering. You explored that the way we gather for worship as the Body of Christ reflects, in many ways, the values that shape our daily lives. You also discussed that where, how, and with whom we gather during the week helps to shape the attitudes and readiness that we bring as we gather for Sunday worship.

Reflect on the different groups with whom you have gathered and spent time this week. Write about how you greet others and welcome them into the groups. What more could you have done to make these gatherings successes?

_____

_____

_____

_____

_____

_____

_____

_____

_____

_____

A question to share with your sponsor and parents:

How well do you think our patterns of gathering—including how, where, for what, and with whom we gather—make us recognizable as Jesus' disciples?

Capítulo 2

Proclamación de la Palabra de Dios

Reflexión para el rito inicial

¿Qué lectura o lecturas del rito inicial te llamaron la atención? ¿Por qué?

Antes de la edad de la tecnología de la imprenta, a los manuscritos y los libros se los valoraba muchísimo y se los trataba con mayor cuidado y respeto de lo que se los trata hoy. En tiempos pasados, se decoraba a la Biblia frecuentemente con trabajos artísticos originales como un signo del gran honor y reverencia por la Palabra de Dios. Hoy, tendemos a tener menos cuidado con la Palabra de Dios impresa. Por ejemplo, botamos rutinariamente misales, que contienen la Palabra de Dios proclamada en la Misa. Necesitamos tener cuidado de que la impresión en masa de Biblias no contribuya a una disminución de la reverencia debida a la Palabra de Dios impresa.

¿De qué manera podemos demostrar respeto y reverencia por la Palabra de Dios impresa?

Proclaiming God's Word

Reflection on the Opening Ritual

Which reading or readings in the opening ritual caught your attention? Why?

Before the age of printing technologies, manuscripts and books were highly valued and treated with greater care and respect than they seem to be today. In times past the Bible was often decorated with original artwork as a sign of great honor and reverence for the Word of God. Today we tend to take less care of the printed Word of God. For example, we routinely throw away missalettes, which contain the Word of God proclaimed at Mass. We need to be careful that the mass printing of Bibles does not contribute to a lessening of our reverence that is due the printed Word of God.

How can we show respect and reverence for the printed Word of God?

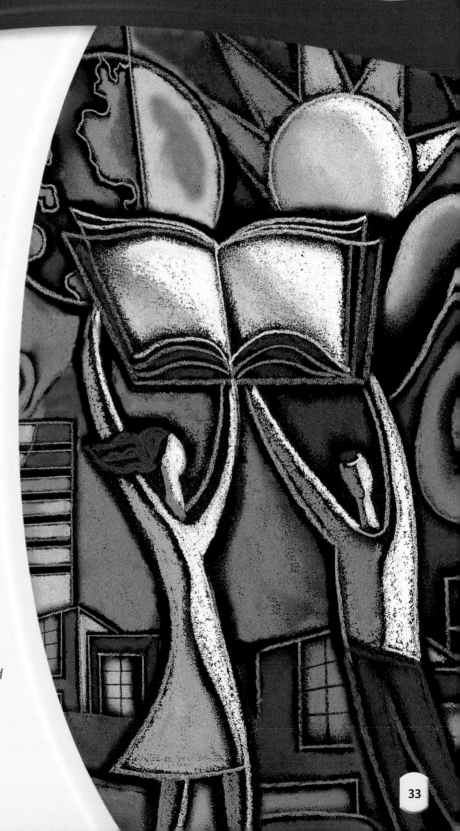

33

La Palabra del Señor

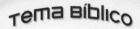

Tema Bíblico

¿Por qué es vital para nuestra vida escuchar atentamente la Palabra de Dios y responder a ella del mismo modo?

vocabulario de fe

parábola

Tipo de relato que Jesús contaba, en el que comparaba una cosa con otra para enseñar e invitar a quienes lo escuchaban a tomar la decisión de vivir para el Reino de Dios.

Reino de Dios

Imagen bíblica que describe a todos los pueblos y la creación viviendo en comunión con Dios cuando Jesucristo vuelva en la gloria al final de los tiempos.

Todos nosotros hemos tenido momentos en los que nos desconectamos de lo que alguien nos estaba diciendo. Esta respuesta puede haber ocurrido porque estábamos distraídos por algo o por alguien. O, tal vez, nos rehusamos deliberadamente a escuchar debido a nuestros sentimientos negativos por la persona que habla o por lo que se estaba diciendo. Una escucha desatenta e indiferente puede tener consecuencias graves. El Evangelio de Mateo señala las consecuencias trágicas de no escuchar atentamente y de no responder a Jesús, la Palabra de Dios Encarnada.

La parábola del sembrador

El Evangelio de Mateo está organizado alrededor de una serie de narraciones y sermones de Jesús. La tercera narración y sermón, Mateo 11:1—13:1–52, contiene un número de **parábolas** acerca del **Reino de Dios** y describe cómo la prédica de Jesús se encuentra con una resistencia creciente. La parábola del sembrador (Mateo 13:1–9) viene de este tercer sermón del Evangelio de Mateo y enseña la importancia de escuchar a Jesús y de no resistirse a su palabra.

Mateo empieza la parábola del sembrador con el detalle aparentemente sin importancia de Jesús sentado para hablar a la multitud. Incluir este detalle enfatizaba la importancia de escuchar atentamente al maestro y no resistirse a él. Sentarse era la posición que tomaba un maestro que hablaba con autoridad.

Mateo escribe que, después de que Jesús subió a un barco, se sentó y enseñó a la multitud que estaba de pie en la playa. Después de decirles que escucharan, dijo:

> . . . El sembrador salió a sembrar. Y mientras sembraba, unos granos cayeron a lo largo del camino: vinieron las aves y se los comieron. Otros cayeron en terreno pedregoso, con muy poca tierra, y brotaron en seguida, pues no había profundidad. Pero apenas salió el sol, los quemó y, por falta de raíces, se secaron. Otros cayeron en medio de cardos: estos crecieron y los ahogaron. Otros granos, finalmente, cayeron en buena tierra y produjeron cosecha, unos el ciento, otros el sesenta y otros, el treinta por uno. El que tenga oídos, que escuche.
>
> MATEO 13:3–9

The Word of the Lord

All of us have had times when we tuned out what someone was saying to us. This response may have occurred because we were distracted by something or someone else. Or perhaps we deliberately refused to listen because of negative feelings about the speaker or what was being said. Such inattentive and nonresponsive listening can have serious consequences. Saint Matthew's Gospel points out the tragic consequences of not listening attentively and not responding to Jesus, the Incarnate Word of God.

The Parable of the Sower

Matthew's Gospel is organized around a series of narratives and sermons of Jesus. The third narrative and sermon, Matthew 11:1—13:1–52, contains a number of **parables** about the **Kingdom of God** and describes how the preaching of Jesus meets with growing resistance. The parable of the Sower (Matthew 13:1–9) comes from this third sermon in Matthew's Gospel and teaches the importance of listening to Jesus and not resisting his word.

Matthew begins the parable of the Sower with the seemingly unimportant detail of Jesus sitting down to speak to the crowds. Including this detail emphasized the importance of listening attentively to and not resisting the teacher. Sitting down was the posture taken by a teacher who spoke with authority.

Matthew writes that after Jesus got into a boat, he sat down and taught the crowd that was standing on the beach. After instructing them to listen he said:

> . . . "A sower went out to sow. And as he sowed, some seed fell on the path, and birds came and ate it up. Some fell on rocky ground, where it had little soil. It sprang up at once because the soil was not deep, and when the sun rose it was scorched, and it withered for lack of roots. Some seed fell among thorns, and the thorns grew up and choked it. But some seed fell on rich soil, and produced fruit, a hundred or sixty or thirtyfold. Whoever has ears ought to hear."
>
> MATTHEW 13:3–9

Scripture Focus

Why is attentively listening to and responding to the Word of God vital for our lives?

Faith Vocabulary

parable
A type of story that Jesus told comparing one thing to another to teach and invite his listeners to make a decision to live for the Kingdom of God.

Kingdom of God
The biblical image used to describe all people and creation living in communion with God when Jesus Christ comes again in glory at the end of time.

El fruto de la tierra buena

Después de que Jesús terminó de hablar a la multitud, sus discípulos se le acercaron en privado y le preguntaron acerca del significado de la parábola. Jesús respondió:

Por eso les hablo en parábolas, porque miran, y no ven; oyen, pero no escuchan ni entienden.

Jesús continuó:

Cuando uno oye la palabra del Reino y no la interioriza, viene el Maligno y le arrebata lo que fue sembrado en su corazón. Ahí tienen lo que cayó a lo largo del camino. La semilla que cayó en terreno pedregoso, es aquel que oye la Palabra y en seguida la recibe con alegría. En él, sin embargo, no hay raíces, y no dura más que una temporada. Apenas sobreviene alguna contrariedad o persecución por causa de la Palabra, inmediatamente se viene abajo. La semilla que cayó entre cardos, es aquel que oye la Palabra, pero luego las preocupaciones de esta vida y los encantos de las riquezas ahogan esta palabra, y al final no produce fruto. La semilla que cayó en tierra buena, es aquel que oye la Palabra y la comprende. Este ciertamente dará fruto y producirá cien, sesenta o treinta veces más.

MATEO 13:13, 19–23

Parábola del sembrador,
ilustración contemporánea,
artista desconocido.

ENLACES CON LA VIDA

Identifica diferentes circunstancias que podrían distraerte de escuchar la Palabra de Dios y responder a ella. A continuación, haz una lista de algunas de estas distracciones. Luego intercambia ideas sobre cambios que podrías hacer en tus hábitos de escucha para estar más atento en el futuro.

Distracciones	Cambios
_____	_____
_____	_____
_____	_____

¿Qué te ayudan a comprender las imágenes del sembrador y la semilla acerca de escuchar la Palabra de Dios y responder a ella?

The Fruit of Rich Soil

After Jesus finished speaking to the crowd, his disciples approached him privately and asked him about the meaning of the parable. Jesus replied:

> "This is why I speak to them in parables, because 'they look but do not see and hear but do not listen or understand.'"

Jesus continued:

> "The seed sown on the path is the one who hears the word of the kingdom without understanding it, and the evil one comes and steals away what was sown in his heart. The seed sown on rocky ground is the one who hears the word and receives it at once with joy. But he has no root and lasts only for a time. When some tribulation or persecution comes because of the word, he immediately falls away. The seed sown among thorns is the one who hears the word, but then worldly anxiety and the lure of riches choke the word and it bears no fruit. But the seed sown on rich soil is the one who hears the word and understands it, who indeed bears fruit and yields a hundred or sixty or thirtyfold." MATTHEW 13:13, 19–23

Parable of Sower, contemporary illustration, artist unknown.

What do the images of the sower and the seed help you understand about listening and responding to the Word of God?

lifelinks

Identify different circumstances that might distract you from listening and responding to the Word of God. List some of those distractions below. Then brainstorm changes that you could make in your listening habits to be more attentive in the future.

Distractions	Changes
_____	_____
_____	_____
_____	_____

Dios nos habla

Tema doctrinal

¿Cómo y por qué nos ha hablado Dios?

vocabulario de fe

Revelación Divina

Don dado libremente por Dios, que comunica gradualmente, a lo largo del tiempo, en palabras y en obras su propio misterio y su plan divino de creación y Salvación.

inspiración bíblica

Proceso por el cual el Espíritu Santo asistió a los escritores humanos de la Sagrada Escritura para que enseñaran con fidelidad y sin errores la verdad salvadora que Dios, el principal autor de las Escrituras, deseaba comunicar.

A veces, cuando conocemos a alguien, nos sentimos inmediatamente atraídos por esa persona y sentimos que podríamos convertirnos en un buen amigo de esa persona. La conversación fluye con mucha facilidad y, rápidamente, compartimos historias sobre nosotros mismos. Pero también puede suceder que la otra persona sea muy tímida. A veces, las personas no se abren y no nos hablan de ellas. Si las personas no nos hablan de sí mismas, es virtualmente imposible que cualquier relación empiece, crezca y se desarrolle.

Las palabras y los milagros de Dios

Dios nos ha dicho mucho sobre sí mismo. Él se ha dado a conocer, o ha revelado, en palabras y acciones el misterio de quién es Él y su plan divino de creación y Salvación para la humanidad. La acción de Dios hablándonos se llama **Revelación Divina.** A través de su Autorrevelación, Dios nos invita a iniciar una relación con Él. En el Nuevo Testamento leemos:

En diversas ocasiones y bajo diferentes formas Dios habló a nuestros padres por medio de los profetas, hasta que en estos días, que son los últimos, nos habló a nosotros por medio del Hijo, a quien hizo destinatario de todo, ya que por él dispuso las edades del mundo.

HEBREOS 1:1–2

Jesucristo es la Palabra de Dios final y definitiva. Él es el único Hijo de Dios Padre, que se encarnó, asumiendo una naturaleza humana sin perder su naturaleza divina. Después de Jesucristo no hay más Revelación.

El Espíritu Santo, Maestro e Intérprete

La Revelación Divina se transmite tanto en la Sagrada Escritura como en la Sagrada Tradición. La Sagrada Tradición es la memoria viva y la transmisión viva de la verdad de Dios con la ayuda del Espíritu Santo entre el pueblo de Dios en todas las generaciones. Es el ministerio de la Iglesia captar, a lo largo del tiempo, el significado y la importancia de la Revelación Divina.

God Speaks to Us

Sometimes when we meet someone, we are immediately attracted to that person and sense that we could become a good friend with that person. Conversation comes about very easily, and we quickly share stories about ourselves. But it can also happen that the other person is very shy. Sometimes the person does not "open up" and tell us about themselves. If people will not tell us about themselves, it is virtually impossible for any relationship to begin, grow, and develop.

God's Words and Mighty Deeds

God has told us much about himself. He has made known, or revealed, in words and deeds the mystery of who he is and his divine plan of creation and Salvation for humankind. The action of God speaking to us is called **Divine Revelation.** Through his Self-Revelation, God invites us to enter into relationship with him. In the New Testament we read:

> In times past, God spoke in partial and various ways to our ancestors through the prophets; in these last days, he spoke to us through a son, whom he made heir of all things and through whom he created the universe, . . .   HEBREWS 1:1–2

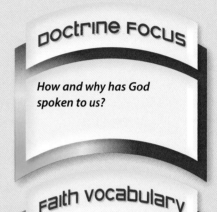

Jesus Christ is the final and definitive Word of God. He is the only Son of God the Father who became incarnate, assuming human nature without losing his divine nature. After Jesus Christ there is no further Revelation.

The Holy Spirit, Teacher and Advocate

Divine Revelation is passed on both in Sacred Scripture and in Sacred Tradition. Sacred Tradition is the "living memory" and "living transmission" of God's truth with the assistance of the Holy Spirit among the People of God in every generation. It is the ministry of the Church to grasp, over time, the meaning and significance of Divine Revelation.

Doctrine Focus

How and why has God spoken to us?

Faith Vocabulary

Divine Revelation
God's free gift of gradually, over time, communicating in words and deeds his own mystery and his divine plan of creation and Salvation.

biblical inspiration
The process by which the Holy Spirit assisted the human writers of Sacred Scripture so that they would teach faithfully, and without error, the saving truth that God, the principal author of the Scriptures, wished to communicate.

El *Ritual para la Confirmación* enuncia: "Debe darse el mayor relieve a la celebración de la [P]alabra de Dios, con que comienza el rito de la Confirmación. De la escucha de la [P]alabra de Dios proviene la multiforme acción del Espíritu Santo sobre la Iglesia y sobre cada uno de los bautizandos o confirmandos, y se manifiesta la voluntad del Señor en la vida de los cristianos" (*Ritual para la Confirmación,* 13).

Inspiración bíblica es el término que la Iglesia usa para nombrar la acción del Espíritu Santo de asistir a los escritores humanos de la Sagrada Escritura para comunicar fielmente y sin error la verdad salvadora que Dios quería compartir. Es a través de la acción del mismo Espíritu Santo que la Iglesia, por medio de su Magisterio, interpreta auténticamente y transmite fielmente la palabra de Dios, oral o escrita, . . ." (*Catecismo de la Iglesia Católica* 85).

Dios ha dado libremente su Palabra y nos invita a escuchar y responder porque quiere que vivamos en amistad y en comunión con Él. Quiere que lo conozcamos, lo amemos y lo sirvamos. Por esa razón es tan vital que escuchemos atentamente la Palabra de Dios proclamada en la Misa y que respondamos de una manera que profundice nuestra relación con Él. Cuando esto sucede, somos tierra buena. Recibimos su Palabra en fe, vivimos en la esperanza de su promesa y actuamos de acuerdo con ella en amor.

En un grupo pequeño, anota tres cosas clave que hayas aprendido sobre Dios de la Sagrada Escritura y de las enseñanzas de la Iglesia. Encierra una en un círculo y describe de qué manera marca una diferencia para tu vida.

Lo que aprendi	La direrencia que marca
_____	_____
_____	_____
_____	_____

¿Cuál es la función del Espíritu Santo en la comunicación de la Palabra de Dios?

Biblical inspiration is the term the Church uses to name the Holy Spirit's action of assisting the human writers of Sacred Scripture so that they faithfully and without error communicate the saving truth that God wanted to share. It is through the action of the same Holy Spirit that the Church, through her Magisterium, authentically interprets and faithfully hands on "the Word of God, whether in its written form or in the form of Tradition, . . ." (*Catechism of the Catholic Church* 85).

God has freely spoken his Word and invites us to listen and respond because he wants us to live in friendship and communion with him. He wants us to know him and love him and serve him. This is why it is so vital that we listen attentively to the Word of God proclaimed at Mass and respond in a way that deepens our relationship with him. When this happens, we are "good soil." We receive his Word in faith, live in hope of its promise, and act on it in love.

What is the role of the Holy Spirit in communicating God's Word to us?

lifelinks

In a small group list three key things you have come to know about God from Sacred Scripture and from the teachings of the Church. Circle one and describe how it makes a difference for your life.

What I Have Come to Know	The Difference It Makes
_____	_____
_____	_____
_____	_____

La Liturgia de la Palabra

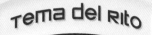
¿Por qué la Liturgia de la Palabra es una parte esencial de la celebración de la Confirmación?

vocabulario de fe

Liturgia de la Palabra
Parte de las celebraciones litúrgicas de la Iglesia durante la cual se proclaman las Sagradas Escrituras y se invita a la asamblea de los fieles a responder con fe.

Leccionario
Libro que contiene las lecturas de la Sagrada Escritura asignadas para proclamarlas en la celebración de la liturgia.

Las formas digitales de comunicación han cambiado la manera en que las familias, los amigos y los negocios llevan adelante las relaciones cada día. Sin embargo, a pesar de todo lo nuevo acerca de las tecnologías de comunicación actuales, las personas se siguen conectando comunicándose con palabras y acciones que les permiten estar presentes con los demás. La **Liturgia de la Palabra** incluye palabras y otros gestos rituales, y la respuesta en la fe de la asamblea de los fieles.

Raíces del antiguo culto judío

La Liturgia de la Palabra en la Misa como la celebramos hoy tiene sus raíces en los ritos del antiguo culto judío. Tanto en el Antiguo Testamento como en el Nuevo Testamento, leemos acerca de que los judíos no solo se reunían para escuchar la proclamación de la Palabra de Dios, sino también para responder a su Palabra renovando su compromiso de vivir la Alianza. Por ejemplo, Lucas 4:16 20 describe un servicio en una sinagoga en el cual Jesús se reunió con el pueblo de Nazaret para la proclamación de las Sagradas Escrituras del antiguo Israel. Estos servicios de la Palabra de Dios de las sinagogas se convirtieron en el modelo para proclamar la Palabra de Dios cuando la Iglesia primitiva se reunía.

Hoy, la celebración de la Liturgia de la Palabra en la Misa es similar al rito del antiguo pueblo judío. La Palabra de Dios se enuncia solemnemente entre los fieles, y Él está presente y actúa con poder en medio de la asamblea. Por esta razón, tratamos a la Sagrada Escritura, la Palabra de Dios y los libros en los cuales se la ha escrito, con tanto respeto y reverencia.

The Liturgy of the Word

Digital forms of communication have changed the way families, friends, and businesses carry on relationships each day. Yet, for all that is new about today's communication technologies, people still connect by communicating in words and actions that allow them to be present with one another. The **Liturgy of the Word** includes words and other ritual gestures and the assembly of the faithful's response in faith.

Roots in Ancient Jewish Worship

The Liturgy of the Word at Mass as we celebrate it today is rooted in ancient Jewish worship rituals. In both the Old Testament and the New Testament we read about the Jewish people not only gathering to listen to the proclamation of God's Word but also responding to his Word by renewing their commitment to live the Covenant. For example, Luke 4:16–20 describes a synagogue service at which Jesus gathered with the people of Nazareth for the proclamation of the Scriptures of ancient Israel. These synagogue services of the Word of God became the model for proclaiming the Word of God when the early Church gathered.

Today, the celebration of the Liturgy of the Word at Mass is similar to the ritual of the ancient Jewish people. God's Word is solemnly spoken among the faithful, and he is present and acts with power in the assembly's midst. That is why we treat Sacred Scripture, the Word of God and the books in which it has been written down, with such respect and reverence.

Ritual Focus

Why is the Liturgy of the Word an essential part of the celebration of Confirmation?

Faith Vocabulary

Liturgy of the Word
The part of the Church's liturgical celebrations during which the Sacred Scriptures are proclaimed and the assembly of the faithful is invited to respond with faith.

Lectionary
One of the books that contains the Scripture readings that are assigned to be proclaimed at the celebration of the liturgy.

Escuchar con fe, esperanza y amor

El **Leccionario** es uno de los libros que contiene las lecturas de la Sagrada Escritura que están asignadas para ser proclamadas en la celebración de la liturgia. Para la celebración del Sacramento de la Confirmación, el Leccionario designa cinco textos del Antiguo Testamento para la Primera Lectura, seis Salmos para el Salmo Responsorial, doce textos del Nuevo Testamento para la Segunda Lectura y doce selecciones de los Evangelios para la Proclamación del Evangelio. En estos pasajes de la Sagrada Escritura, Dios mismo ha revelado ser el misterio de un solo Dios en Tres Personas Divinas:

Dios Padre, Dios Hijo y Dios Espíritu Santo. A este misterio de un solo Dios en Tres Personas Divinas lo llamamos misterio de la Santísima Trinidad.

Cuando la Sagrada Escritura se proclame durante la Liturgia de la Palabra el día de tu Confirmación, ¿estarás listo para escuchar lo que Dios te está diciendo sobre sí mismo? ¿Estarás listo para experimentar la presencia de Dios en las palabras y los hechos de ese día? ¿Estará tu corazón abierto para responder en fe, esperanza y amor a Dios, quien te invita a vivir en amistad y en comunión con Él?

¿Estarás listo para abrirte a los Dones del Espíritu Santo que Él quiere derramar sobre ti ese día? Para estar listo, debes prepararte. La Iglesia lo dice de esta manera: es necesario que los fieles se acerquen [a la sagrada Liturgia] con recta disposición de ánimo (*Constitución sobre la Sagrada Liturgia* 11).

ENLACES CON LA VIDA

Piensa en qué puedes hacer para prepararte para participar activa, completa y conscientemente de la Liturgia de la Palabra en tu Confirmación y en toda celebración litúrgica. Haz una lista de qué harás.

_____

_____

_____

¿Por qué es importante participar plenamente de la Liturgia de la Palabra?

Listening with Faith, Hope, and Love

The **Lectionary** is one of the books that contains the Scripture readings that are assigned to be proclaimed at the celebration of the liturgy. For the celebration of the Sacrament of Confirmation the Lectionary designates five Old Testament texts for the First Reading, six Psalms for the Responsorial Psalm, twelve New Testament texts for the Second Reading, and twelve Gospel selections for the Gospel Proclamation. In these Scripture passages God has revealed himself to be the mystery of One God in Three Divine Persons—God the Father, God the Son, and God the Holy Spirit. We call this mystery of One God in Three Divine Persons the mystery of the Holy, or Blessed, Trinity.

When Sacred Scripture is proclaimed during the Liturgy of the Word on the day of your Confirmation, how ready will you be to listen to what God is telling you about himself? How ready will you be to experience God's presence in word and deed on that day? How open will your heart be to respond in faith, hope, and love to God, who invites you to live in friendship and communion with him?

How ready will you be to open yourself to the Gifts of the Holy Spirit that he wants to pour out upon you that day? To be ready you must prepare yourself. The Church puts it this way, "[I]t is necessary that the faithful come to [the liturgy] with proper dispositions" (*Constitution on the Sacred Liturgy* 11).

Why is it important to participate fully in the Liturgy of the Word?

Liturgy Link

The Church uses many actions during the Liturgy of the Word to show reverence for God's Word. We stand for the proclamation of the Gospel. The Book of the Gospels is often surrounded by lighted candles and is incensed before the Gospel is proclaimed. After proclaiming the Gospel, the priest or deacon kisses the page where Jesus' words are contained. The assembly responds at the end of each reading with a special acclamation, acknowledging that they have listened to the Word of God.

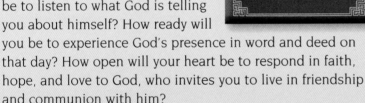

lifelinks

Think about what you can do to prepare yourself to participate actively, fully, and consciously in the Liturgy of the Word at your Confirmation and at every liturgical celebration. List what you will do.

_____

_____

_____

La Iglesia
Vive la fe

Las personas de fe que escucharon la Palabra de Dios, la tomaron en serio y la hicieron parte de su vida siguen teniendo un papel importante en la historia de la Iglesia. San Antonio del Desierto es un ejemplo de una persona de fe así. Cuando oyó el pasaje del Evangelio *Si quieres ser perfecto, vende todo lo que posees y reparte el dinero entre los pobres, . . . Después ven y sígueme* (Mateo 19:21), San Antonio respondió haciendo exactamente eso. Dio todas sus posesiones a los pobres y vivió el resto de su vida como una persona de oración en la soledad del desierto. Los cristianos de hoy responden a la Palabra de Dios y dan respuestas heroicas similares a la que dio San Antonio del Desierto en el siglo IV. La Hermana Dorothy Stang es una de esas cristianas heroicas.

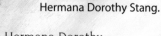

Hermana Dorothy Stang.

El Ángel del Amazonas

La Hermana Dorothy Stang, miembro de las Hermanas de Nuestra Señora de Namur, trabajó durante varias décadas con los pobres de áreas rurales de la cuenca de la selva tropical del Amazonas, en Brasil, América del Sur. Debido a su trabajo de ayudar y aconsejar a los pobres de áreas rurales para proteger su tierra, la Hermana Dorothy recibió numerosas amenazas de muerte por parte de los ricos terratenientes y los leñadores que querían beneficiarse con la tala de árboles de la selva tropical. A pesar de estas amenazas, la Hermana Dorothy siguió siendo franca en sus esfuerzos en nombre de los pobres y el medio ambiente.

La Hermana Dorothy visita una aldea en la región del Amazonas.

The Church
Lives the Faith

Faith-filled people who have listened to the Word of God, taken it to heart, and made it part of their lives continue to play a significant role in the history of the Church. Saint Anthony of the Desert is one example of such a faith-filled person. When he heard the Gospel passage ". . . If you wish to be perfect, go, sell what you have and give to [the] poor, . . . Then come, follow me" (Matthew 19:21), Saint Anthony responded by doing exactly that. He gave all his possessions to the poor and lived out the rest of his life as a person of prayer in solitude in the desert. Christians today respond to the Word of God and make similar heroic responses to the one made in the fourth century by Saint Anthony of the Desert. Sister Dorothy Stang is one of those heroic Christians.

Sister Dorothy Stang.

The Angel of Trans-Amazonia

Sister Dorothy Stang, a member of the Sisters of Notre Dame de Namur, worked for several decades with the rural poor of the Amazon rain forest basin in Brazil, South America. Because of her work of helping and advising the rural poor to protect their land, Sister Dorothy received numerous death threats from wealthy landowners and loggers who wished to profit by cutting down the trees in the rainforest. Despite these threats, Sister Dorothy continued to be outspoken in her efforts on behalf of both the poor and the environment.

Sister Dorothy visiting a village in Amazon region.

Una testigo de Cristo

El ministerio de la Hermana Dorothy terminó con ella dando su vida por el pueblo. De acuerdo con los informes periodísticos, dos hombres armados se acercaron a ella el 12 de febrero del 2005, y la apuntaron con sus armas mientras leía la Biblia. Los testigos informaron que, mientras la apuntaban, leyó la Bienaventuranza *Felices los que trabajan por la paz, porque serán reconocidos como hijos de Dios* (Mateo 5:9) a sus asesinos. Los agresores, de quienes la policía dijo que fueron contratados por terratenientes brasileños, respondieron disparándole a quemarropa.

Procesión fúnebre desde el aeropuerto hasta la iglesia Santa Missoes, en Anapu (norte de Brasil), 14 de febrero del 2005.

La Hermana Dorothy respondió a la Palabra de Dios llegando a los pobres de áreas rurales de Brasil. Esa respuesta incluía ponerse de lado de los pobres, sin importar cómo. Al final, proclamó la palabra de Dios, no solo con las palabras que pronunció del Evangelio, sino con la intensidad de su vida de solidaridad con los *más pequeños de estos mis hermanos. . .* (Mateo 25:40). Cuando se difundieron las noticias de su muerte, más de dos mil granjeros pobres brasileños marcharon al lejano pueblo de Anapu, en la selva, para el funeral de esta mujer de 73 años, a quien llamaban el Ángel del Amazonas.

Procesión al cementerio.

¿Cuándo tu respuesta a la proclamación de la Palabra de Dios ha requerido que actuaras con valor para ser testigo de Cristo?

A Witness for Christ

Funeral procession from airport to Santas Missoes Church in Anapu, Northern Brazil, February 14, 2005.

Sister Dorothy's ministry resulted in her giving her life for the people. According to news reports, two gunmen approached her on February 12, 2005, and aimed their weapons at her while she was reading the Bible. Witnesses reported that while at gunpoint, she read the Beatitude "Blessed are the peacemakers, / for they will be called children of God" (Matthew 5:9) to her assassins. The assailants, whom police said were hired by Brazilian landowners, responded by shooting her at point-blank range.

Sister Dorothy responded to the Word of God by reaching out to the rural poor of Brazil. That response included her standing on the side of the poor, no matter what. In the end, she proclaimed God's Word, not only by the words she uttered from the Gospel, but just as loudly by her life of solidarity with the "least brothers of mine, . . ." (Matthew 25:40). As news of her death spread, more than two thousand poor Brazilian farmers marched to the remote jungle town of Anapu for the funeral of this seventy-three-year-old woman whom they called the "Angel of Trans-Amazonia."

When has your response to the proclamation of the Word of God required you to act with courage to be a witness for Christ?

Procession to cemetery.

Vivir la fe

Marca la differencia

Todos hemos estado, en un momento u otro, con personas que parecen no prestarnos mucha atención cuando estamos tratando de comunicarnos con ellas. Están tan distraídas o distantes que parece como si no estuvieran realmente allí, más allá de la mera presencia física. También hemos conocido personas que están tan conectadas con lo que estamos diciendo o haciendo que comprenden y responden rápidamente. En otras palabras, el último grupo tiene buenas destrezas de comunicación interpersonal.

Comunicación interpersonal

Las buenas destrezas de comunicación interpersonal no aparecen por casualidad. Las personas aprenden y desarrollan estas destrezas a lo largo de la vida. Una de las más básicas de estas destrezas es la escucha activa.

Los investigadores nos dicen que aunque la mayoría de las personas hablan a una velocidad de entre 100 y 175 palabras por minuto, podemos escuchar inteligentemente a una velocidad de 600 a 800 palabras por minuto. Como se requiere solo una parte de nuestra mente para seguir a un hablante, es fácil dejar vagar nuestra mente mientras estamos escuchando. La cura para esto es la escucha activa. La escucha activa es una destreza que nos permite estar absortos y concentrados en la otra persona de una manera muy deliberada.

50

Living the Faith
Makes a Difference

We have all been with people at one time or another who seem not to pay much attention to us when we are trying to communicate with them. They are so distracted or distant that it seems as if they are not really there—beyond their mere physical presence to us. We have also known people who are so tuned in to what we are saying or doing that they quickly come to understand and respond. In other words, the latter group has good interpersonal communication skills.

Interpersonal Communication

Good interpersonal communication skills do not just come about by chance. People learn and develop these skills over a lifetime. One of the most basic of these skills is active listening.

Researchers tell us that while most people speak at a rate of between 100 and 175 words per minute, we can listen intelligently at a rate of 600 to 800 words per minute. Since only a part of our mind is required to follow a speaker, it is easy to let our minds drift while we are listening. The cure for this is active listening. Active listening is a skill which allows us to be intent and focused on the other person in a very deliberate way.

Desarrollar destrezas de escucha activa

Afortunadamente, se ha dedicado una buena cantidad de investigaciones a las destrezas y las cualidades necesarias para hacer de alguien un oyente activo. Escuchar activamente incluye estar involucrado en un nivel de pensamiento y sentimiento tanto por la persona que habla como por lo que se dice. Estas son algunas sugerencias para ayudarte a ser un mejor oyente activo:

✳ **Está presente.** Concentra tu atención deliberadamente en la persona que está hablando y en lo que se está comunicando. Evita las distracciones.

✳ **Haz contacto visual.** Mira directamente a la persona que está hablando. Escucha no solo con tus oídos, sino también con tus ojos y otros sentidos.

✳ **Ten la mente abierta.** Evita hacer juicios rápidos sobre lo que la persona está diciendo.

✳ **Aclara.** Reconoce y aclara los puntos a medida que se los comunica.

✳ **Comunica.** Demuestra interés en lo que se está diciendo a través de acciones verbales y no verbales.

Mientras estés aprendiendo cómo escuchar la Palabra de Dios y responder a ella de manera más efectiva, también es importante desarrollar buenas destrezas de escucha y volverse un oyente activo. Escuchar activamente te ayudará a crecer como miembro del Cuerpo de Cristo.

DECISIÓN DE FE

• En un grupo pequeño, identifica las cosas que has encontrado que te ayudan a ser un oyente activo. Luego comenta cómo puedes fortalecer estas destrezas.

• Luego, repasa tus respuestas a la actividad de "Enlaces con la vida" de la página 19. Reflexiona sobre qué se puede hacer para superar estos obstáculos.

• Finalmente, piensa en los pasos que puedes dar personalmente para convertirte en un mejor oyente activo y atento.

Esta semana, mi manera de escuchar más activamente a la presencia de Dios en mi vida será

_____

_____

_____

Developing Active Listening Skills

Fortunately, a good bit of study has been devoted to the skills and qualities that go into making someone an active listener. Active listening includes being involved on a thinking and a feeling level both to the person speaking and to what is being said. Here are some tips to help you become a better active listener:

* **Be present.** Focus your attention deliberately on the person who is speaking and on what is being communicated. Avoid distractions.

* **Make eye contact.** Look directly at the person who is speaking. Listen not only with your ears but also with your eyes and other senses.

* **Be open-minded.** Avoid making quick judgments about what the person is saying.

* **Clarify.** Acknowledge and clarify points as they are being communicated.

* **Communicate.** Show interest in what is being said through verbal and nonverbal actions.

While you are learning how to more effectively listen and respond to God's Word, it is also important to develop good listening skills and to become an active listener. Listening actively will help you grow as a member of the Body of Christ.

FaITH DeCISION

* In a small group identify the things you have found that help you to be an active listener. Then discuss how you can strengthen these skills.

* Next, review your responses to the "Life Links" activity on page 19. Reflect on what can be done to overcome those obstacles.

* Finally, think about the steps you can personally take to become a better active and attentive listener.

This week I will listen more attentively to God's presence in my life by

_____

_____

_____

mis pensamientos

En este capítulo, reflexionaste sobre la Liturgia de la Palabra que precede a la celebración del Rito de la Confirmación. Has aprendido más acerca de la importancia de esta parte de la celebración de la Confirmación. Has comentado la importancia de escuchar atentamente la Palabra de Dios y de responder a ella haciéndola parte de tu vida cotidiana.

Escribe acerca de las maneras en que puedes convertirte en un mejor "oyente de la Palabra" como parte de tu preparación para el día de tu Confirmación.

_____

_____

_____

_____

_____

_____

_____

_____

_____

_____

_____

Para preguntarles a tu padrino o madrina y a tus padres:

¿Cómo han encontrado las Sagradas Escrituras en la Liturgia de la Palabra, en la lectura individual de la Biblia o en otras maneras que hayan "marcado una diferencia" en su vida?

my thoughts

In this chapter you reflected on the Liturgy of the Word that precedes the celebration of the Rite of Confirmation. You have learned more about the significance of this part of the celebration of Confirmation. You have discussed the importance of listening attentively and responding to God's Word by making it part of your daily life.

Write about the ways you can become a better "hearer of the Word" as part of your preparation for the day of your Confirmation.

_____

_____

_____

_____

_____

_____

_____

_____

_____

_____

_____

A question to share with your sponsor and parents:

How have you encountered the Scriptures in the Liturgy of the Word, in reading the Bible individually, or in other ways that have "made a difference" in your life?

capítulo 3

Renovación de las promesas bautismales

Reflexión para el rito inicial

¿En qué pensabas y qué sentías cuando te hiciste la Señal de la Cruz con el agua bendita durante el rito inicial?

Hay muchas cosas que hacemos de manera rutinaria cada día. Puede suceder que hagamos estas cosas sin prestarles mucha atención. Bendecirnos mientras hacemos la Señal de la Cruz es una oración tan sencilla que podemos olvidar fácilmente todo lo que representa. Cuando rezamos la Señal de la Cruz, profesamos fe en la Santísima Trinidad y en la Muerte, la Resurrección y la Ascensión de Jesucristo. Recordamos nuestro Bautismo, a través del cual nos unimos a Cristo y nos iniciamos en su Iglesia.

¿Cómo podríamos volvernos más conscientes de la verdadera importancia de algunos de nuestros ritos de la Iglesia más familiares?

Renewing Baptismal Promises

Reflection on the Opening Ritual

What were you thinking and feeling as you signed yourself with the holy water during the opening ritual?

There are many things we routinely do each day. It can happen that we do these things without giving them much thought. Blessing ourselves as we pray the Sign of the Cross is such a simple prayer that we can easily forget all that it represents. When we pray the Sign of the Cross, we profess faith in the Blessed Trinity and in the Death, Resurrection, and Ascension of Jesus Christ. We recall our Baptism through which we were joined to Christ and initiated into his Church.

How might we become more aware of the true significance of some of our most familiar rituals of the Church?

Discípulos de Jesús

vocabulario de fe

Fariseo
Miembro de una secta judía de la época de Jesús, cuyos miembros dedicaban la vida al cumplimiento estricto de la Ley que se encuentra en la Tora.

Detalle de *Cristo expulsando a los mercaderes del Templo*.
James J. Tissot (1836–1902), pintor francés.

¿Cuándo has tenido que elegir entre dos alternativas o tomar partido sobre un tema controvertido? Decir sí a un lado frecuentemente significa decir no al otro. A veces, esto puede ser una elección muy difícil. Hasta puede llegar a ser una elección que cambia la vida.

Elecciones que cambian la vida

El Evangelio de Juan contiene muchos relatos de dos alternativas. Juan habla acerca de elegir la luz o la oscuridad, la vida o la muerte, la verdad o la falsedad, la visión o la ceguera, la fe o la incredulidad. Juan nunca pierde la oportunidad de recordar a sus lectores que ser un discípulo leal y fiel de Jesucristo exige hacer elecciones que cambian la vida.

El Evangelio de Juan describe una conversación entre Jesús y Nicodemo (ver Juan 3:1–21), un **Fariseo** que se acerca a Jesús secretamente en la oscuridad de la noche. Este relato revela mucho acerca de la elección que cambia la vida que se debe hacer a favor de Jesús o en su contra.

La escena del capítulo 2 del Evangelio de Juan que aparece justo antes del relato de la conversación de Nicodemo con Jesús brinda el contexto para comprender el significado de esa conversación. Es la Pascua judía, y Jesús ha ido a Jerusalén para la fiesta y acaba de expulsar a los cambistas de dinero del Templo de Jerusalén, lo que enojó a los líderes judíos. No es de extrañar que Nicodemo tuviera miedo de que lo vieran con Jesús.

Disciples of Jesus

Detail from *Christ Driving Out Those Bought and Sold.*
James J. Tissot (1836–1902), French painter.

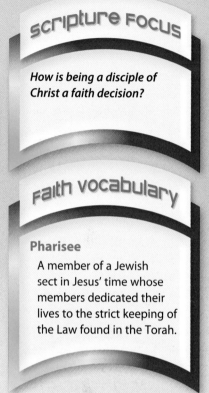

scripture focus

How is being a disciple of
Christ a faith decision?

faith vocabulary

Pharisee
A member of a Jewish
sect in Jesus' time whose
members dedicated their
lives to the strict keeping of
the Law found in the Torah.

When have you had to make an either-or choice or take sides
on a controversial issue? Your saying yes to one side frequently
means saying no to the other. This sometimes can be a very
difficult choice. It can even be a life-changing choice.

Life-Changing Choices

John's Gospel contains many accounts of either-or choices.
John speaks about choosing light or darkness, life or death,
truth or falsehood, sight or blindness, faith or disbelief.
John never misses an opportunity to remind his readers that
being a loyal and faithful disciple of Jesus Christ demands
making life-changing choices.

John's Gospel describes a conversation between Jesus
and Nicodemus (see John 3:1–21), a **Pharisee** who comes
to Jesus secretly in the darkness of the night. This narrative
reveals a great deal about the life-changing choice one must
make for or against Jesus.

The scene in chapter 2 of John's Gospel just before the
story of Nicodemus's conversation with Jesus provides the
context for understanding the meaning of that conversation.
It is Passover, and Jesus has come to Jerusalem for the
feast and has just driven out the money changers from
the Temple in Jerusalem, angering the Jewish leaders. No
wonder Nicodemus was afraid of being seen with Jesus.

Vivir en la luz

Este relato sobre la conversación entre Jesús y Nicodemo empieza con el detalle de que Nicodemo va a Jesús de noche (Juan 3:1). Aunque este parece ser un detalle mínimo, es importante y simbólico, ya que apunta mucho más que a la oscuridad física de la noche. La noche sugiere que Nicodemo está aún prisionero de los poderes de la oscuridad y todavía no está dispuesto a declararse abiertamente como discípulo de Jesús, la luz verdadera, la luz que ilumina a todo hombre, . . . (Juan 1:9). Leemos:

> [Nicodemo] fue de noche a ver a Jesús y le dijo: Rabí, sabemos que has venido de parte de Dios como maestro, . . . Jesús le contestó: En verdad te digo que nadie puede ver el Reino de Dios si no nace de nuevo desde arriba. Nicodemo le dijo: ¿Cómo renacerá el hombre ya viejo? . . . Jesús le contestó: En verdad te digo: El que no renace del agua y del Espíritu no puede entrar en el Reino de Dios.
>
> Juan 3:2–5

Aunque la respuesta de Nicodemo, ¿Cómo renacerá el hombre ya viejo?, revela que todavía no comprende lo que Jesús está diciendo, la Iglesia primitiva reconocería inmediatamente que estas palabras se referían al Bautismo. Jesús concluyó diciendo a Nicodemo que elegir ser discípulo de Jesús incluye elegir entre la luz y la oscuridad.

Detalle de
Conversación entre Jesús y Nicodemo. James J. Tissot.

ENLACES CON LA VIDA

Piensa en tres elecciones que tuviste que hacer con respecto a ser testigo de Cristo. Identifica a qué le dijiste sí y a qué le dijiste no. Anota tus elecciones.

_____

_____

_____

¿Qué le enseña Jesús a Nicodemo acerca de la elección que se requiere de cualquiera que desea ser su discípulo?

Living in the Light

This narrative about the conversation between Jesus and Nicodemus opens with the detail that Nicodemus comes to Jesus "at night" (John 3:2). While this seems to be a small detail, it is significant and symbolic, pointing to more than the physical darkness of the night. The nighttime suggests that Nicodemus is still a captive of the powers of darkness and not yet willing to declare himself openly as a disciple of Jesus, "[t]he true light, which enlightens everyone, . . ." (John 1:9). We read:

> [Nicodemus] came to Jesus at night and said to him, "Rabbi, we know that you are a teacher who has come from God, . . ." Jesus answered and said to him, "Amen, amen, I say to you, no one can see the kingdom of God without being born from above." Nicodemus said to him, "How can a person once grown old be born again? . . ." Jesus answered, "Amen, amen, I say to you, no one can enter the kingdom of God without being born of water and Spirit."
>
> JOHN 3:2–5

Detail from *Interview Between Jesus and Nicodemus.* James J. Tissot.

While Nicodemus's response "How can a person once grown old be born again?" reveals that he still does not understand what Jesus is saying, the early Church would have immediately recognized these words as referring to Baptism. Jesus concludes by telling Nicodemus that choosing to be a disciple of Jesus includes choosing between light and darkness.

What does Jesus teach Nicodemus about the choice required of anyone who wishes to be his disciple?

lifelinks

Think about three choices that you had to make about being a witness for Christ. Identify what you were saying yes to and what you were saying no to. List your choices.

_____

_____

_____

El Misterio Pascual

tema doctrinal

¿A qué se compromete una persona la primera vez que hace o renueva las promesas bautismales?

vocabulario de fe

Etapa de Purificación e Iluminación

Última etapa del proceso catecumenal del Rito de la Iniciación Cristiana de Adultos (RICA), que coincide con el tiempo de Cuaresma.

Misterio Pascual

Los hechos salvadores de la Pasión, Muerte, Resurrección y gloriosa Ascensión de Jesucristo.

Cuando en una parroquia hay catecúmenos, o personas que todavía no han sido bautizadas, preparándose para la iniciación en la Iglesia en la Vigilia Pascual, el tiempo de Cuaresma se llama **Etapa de Purificación e Iluminación.** Esta etapa del proceso de iniciación es un momento de preparación espiritual final e intensa. Es un momento en el que toda la comunidad cristiana está invitada a unirse al catecúmeno en su alejamiento de la oscuridad del pecado (purificación) y su acercamiento a la luz de Cristo (iluminación).

Rechazar la muerte y elegir vida nueva

La Etapa de Purificación e Iluminación refleja el llamado del Evangelio a arrepentirse y a creer en el Evangelio. Refleja los acontecimientos salvadores del **Misterio Pascual** de Cristo, de la Salvación del pecado y el renacer a una vida nueva prometida en Cristo.

En el núcleo del Evangelio está el movimiento dinámico de conversión a Cristo, de pasar de la muerte a la vida, de apartarse del pecado y acercarse a Cristo. Desde los primeros siglos de la Iglesia, la liturgia de la iniciación cristiana ha capturado este movimiento doble de apartarse del pecado y de acercarse a Cristo en la forma de hacer promesas de rechazar a Satanás y sus obras, y de vivir como hijos de la luz.

Al denunciar las obras de Satanás, los catecúmenos prometen rechazar y no participar en actos de oscuridad que, entre otras cosas, incluyen actos de racismo, odio étnico o intolerancia. Prometen rechazar y renunciar a todas las formas de violencia, desde el acoso escolar hasta guerras injustas. Renuncian a todo deseo excesivo e inapropiado de poder, riqueza, éxito y placer. Cuando los que van a ser bautizados prometen rechazar las obras de Satanás, en realidad están prometiendo abrazar una vida de conversión continua a Cristo. Al hacer esto, están haciendo una promesa que cambia la vida, de vivir de acuerdo con el Evangelio como testigos de Cristo.

The Paschal Mystery

When there are catechumens, or people who have not yet been baptized, in a parish preparing for initiation into the Church at the Easter Vigil, the Season of Lent is called the **Period of Purification and Enlightenment.** This stage of the initiation process is a time of final and intense spiritual preparation. It is a time when the entire Christian community is invited to join the catechumens in turning away from the darkness of sin (purification) and turning toward the light of Christ (enlightenment).

Rejecting Death and Choosing New Life

The Period of Purification and Enlightenment reflects the Gospel call to repent and believe in the Gospel. It mirrors the saving events of the **Paschal Mystery** of Christ, of Salvation from sin and rebirth in new life promised in Christ.

At the heart of the Gospel is the dynamic movement of conversion to Christ, of moving from death to life, of turning away from sin and turning toward Christ. From the very earliest centuries of the Church, the liturgy of Christian initiation has captured this twofold movement of turning from sin and turning toward Christ in the form of making promises to reject Satan and his works and to live as children of the light.

In denouncing the works of Satan, the catechumens promise to reject and not take part in acts of darkness which, among other things, include acts of racism, ethnic hatred, or bigotry. They promise to reject and give up all forms of violence, from schoolyard bullying to unjust warfare. They forsake all excessive and inappropriate desire for power, wealth, success, and pleasure. When those about to be baptized promise to reject the works of Satan, they are really pledging to embrace a life of ongoing conversion to Christ. In so doing, they are making the life-changing promise to live according to the Gospel as witnesses for Christ.

Doctrine Focus

What is a person committing to when first making or renewing the baptismal promises?

Faith Vocabulary

Period of Purification and Enlightenment

The last stage of the catechumenal process in the Rite of Christian Initiation for Adults (RCIA), which coincides with the Season of Lent.

Paschal Mystery

The saving events of the Passion, Death, Resurrection, and glorious Ascension of Jesus Christ.

El candidato a la Confirmación que ya ha alcanzado el uso de razón debe profesar la fe, estar en estado de gracia, tener la intención de recibir el sacramento y estar preparado para asumir su papel de discípulo y de testigo de Cristo, en la comunidad eclesial y en los asuntos temporales. El candidato debe recibir el Sacramento de la Penitencia y de la Reconciliación para prepararse para recibir la fuerza y la gracia del Espíritu Santo (ver *Catecismo de la Iglesia Católica* 1310, 1318 y 1319).

Confesar que Jesús es el Señor

En las promesas bautismales, que renovarás como parte del Rito de la Confirmación, rechazas solemnemente todo lo que representa Satanás y te comprometes a hacer la obra de Dios. El Apocalipsis, del Nuevo Testamento, describe con imágenes gráficas y escabrosas las obras de Satanás como la blasfemia, la violencia, el abuso de autoridad y la perversión de todo lo que representa Cristo. El Apocalipsis también anuncia que, en la Resurrección de Jesús, ya se ha conseguido la victoria sobre los poderes de la oscuridad.

El origen del Credo de los Apóstoles se encuentra en la profesión de fe bautismal en la Santísima Trinidad en un solo Dios en Tres Personas, Dios Padre, Dios Hijo y Dios Espíritu Santo y en las obras de creación, Salvación y santificación de la Santísima Trinidad. Aquellos que desean ser discípulos de Jesucristo deben profesar públicamente su fe en la Santísima Trinidad y afirmar que Jesús y solo Él es el Señor, el Vencedor sobre el pecado y sobre la muerte misma.

San Pablo escribió a la Iglesia de Roma [P]orque te salvarás si confiesas con tu boca que Jesús es Señor y crees en tu corazón que Dios lo resucitó de entre los muertos (Romanos 10:9). Cuando el obispo te pide que renueves tus promesas bautismales antes de que te confirmes, te está invitando a elegir a Jesús, la Luz del mundo, y todo lo que Él representa por encima de la oscuridad, así como Jesús invitó a Nicodemo a que lo hiciera.

¿Cuál es la conexión entre el Misterio Pascual y las promesas bautismales?

Enlaces con la Vida

Haz una lista de los comportamientos que describen a una persona que se aleja de las obras de Satanás y se acerca a Cristo. ¿Cuál de estos comportamientos te describe?

_____

_____

_____

Confessing that Jesus Is Lord

In the baptismal promises which you will renew as part of the Rite of Confirmation, you solemnly reject all that Satan stands for and commit yourself to doing the works of God. The New Testament Book of Revelation describes in graphic and lurid imagery the works of Satan as blasphemy, violence, misuse of authority, and the perversion of all that Christ represents. The Book of Revelation also announces that in the Resurrection of Jesus, the victory over those powers of darkness has already been won.

The origin of the Apostles' Creed is found in the baptismal profession of faith in the Holy Trinity—in One God in Three Persons, God the Father, God the Son, and God the Holy Spirit—and in the Trinity's works of creation, Salvation, and sanctification. Those who wish to be disciples of Jesus Christ must publicly profess their faith in the Holy Trinity and affirm that Jesus and he alone is Lord, the Victor over sin and over death itself.

Saint Paul wrote to the Church in Rome, ". . . [I]f you confess with your mouth that Jesus is Lord and believe in your heart that God raised him from the dead, you will be saved" (Romans 10:9). When the bishop asks you to renew your baptismal promises before you are confirmed, you are being invited to choose Jesus, the Light of the world, and all that he stands for over darkness, just as Jesus invited Nicodemus to do.

What is the connection between the Paschal Mystery and the baptismal promises?

lifelinks

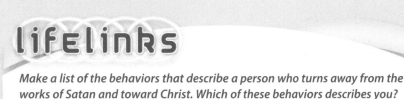

Make a list of the behaviors that describe a person who turns away from the works of Satan and toward Christ. Which of these behaviors describes you?

_____

_____

_____

Un compromiso solemne

tema del rito

¿Cuál es el significado de la renovación de las promesas bautismales antes de recibir la Confirmación?

vocabulario de fe

Viático
Nombre dado a la Sagrada Comunión cuando es administrada a un moribundo como alimento y fortaleza para su viaje de la vida en la Tierra a la vida eterna, a través de la muerte.

Cuando las personas se unen a una organización, a menudo hay rituales implícitos, que incluyen el usode símbolos. Esto ayuda a las personas a comprender la naturaleza del grupo al que se están uniendo y sus responsabilidades como miembros del grupo. La Iglesia también usa muchos símbolos y rituales en la celebración de los Sacramentos.

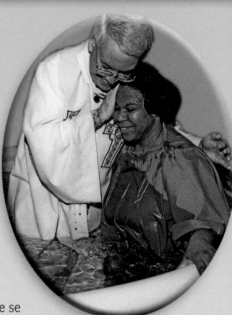

Comprometerse con Cristo

En algunos lugares, durante los primeros siglos de la Iglesia, los que se iban a bautizar tenían que mirar hacia el oeste, el reino de la oscuridad, donde el sol se ponía. Luego, rechazaban tres veces

Bautismo por inmersión.

el pecado, el mal y a Satanás, con todas sus mentiras y tentaciones. A veces, incluso tenían que escupir hacia la oscuridad, demostrando su completo desprecio por todas las formas de la maldad.

Después de este triple rechazo de Satanás y sus obras, los que se iban a bautizar hacían una triple profesión de la fe de la Iglesia. Para esta profesión de fe, los candidatos miraban hacia el este, la dirección de donde el sol sale, trayendo con él la luz. Entrando en la piscina bautismal, primero se les pedía que profesaran su fe en Dios Padre y Creador, y luego se los sumergía completamente bajo el agua mientras el celebrante decía: (*Nombre*), yo te bautizo en el nombre del Padre, y del Hijo, y del Espíritu Santo. A continuación, profesaban su fe en Jesucristo, y una vez más se los sumergía completamente bajo el agua. Luego profesaban su fe en el Espíritu Santo, a lo que seguía la tercera y última inmersión en el agua.

Todos los que eran testigos de un Bautismo sabían sin ninguna duda que quienes se estaban bautizando se comprometían a ser fieles seguidores de Jesucristo. Habían hecho un juramento, un *sacramentum*, de manera sumamente pública. Los cristianos tomaron prestado el término del latín *sacramentum*, que originalmente se refería al juramento que hacían los soldados romanos, ligándose de por vida al servicio del Emperador, y le dieron un significado nuevo.

A Solemn Commitment

When people join an organization, there are often rituals involved that include the use of symbols. This helps people understand the nature of the group they are joining and their responsibilities as members of the group. The Church too uses many symbols and rituals in the celebration of the Sacraments.

Baptism by immersion.

Committing Oneself to Christ

In some places during the early centuries of the Church, those to be baptized had to face toward the west—the realm of darkness where the sun set. Then they three times rejected sin, evil, and Satan with all his lies and temptations. They even sometimes had to spit toward the darkness, showing their complete contempt for all forms of wickedness.

After this threefold rejection of Satan and his works, a threefold profession of the faith of the Church was made by those about to be baptized. For this profession of faith, the candidates turned toward the east—the direction from which the sun rises, bringing with it the light. Stepping into the baptismal pool, they were first asked to profess faith in God the Father and Creator and were then plunged, or immersed, completely underwater as the celebrant prayed, "(Name), I baptize you in the name of the Father, and of the Son, and of the Holy Spirit." Next, they professed faith in Jesus Christ, and were once again completely immersed underwater. Then they professed faith in the Holy Spirit, followed by their third and final immersion into the water.

Everyone witnessing a Baptism knew without a doubt that those being baptized were committing themselves to be faithful followers of Jesus Christ. They had sworn an oath, a *sacramentum*, in a highly public manner. Christians borrowed the Latin term *sacramentum*, which originally referred to the oath that Roman soldiers took, binding themselves for life to the service of the Emperor, and gave it a new meaning.

RITUAL FOCUS

What is the meaning of the renewal of baptismal promises prior to the reception of Confirmation?

Faith Vocabulary

Viaticum

The name given to Holy Communion when it is administered to a dying person as food and strength for their journey from life on Earth, through death, to eternal life.

En los primeros siglos de la Iglesia, el Bautismo y la Confirmación se celebraban siempre juntos. Lo que empezaba en el Bautismo se fortalecía en la Confirmación. El vínculo entre estos dos Sacramentos de la Iniciación Cristiana es muy estrecho. Por esta razón, cuando los bautizados celebran la Confirmación separada de la celebración del Bautismo, la renovación de las promesas bautismales forma parte del rito.

Los cristianos hacían un juramento para estar obligados de por vida a servir solo a Jesús como el Señor. El *Ritual para la Confirmación* enuncia que los candidatos a confirmarse deben estar "convenientemente instruido[s] y dispuesto[s] a renovar las promesas bautismales" (*Ritual para la Confirmación* 12). Comprender las muchas maneras en que la Iglesia Católica incluye la renovación de las promesas bautismales en la liturgia puede ayudarnos a captar el significado de esta práctica de la Iglesia.

Observar el rito prescrito para los moribundos nos da cierta noción de cuán solemne es el momento en que los bautizados renuevan públicamente su compromiso de vivir y morir como seguidores de Jesucristo. En ese rito, el sacerdote recibe la indicación de hacer que la persona renueve sus promesas bautismales antes de recibir el **viático.** Viático es el nombre dado a la Sagrada Comunión cuando es administrada a un moribundo como alimento y fortaleza para su viaje de la vida en la Tierra a la vida eterna, a través de la muerte.

Imagina con qué seriedad deberías tomar esta parte del Rito de la Confirmación si supieras que poco después enfrentando a la muerte. Eso, de hecho, no está demasiado alejado de la concienciación que debió haber tenido al respecto la Iglesia primitiva para aquellos que se iniciaban en la Vigilia Pascual. Sabían que, en cualquier momento, la persecución del emperador romano podía significar fácilmente la muerte para ellos.

¿Qué simboliza el rito bautismal del triple rechazo y de la triple profesión?

En un grupo pequeño, comenta por qué la renovación de las promesas bautismales es un momento tan solemne en el Rito de la Confirmación. Luego comenta qué deben ser capaces de hacer los candidatos para renovar sus promesas bautismales. Usa este espacio para anotar las ideas clave de los comentarios de tu grupo.

_____

_____

_____

Christians swore an oath to be bound for life to serve Jesus alone as Lord. The *Rite of Confirmation* states that candidates to be confirmed must be "properly instructed, and capable of renewing the baptismal promises" (*Rite of Confirmation* 12). Understanding the many ways the Catholic Church includes the renewal of baptismal promises in the liturgy can help us grasp the significance of this practice of the Church.

Looking at the ritual prescribed for a dying person gives us some inkling of how solemn a moment it is when a baptized person publicly renews their commitment to live and die as followers of Jesus Christ. In that ritual the priest is directed to have the person renew their baptismal promises before receiving **Viaticum.** Viaticum is the name given to Holy Communion when it is administered to a dying person as food and strength for their journey from life on Earth, through death, to eternal life.

Imagine how seriously you would take this part of the Rite of Confirmation if you knew that shortly afterward you would be facing death. That, in fact, is not too far removed from the awareness that must have been present in the early Church for those initiated at the Easter Vigil. They knew that, at any time, persecution by the Roman Emperor could easily mean death for them.

Liturgy Link

In the early centuries of the Church, Baptism and Confirmation were always celebrated together. What was begun in Baptism is strengthened in Confirmation. The link between these two Sacraments of Christian Initiation is very close. This is why when a baptized person celebrates Confirmation separated in time from their celebration of Baptism, the renewal of baptismal promises is part of the rite.

What does the baptismal ritual of the threefold rejection and threefold profession symbolize?

lifelinks

In a small group discuss why the renewal of baptismal promises is such a solemn moment in the Rite of Confirmation. Then discuss what candidates must be capable of in order to renew their baptismal promises. Use this space to record the key ideas of your group's discussion.

_____

_____

_____

La Iglesia
Vive la fe

Uno de los resultados más significativos del Concilio Vaticano II fue el enfoque renovado de la Iglesia en la función y la dignidad de los laicos. Cada vez más, los laicos llegaron a darse cuenta de que su misión como discípulos bautizados y confirmados es trabajar para transformar el mundo desde adentro, para que el reino de Dios pudiera llegar más completa y rápidamente a su realización. Darse cuenta de lo que significa ser un discípulo laico cristiano de Cristo se ha manifestado en un crecimiento increíble del número de laicos que participan en ministerios de varios tipos. Uno de estos ministerios es el Cuerpo de Voluntarios Jesuitas (JVC, por su sigla en inglés).

El Cuerpo de Voluntarios Jesuitas

Desde su fundación poco después del Concilio Vaticano II, en 1962, más de 12,000 hombres y mujeres laicos han participado del Cuerpo de Voluntarios Jesuitas. Después de graduarse de la universidad, los jóvenes hacen un compromiso de trabajar entre los pobres durante un año o más como parte de la red JVC. Los voluntarios sirven a desamparados, desempleados, refugiados, personas con SIDA, ancianos, jóvenes de la calle, mujeres y niños que sufrieron abuso, enfermos mentales y personas con discapacidades de desarrollo.

The Church
Lives the Faith

One of the most significant results of the Second Vatican Council was the Church's renewed focus on the role and dignity of laypeople. Increasingly, laypeople came to realize that their mission as baptized and confirmed disciples is to work to transform the world from within so that God's reign might more fully and swiftly come to its fulfillment. The realization of what it means to be a Christian lay-disciple of Christ has manifested itself in an incredible growth in the number of laypeople involved in ministries of various kinds. One of those ministries is the Jesuit Volunteer Corps (JVC).

The Jesuit Volunteer Corps

Since its founding shortly before the Second Vatican Council began in 1962, more than 12,000 lay men and women have participated in the Jesuit Volunteer Corps. After graduating from college, young men and women make a commitment to work among the poor for one year or more as part of the JVC network. Volunteers serve the homeless, the unemployed, refugees, people with AIDS, the elderly, street youth, abused women and children, the mentally ill, and the developmentally disabled.

El Cuerpo de Voluntarios Jesuitas se ha convertido en el programa de voluntarios laicos católicos más grande de los Estados Unidos. Los miembros del JVC viven su compromiso en una variedad de maneras que integran los valores de justicia social, sencillez del estilo de vida, vida comunitaria y espiritualidad.

▼ **Justicia social:** La justicia social es una experiencia vivida, ya que los miembros del JVC crean relaciones personales con los pobres. Esto permite que los miembros del JVC comprendan las causas y las consecuencias de la injusticia y respondan a ellas de una manera verdaderamente personal.

▼ **Estilo de vida sencillo:** Llevar un estilo de vida sencillo libera a los voluntarios para que experimenten el valor de los placeres simples. Los voluntarios practican a su estilo de vida común tomando decisiones grupales acerca de la compra de alimentos, reciclaje, uso de electrodomésticos, etc.

▼ **Vida en comunidad:** Los miembros del JVC viven juntos en casas grupales que brindan una manera segura de dar y recibir apoyo. Al compartir la comida, comentarios, oración y actividades recreativas, los miembros del JVC se renuevan y se alientan mutuamente para continuar con su ministerio.

▼ **Espiritualidad:** Para los miembros del JVC, la espiritualidad se enfoca en ser "contemplativos en la acción", es decir, trabajar activamente por los pobres y con ellos, y reflexionar sobre la presencia de Dios en el trabajo y las relaciones. La espiritualidad del JVC se basa en la espiritualidad de San Ignacio de Loyola (1491–1556), el fundador de los jesuitas.

Si deseas averiguar más acerca del Cuerpo de Voluntarios Jesuitas, puedes visitar su sitio web en jesuitvolunteers.org.

¿De qué manera el Cuerpo de Voluntarios Jesuitas es un ejemplo de cristianos que han descubierto el significado profundo de su Bautismo y su Confirmación?

The Jesuit Volunteer Corps has become the largest Catholic lay volunteer program in the United States of America. JVC members live out their commitment in a variety of ways that integrate the values of social justice, simplicity of lifestyle, community living, and spirituality.

▼ **Social justice:** Social justice is a lived experience as JVC members form person-to-person relationships with the poor. This enables JVC members to understand and respond to the causes and consequences of injustice in a truly personal way.

▼ **Simple lifestyle:** Living a simple lifestyle frees volunteers to experience the value of simple pleasures. Volunteers shape their common lifestyle by making group decisions about food purchases, recycling, appliance usage, and so on.

▼ **Community living:** JVC members live together in group households that provide a dependable way of giving and receiving support. By sharing dinner, discussions, prayer, and leisure activities, JVC members renew and encourage one another to continue their ministries.

▼ **Spirituality:** Spirituality for the JVC member is focused on being a "contemplative in action," that is, working actively for and with the poor, and reflecting on God's presence in work and relationships. JVC spirituality is based on the spirituality of Saint Ignatius of Loyola (1491–1556), the founder of the Jesuits.

If you would like to find out more about the Jesuit Volunteer Corps, you can check out their Web site at jesuitvolunteers.org.

How is the Jesuit Volunteer Corps an example of Christians who have discovered the deeper meaning of their Baptism and Confirmation?

Vivir la fe
Marca la differencia

El *Catecismo de la Iglesia Católica* enseña que primero recibimos los Dones del Espíritu Santo en el Bautismo (1266) y que en la Confirmación estos dones aumentan en nosotros (1303). En el Rito de la Confirmación, el obispo menciona específicamente el valor como uno de los siete Dones del Espíritu Santo mientras reza con las manos extendidas sobre ti.

El don del valor

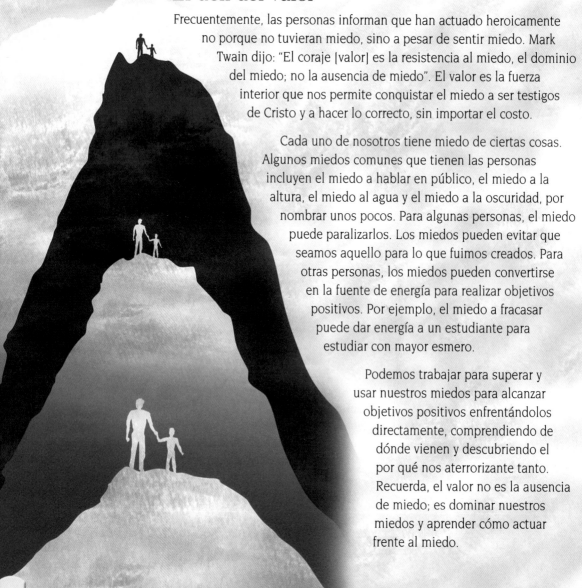

Frecuentemente, las personas informan que han actuado heroicamente no porque no tuvieran miedo, sino a pesar de sentir miedo. Mark Twain dijo: "El coraje [valor] es la resistencia al miedo, el dominio del miedo; no la ausencia de miedo". El valor es la fuerza interior que nos permite conquistar el miedo a ser testigos de Cristo y a hacer lo correcto, sin importar el costo.

Cada uno de nosotros tiene miedo de ciertas cosas. Algunos miedos comunes que tienen las personas incluyen el miedo a hablar en público, el miedo a la altura, el miedo al agua y el miedo a la oscuridad, por nombrar unos pocos. Para algunas personas, el miedo puede paralizarlos. Los miedos pueden evitar que seamos aquello para lo que fuimos creados. Para otras personas, los miedos pueden convertirse en la fuente de energía para realizar objetivos positivos. Por ejemplo, el miedo a fracasar puede dar energía a un estudiante para estudiar con mayor esmero.

Podemos trabajar para superar y usar nuestros miedos para alcanzar objetivos positivos enfrentándolos directamente, comprendiendo de dónde vienen y descubriendo el por qué nos aterrorizante tanto. Recuerda, el valor no es la ausencia de miedo; es dominar nuestros miedos y aprender cómo actuar frente al miedo.

Living the Faith
Makes a Difference

The *Catechism of the Catholic Church* teaches that we first receive the Gifts of the Holy Spirit in Baptism (1266) and that in Confirmation these Gifts are increased within us (1303). In the Rite of Confirmation the bishop specifically names courage as one of the seven Gifts of the Holy Spirit as he prays with his hands extended over you.

The Gift of Courage

People often report that they acted heroically not in an absence of fear, but in spite of being afraid. Mark Twain said, "Courage is resistance to fear, mastery of fear—not absence of fear." Courage is the inner strength that allows us to conquer the fear of being witnesses for Christ and do the right thing, no matter what the cost.

Each of us has certain things we are afraid of. Some common fears that people have include fear of public speaking, fear of heights, fear of water, and fear of darkness, just to name a few. For some people fear can be paralyzing. Fears can hold us back from being the people we were created to be. For other people fears can become the source of energy to accomplish positive goals. For example, fear of failure can energize a student to study more diligently.

We can work at overcoming and using our fears to achieve positive goals by looking them squarely in the face, understanding where they come from, and discovering what it is about them that we find so terrifying. Remember, courage is not the absence of fear; it is mastering our fears and learning how to act in the face of fear.

DECISIÓN DE FE

Usa este cuadro para examinar el papel que el miedo tiene en tu vida y para identificar los pasos positivos que puedes dar para superar algunos de esos miedos. Te damos un ejemplo para que puedas empezar.

Nombra el miedo (agrega otros como resultado de tus comentarios)	Indica lo que hay debajo de este miedo (a qué le tienes miedo realmente)	Nombra la fuerza de este miedo para ti (1 = nada; 10 = miedo abrumador, paralizador)	Identifica los pasos que te gustaría dar para superar los efectos de este miedo en tu vida
Enfrentar el comportamiento de mi mejor amigo en determinado asunto	Perder a mi mejor amigo; a que se burlen por haber dicho algo	7	Pedir asesoramiento al consejero escolar sobre cómo enfrentarlo sin distanciarse

Esta semana, rezaré por uno de los miedos que es un obstáculo en mi vida como discípulo de Jesús, y lo desafiaré. Para superar este miedo, voy a

_____

_____

_____ .

Faith Decision

Use this chart to examine the role that fear plays in your life and to identify positive steps you can take to overcome some of those fears. One example has been given to get you started.

Name of the fear (add others as a result of your discussion)	What it is that is underneath this fear (what you are really afraid of)	Name the strength of this fear for you (1 = not at all; 10 = overwhelming, paralyzing fear)	Identify steps you would like to take to overcome the effects of this fear in your life
Challenging my best friend's behavior in a certain matter	Losing my best friend; being teased because I said something	7	Get advice from school counselor on how to confront without alienating

This week I will pray about and challenge one of the fears that is an obstacle to my living as a disciple of Jesus. To overcome that fear I will

_____

_____

_____ .

mis pensamientos

En este capítulo, exploraste la renovación de las promesas bautismales, que forma parte de la celebración del Rito de la Confirmación. Aprendiste acerca de la importancia de este rito y de cómo te invita a hacer elecciones muy deliberadas para ser un discípulo de Jesucristo. Vives esa elección todos los días y todas las semanas de distintas maneras: con tu familia y tus amigos, en la escuela y en situaciones sociales.

En tu diario, escribe tus pensamientos acerca de cómo puedes elegir más activa y coherentemente ser un discípulo de Jesucristo en tu vida cotidiana.

Para preguntarles a tu padrino o madrina y a tus padres:

¿Qué aprendieron de sus experiencias sobre cómo hacer elecciones para vivir cómo discdiscipulos de Cristo?

my thoughts

In this chapter you explored the renewal of baptismal promises, which is part of the celebration of the Rite of Confirmation. You learned about the significance of this ritual and how it invites you to make a very deliberate choice to be a disciple of Jesus Christ. You live out that choice every day and every week in a variety of ways—with family and friends, at school, and in social situations.

In your journal write your thoughts about how you can more actively and consistently choose to be a disciple of Jesus Christ in your day-to-day life.

_____

_____

_____

_____

_____

_____

_____

_____

_____

A question to share with your sponsor and parents:

What have you learned from your experiences about how to make choices to live as a disciple of Christ?

Imposición de las manos

Reflexión para el rito inicial

¿Cómo fue tu experiencia cuando recibiste la imposición de las manos y la oración de bendición en el rito inicial?

En muchos grupos étnicos existe la tradición de que los padres impongan las manos sobre la cabeza de sus niños cada noche a la hora de dormir como signo y oración de bendición. Un vestigio de esta costumbre todavía sobrevive en su forma secular cuando un adulto palmea a un niño en la cabeza como gesto de buena voluntad.

¿Cuáles son los ejemplos de la Biblia donde alguien usa el sentido del tacto o impone las manos para simbolizar la acción de Dios en la vida de otra persona?

Bautismo (arriba),
candidato y padrino
de Confirmación (abajo).

Laying On of Hands

chapter 4

Reflection on the Opening Ritual

What was your experience as you received the laying on of hands and the prayer of blessing in the opening ritual?

In many ethnic groups there is a tradition of parents placing their hand on their children's heads each night at bedtime as a sign and prayer of blessing. A remnant of this custom still survives in its secular form when an adult pats a child on the head as a gesture of goodwill.

What are some examples in the Bible in which someone uses touch or the laying on of hands to symbolize God's action in another person's life?

Baptism (top),
Confirmation candidate
and sponsor (bottom).

81

Recibir al Espíritu Santo

vocabulario de fe

chivo expiatorio
Expresión referida a alguien que carga con la culpa o la responsabilidad de los demás; originalmente, un animal sobre el cual extendía las manos el Sumo Sacerdote judío en una ceremonia ritual para transferirle la culpa del pueblo israelita y luego lo desterraba al desierto a fin de que "se llevara" los pecados del pueblo.

El lenguaje corporal de las personas —cómo lucen, la manera en que usan las manos, el tono de voz— con frecuencia comunica más que sus palabras. La Sagrada Escritura contiene numerosos ejemplos del empleo de las manos como una manera de comunicar el misterio de Dios en acción en la vida de su pueblo.

Antiguo Testamento

En el rito inicial escuchamos Génesis 48:13–16, en el que Jacob concedió una bendición a Efraín y a Manasés mediante la imposición de las manos. El Antiguo Testamento contiene otros ejemplos y usos de la imposición de las manos. Dos de estos usos son la práctica de establecer un chivo expiatorio y la de designar a una persona para una misión de servicio al pueblo de Dios.

La expresión **chivo expiatorio** se refiere a alguien que carga con la culpa o la responsabilidad de los demás. Los israelitas adoptaron la expresión y la práctica, y la llevaban a cabo en su culto. Esta práctica se describe en Levítico 16:20–22.

La imposición de las manos también se empleaba en el Antiguo Testamento para transmitir el poder al encomendar a alguien una misión u oficio específico. Esta aplicación de la imposición de las manos se encuentra en el Libro de los Números. Leemos:

> Yavé respondió a Moisés: "Llama a Josué, hijo de Nun, hombre en que está el Espíritu, y pon tu mano sobre él. Lo presentarás al sacerdote Eleazar y a toda la comunidad, y allí le darás instrucciones en presencia de ellos. . . . con el fin de que toda la comunidad de los hijos de Israel le obedezca. NÚMEROS 27:18–20

Biblióteca de Arte Bridgeman
Moisés impone la mano a Josué
grabado en madera
c. del siglo XV.

Receiving the Holy Spirit

The body language of people—the way they look, the way they use their hands, the tone of their voice—often communicates more than their words. Sacred Scripture contains numerous examples of the use of hands as a way of communicating the mystery of God at work in the lives of his people.

Old Testament

In the opening ritual we listened to Genesis 48:13–16 in which a blessing was conferred on Ephraim and Manasseh by Jacob with a laying on of hands. The Old Testament contains other examples and uses of the laying on of hands. Two of these uses are the practice of scapegoating and the commissioning of a person for service to God's people.

The term **scapegoat** refers to an individual who carries the blame or guilt of others. The Israelites adopted the term and practice and used it in their worship. This practice is described in Leviticus 16:20–22.

The laying on of hands is also used in the Old Testament to convey a transfer of power with a commissioning for a specific office or mission. This use of laying on of hands is found in the Book of Numbers. We read:

Bridgeman Art Library
Moses Lays His Hand Upon Joshua
c 15th century woodcut.

And the LORD replied to Moses, "Take Joshua, son of Nun, a man of spirit, and lay your hand upon him. Have him stand in the presence of the priest Eleazar and of the whole community, and commission him before their eyes. . . . that the whole Israelite community may obey him." NUMBERS 27:18–20

scripture focus

What are some of the meanings associated with the action of the laying on of hands in the Bible?

Faith vocabulary

scapegoat
A term that refers to an individual who carries the blame or guilt of others; originally an animal on whom the Jewish High Priest laid hands in a ritual ceremony, transferring the guilt of the Israelite people, and then banishing the animal to the desert so that it would "carry away" the people's sins.

Nuevo Testamento

La Iglesia primitiva adoptó el rito de imposición de las manos y le dio un sentido cristiano específico. Dos de los significados dados a este gesto ritual son "invocar al Espíritu Santo" y "encomendar una misión".

San Timoteo (izquierda) y San Pablo Apóstol (derecha) imponiendo las manos en los bautizados, vitral.

Invocar al Espíritu Santo Después del suceso de Pentecostés, los primeros discípulos comenzaron a sufrir persecuciones en Jerusalén y los alrededores. Como resultado, muchos huyeron a Samaria para cumplir el mandato de Cristo de hacer discípulos a todos los pueblos. Los Apóstoles Pedro y Juan fueron llamados a imponer sus manos en quienes solo habían sido bautizados. Lucas nos dice: "... Pero entonces les impusieron las manos y recibieron el Espíritu Santo" (Hechos de los Apóstoles 8:17).

Encomendar una misión. San Timoteo era discípulo y, a veces, compañero de San Pablo. La segunda Carta a Timoteo describe los últimos días de San Pablo y se refiere a la necesidad de que Timoteo continúe la obra de Pablo a través del poder del Espíritu Santo. Al principio de esta carta leemos:

> Por eso te invito a que reavives el don de Dios que recibiste por la imposición de mis manos.   2.ª TIMOTEO 1:6

En el Antiguo Testamento y en el Nuevo Testamento el gesto de imposición de las manos tiene una variedad de significados. Sin embargo, en cada uno de estos contextos es el Espíritu Santo el que actúa.

¿Cuáles son algunos de los significados del rito de imposición de las manos en la Sagrada Escritura?

ENLACES CON LA VIDA

Recuerda algunas de las acciones amorosas específicas mediante las cuales los miembros de tu familia revelan su amor por ti. Describe cómo estas acciones te ayudan a comprender algo del misterio del amor de Dios por ti. Escribe tus pensamientos en este espacio en blanco o en tu diario.

_____

_____

_____

New Testament

The early Church adopted and gave the ritual of laying on of hands specifically Christian meanings. Two of the meanings given to this ritual gesture are "invoking the Holy Spirit" and "commissioning to office."

Invoking the Holy Spirit. After the event of Pentecost, the first disciples began to suffer persecution in and around Jerusalem. As a result many disciples fled to Samaria to fulfill Christ's command to make disciples of all people. The Apostles Peter and John were called there to lay their hands on those who only had been baptized. Luke tells us ". . . they laid hands on them and they received the holy Spirit" (Acts of the Apostles 8:17).

Commissioning to Office. Saint Timothy was both a disciple and sometime companion to Saint Paul. The second Letter to Timothy describes the final days of Saint Paul and addresses the need for Timothy to continue the work of Paul through the power of the Holy Spirit. In the opening of this letter we read:

> For this reason, I remind you to stir into flame the gift of God that you have through the imposition of my hands.   2 TIMOTHY 1:6

In both the Old Testament and New Testament the gesture of the laying on of hands has a variety of meanings. In each of these contexts, however, it is the Holy Spirit that is at work.

What are some of the meanings of the ritual of laying on of hands found in Sacred Scripture?

Saint Timothy (left) and Saint Paul the Apostle (right) laying hands on the baptized, stained glass.

lifelinks

Recall some of the special loving actions through which your family members reveal their love for you. Describe how these actions help you understand something of the mystery of God's love for you. Write your thoughts in this space or in your journal.

_____

_____

_____

Invocar al Espíritu Santo

Tema doctrinal

¿Cuál es la obra del Espíritu Santo en la liturgia de la Iglesia?

Vocabulario de fe

epíclesis
Nombre dado a la oración que invoca la presencia transformadora del Espíritu Santo.

San Pablo Apóstol, a quien se le atribuye la mayoría de las Cartas del Nuevo Testamento, aclara una y otra vez el concepto de la Iglesia primitiva acerca de la obra del Espíritu Santo. Este es el Espíritu Santo que será derramado sobre ti en tu Confirmación y te fortalecerá para que vivas tu Bautismo.

Las obras del Espíritu Santo en la liturgia

En su carta a la Iglesia de Roma, San Pablo enseña específicamente acerca de la obra del Espíritu Santo en el culto de la Iglesia. Escribe que "por él, el amor de Dios se va derramando en nuestros corazones" (Romanos 5:5) y nos enseña a rezar.

La Iglesia hoy recurre a esta tradición e identifica cuatro funciones clave que el Espíritu Santo desempeña en la liturgia. Estas son:

- preparar a la asamblea para el encuentro con Cristo;
- recordar y manifestár a Cristo a la asamblea;
- hacer presente y activa la obra de Cristo mediante su poder transformador;
- ponernos en comunión con Cristo para formar su Cuerpo (ver el *Catecismo de la Iglesia Católica,* 1093–1112).

En la celebración de cada uno de los Sacramentos, la Iglesia pide a Dios Padre que envíe a su Espíritu Santo para transformarnos más y más en el Cuerpo de Cristo. Llamamos **epíclesis** a esta oración de invocación, o llamado, al poder transformador del Espíritu Santo.

Invoking the Holy Spirit

Saint Paul the Apostle, to whom the majority of the New Testament Letters are attributed, clarifies the early Church's understanding of the work of the Holy Spirit over and over again. This is the Holy Spirit that will be poured out on you at your Confirmation and strengthen you to live your Baptism.

The Works of the Holy Spirit in the Liturgy

In his letter to the Church in Rome, Saint Paul specifically teaches about the work of the Holy Spirit in the Church's worship. He writes that it is the love of God "poured out into our hearts through the holy Spirit" (Romans 5:5) who teaches us how to pray.

The Church today speaks to this tradition and identifies four key roles that the Holy Spirit plays in the liturgy. They are:

- to prepare the assembly to encounter Christ;
- to recall and manifest Christ to the assembly;

- to make the saving work of Christ present and active by his transforming power; and
- to bring us into communion with Christ and so to form his Body (see *Catechism of the Catholic Church* 1093–1112).

In the celebration of each of the Sacraments, the Church calls upon God the Father to send down his Holy Spirit to transform us more and more into the Body of Christ. We name this prayer of invoking, or calling down, the Holy Spirit's transforming power the **epiclesis.**

Doctrine Focus

What is the work of the Holy Spirit in the liturgy of the Church?

Faith Vocabulary

epiclesis
The name given to the prayer that invokes the transforming presence of the Holy Spirit.

Existe una segunda epíclesis que se reza durante la celebración de la Eucaristía. Se realiza cuando el sacerdote pide al Espíritu Santo que transforme a los fieles que están reunidos para que sean uno en Cristo.

Transformados por el Espíritu Santo

Estamos muy familiarizados con una epíclesis de la Plegaria Eucarística. Antes de las palabras de consagración, el sacerdote extiende las manos sobre el pan y el vino, y reza:

Por eso, Padre, te suplicamos que santifiques por el mismo Espíritu estos dones que hemos separado para ti, de manera que sean Cuerpo y Sangre de Jesucristo, Hijo tuyo y Señor nuestro, que nos mandó celebrar estos misterios.

PLEGARIA EUCARÍSTICA III

La silenciosa devoción de la epíclesis es un momento muy solemne de la Liturgia Eucarística. Luego el sacerdote toma el pan y el vino, y pronuncia las palabras de institución, o palabras de consagración, dichas por Jesús en la Última Cena. A través del poder del Espíritu Santo y de las palabras del sacerdote, el pan y el vino se convierten en el Cuerpo y la Sangre de Cristo.

En tu Confirmación el obispo y el sacerdote que celebra con él extenderán las manos sobre ti y los demás candidatos mientras ruegan para que seas fortalecido con los siete Dones del Espíritu Santo. El momento en que el obispo extiende las manos sobre ti y reza la epíclesis en tu Confirmación es un momento de gran solemnidad. La Iglesia ruega para que, por el poder del Espíritu Santo, tu vida en Cristo sea un sacrificio vivo para Dios, que seas transformado más profundamente en la imagen de Cristo, que crezcas en amor por la Iglesia y que participes de la misión de la Iglesia mediante el testimonio y el servicio de amor.

¿Qué ocurre durante la epíclesis del Rito de la Confirmación?

Enlaces con la vida

Trabaja en grupos pequeños para buscar y leer estos pasajes del Antiguo Testamento: Ezequiel 36:22–28; Ezequiel 37:1–14; y Joel 3:1–5. Mientras lees cada pasaje, imagina que el profeta te está hablando a ti. Describe cómo leer estos pasajes te ayuda a prepararte para la Confirmación.

_____

_____

_____

Transformed by the Holy Spirit

We are most familiar with an epiclesis from the Eucharistic Prayer. Prior to the words of consecration, the priest extends his hands over the bread and wine and prays:

> Therefore, O Lord, we humbly implore you:
> by the same Spirit graciously make holy
>   these gifts we have brought to you for consecration,
> that they may become the Body and Blood
> of your Son our Lord Jesus Christ,
> at whose command we celebrate these mysteries.
>
> EUCHARISTIC PRAYER III

The hushed prayerfulness of the epiclesis is a very solemn moment in the Eucharistic liturgy. Then the priest takes the bread and wine and speaks the words of institution, or words of consecration, spoken by Jesus at the Last Supper. Through the power of the Holy Spirit and words of the priest, the bread and wine become the Body and Blood of Christ.

At your Confirmation the bishop and the priest celebrating with him will extend their hands over you and the other candidates as they pray that you might be strengthened with the seven Gifts of the Holy Spirit. As the bishop extends his hands over you and prays the epiclesis at your Confirmation, a moment of great solemnity has arrived. The Church prays that through the power of the Holy Spirit your life in Christ will be a living sacrifice to God, that you will be transformed more deeply into the image of Christ, that you will grow in love for the Church, and that you will participate in the Church's mission through the witness and service of love.

What happens during the epiclesis in the Rite of Confirmation?

Liturgy Link

There is a second epiclesis prayed during the celebration of the Eucharist. It occurs when the priest asks the Holy Spirit to transform the faithful who are assembled so that they may become one with Christ.

lifelinks

Work in small groups to look up and read these passages from the Old Testament: Ezekiel 36:22–28, Ezekiel 37:1–14, and Joel 3:1–5. As you read each passage imagine the prophet is speaking to you. Describe how reading these passages helps you prepare for Confirmation.

_____

_____

_____

Los Dones del Espíritu Santo

Tema del Rito

¿Cuál es el significado de la imposición de las manos en el Rito de la Confirmación?

Vocabulario de fe

Mesías

La palabra hebrea *mesías* se traduce al griego como *christos* (Cristo) y significa "el ungido"; el Ungido que Dios prometió enviar a su pueblo para salvarlo.

A veces el significado total de ciertos gestos solo se capta al escuchar las palabras que los acompañan y reflexionar sobre ellas. Por ejemplo, ¿cómo sabe el maestro si queremos hacer una pregunta o una pequeña interrupción cuando levantamos la mano en clase? Solo lo sabe al escuchar las palabras que expresamos junto con el gesto de levantar la mano.

La efusión del Espíritu Santo

En el Rito de la Confirmación las palabras de la oración del obispo mientras extiende las manos sobre los candidatos revelan el significado de este gesto conocido. El uso de la oración para invocar al Espíritu Santo data al menos del siglo VI y, tal vez, incluso del siglo IV. Los orígenes de su significado se encuentran en Isaías 11:2, donde el profeta promete que Yavé (nombre con que Dios se le revela a Moisés) enviará al pueblo judío a un libertador, un ungido, en hebreo, un **mesías**. Leemos:

> Sobre él reposará el Espíritu de Yavé,
> espíritu de sabiduría e inteligencia,
> espíritu de prudencia y valentía,
> espíritu para conocer a Yavé y para respetarlo . . .
>
> ISAÍAS 11:2

Este texto y otros similares de los profetas se conocen conjuntamente como profecías mesiánicas. En el transcurso de los siglos, estos pasajes sostuvieron la esperanza del pueblo judío durante los momentos de adversidad. La promesa de enviar un espíritu de Yavé infundido en un elegido y ungido adquirió importancia a lo largo de la historia judía. En la época de Jesús la esperanza y la expectativa por la llegada de este mesías era enorme. Jesús anunció en la sinagoga de Nazaret que Él era el prometido por Yavé (ver Lucas 4:16–20).

Imposición de las manos durante la celebración del Sacramento de la Confirmación.

The Gifts of the Holy Spirit

Sometimes the full meaning of certain gestures is only grasped by listening to and reflecting on the words that accompany them. For example, how does a teacher know whether we want to ask a question or be excused for a moment when we raise our hand in class? It is only by listening to the words that are used with the gesture of raising our hand.

The Pouring Out of the Holy Spirit

In the Rite of Confirmation the words of the bishop's prayer as he extends his hands over the candidates reveal the meaning of this familiar gesture. The use of the prayer invoking the Holy Spirit can be traced at least to the sixth and perhaps even the fourth century. The origins of its meaning can be found in Isaiah 11:2, where the prophet promises that YHWH (the letters of the name God used to reveal himself to Moses) would send the Jewish people a deliverer, an anointed one, in Hebrew, a **messiah.** We read:

> The spirit of the LORD shall rest upon him:
> a spirit of wisdom and of understanding,
> A spirit of counsel and of strength,
> a spirit of knowledge and of fear of the LORD.
> ISAIAH 11:2

Ritual Focus

What is the meaning of the laying on of hands in the Rite of Confirmation?

Faith Vocabulary

Messiah

The Hebrew word *messiah* is translated into Greek as *christos* (Christ) and means "anointed one"; the Anointed One whom God promised to send his people to save them.

This and other similar texts of the prophets came to be known collectively as messianic prophecies. Over many centuries these passages sustained the hope of the Jewish people during times of adversity. The promise of a spirit from YHWH being poured out on a chosen, anointed one grew in importance throughout Jewish history. At the time of Jesus the hope for and expectation of the coming of this messiah was great. Jesus announced in the synagogue at Nazareth that he was the One promised by YHWH (see Luke 4:16–20).

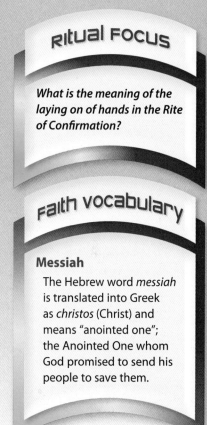

Laying on of hands during the celebration of the Sacrament of Confirmation.

El rito y la acción de la imposición de las manos se usa en muchos contextos de la liturgia. Se usa sobre el pan y el vino en la Eucaristía, en la bendición solemne al final de la Misa, sobre una pareja recién casada, durante las oraciones de exorcismo con los catecúmenos, durante la oración de absolución de un pecador penitente y en otras ocasiones. Para establecer su significado específico en una liturgia determinada, debemos analizar el contexto en el cual se usa el símbolo, especialmente las oraciones asociadas con su empleo.

El Espíritu Santo, Protector y Guía

Después de que hayas renovado tus promesas bautismales en el Rito de la Confirmación, el obispo extenderá las manos sobre ti, para unirte a esta larga historia de individuos elegidos por Dios. El obispo pedirá a toda la asamblea que rece con él para que se te conceda el don del Espíritu Santo y seas ungido para parecerte más a Cristo.

La oración del obispo pide primero que el Espíritu Santo descienda sobre ti como Protector y Guía, y luego que se te concedan los siete Dones del Espíritu Santo. Reza:

Dios todopoderoso, Padre de nuestro Señor Jesucristo,
. . . envía sobre ellos al Espíritu Santo Consolador: espíritu de sabiduría y de inteligencia, espíritu de consejo y de fortaleza, espíritu de ciencia, de piedad
y de tu santo temor. RITO DE LA CONFIRMACIÓN 25

En realidad, hay un solo don, el Espíritu Santo mismo, que hace sentir su presencia en tu vida en diferentes niveles y diferentes áreas de actividades mediante los siete dones mencionados en la oración: sabiduría, inteligencia, consejo, fortaleza, ciencia, piedad y temor de Dios.

Lo que el obispo y la comunidad piden en la oración es que el Espíritu Santo, que dio el poder a Jesús para su misión y lo acompañó a cumplir las obras que el Padre le encomendó, también habite en quienes la Iglesia confirma y esté con ellos. Participando del mismo Espíritu Santo, lo confirmados participan también de la misión de Jesús.

Enlaces con la vida

Haz una lista de las ocasiones en que has sido testigo de la imposición de las manos durante la celebración de los Sacramentos. Compara tu comprensión de entonces sobre el uso de esa acción con tu comprensión de ahora.

Experiencia	Entonces	Ahora
_____	_____	_____
_____	_____	_____
_____	_____	_____

¿Qué te dice la imposición de las manos en el Rito de la Confirmación acerca de la función del Espíritu Santo en tu vida?

The Holy Spirit, Helper and Guide

After you have renewed your baptismal promises in the Rite of Confirmation, the bishop will extend his hands over you, linking you to this long history of individuals chosen by God. The bishop will ask the entire assembly to pray with him that you will be given the gift of the Holy Spirit and that you will be anointed to be more like Christ.

The bishop's prayer first asks for the Holy Spirit to be sent upon you as Helper and Guide, and then requests that you be given the sevenfold Gifts of the Holy Spirit. He prays:

> All-powerful God, Father of our Lord Jesus Christ, . . .
> Give them the spirit of wisdom and understanding,
> the spirit of right judgment and courage,
> the spirit of knowledge and reverence.
> Fill them with the spirit of wonder and awe
> in your presence.   RITE OF CONFIRMATION 25

There is really only one gift, the Holy Spirit himself, who makes his presence felt in your life at different levels and in different areas of activity by means of the seven gifts named in the prayer: wisdom, understanding, right judgment, courage, knowledge, reverence, and wonder and awe.

What the bishop and the community are praying for is that the Holy Spirit who empowered Jesus for his mission and accompanied him to do the works the Father sent him to do may also be in and with those whom the Church confirms. By sharing in that same Holy Spirit, those who are confirmed share in Jesus' mission as well.

LITURGY LINK

The ritual and action of the laying on of hands is used in many contexts in the liturgy. It is used over the bread and wine at Eucharist, in the solemn blessing at the end of Mass, over a newly married couple, during exorcism prayers with catechumens, during the prayer of absolution with a penitent sinner, and so on. In order to determine its specific meaning in any given liturgy, we must look to the context in which the symbol is used, especially the prayers associated with its use.

What does the laying on of hands in the Rite of Confirmation tell about the role of the Holy Spirit in your life?

lifelinks

List the times you have witnessed the laying on of hands during the celebration of the Sacraments. Compare your understanding of the use of that action then and your understanding now.

Experience	Then	Now
_____	_____	_____
_____	_____	_____
_____	_____	_____

La Iglesia
Vive la fe

En varias ocasiones, los Evangelios describen a Jesús tocando a las personas y curándolas. Un ejemplo es la curación de un leproso que le pidió que lo sanara (ver Mateo 8:1–4). Esta fue una acción inesperada de Jesús que habrá asustado a quienes lo presenciaron. ¿Por qué? La ley judía prohibía a quienes sufrían esta enfermedad estar en contacto con el resto de la comunidad. Cualquiera que tuviera contacto con una persona enferma se convertía en impuro e incapaz para participar del culto judío. Pero eso fue exactamente lo que Jesús hizo y dejó claro que esperaba que sus discípulos hicieran lo mismo (ver Mateo 10:8). San Damián de Veuster tomó el mandato de Jesús seriamente.

Padre Damián
(1840–1889) con
un coro, Molokai, Hawái.

San Damián de Veuster

Damián nació el 3 de enero de 1840 en Tremeloo, Bélgica, y fue bautizado con el nombre de José. Siguiendo el ejemplo de su hermano mayor, se unió a la Congregación de los Sagrados Corazones de Jesús y de María, tomó el nombre religioso de Damián y estudió para ser sacerdote. En 1864 fue enviado a Hawái, donde se ordenó sacerdote y sirvió a los nativos como misionero.

Después de diez años de trabajar como misionero, Damián convenció a sus superiores religiosos que lo mandaran a la isla de Molokai, donde habían recluido a las personas que sufrían lepra para segregarlas del resto de la población. Igual que en la época de Jesús, ellas eran socialmente marginadas y muchos juzgaban que habían sido castigadas por llevar una vida pecaminosa.

The Church
Lives the Faith

On several occasions, the Gospels describe Jesus touching people and healing them. One example is his healing of a leper who asked him for a cure (see Matthew 8:1–4). This was an unexpected action of Jesus that would have startled those who witnessed it. Why is that? Jewish law banned those who suffered from this condition from contact with the rest of the community. Any contact with such a person rendered someone impure and unable to take part in Jewish worship. But that is exactly what Jesus did, and he made it clear that he expected his disciples to go out and do likewise (see Matthew 10:8). Saint Damien de Veuster took Jesus' command seriously.

Father Damien (1840–1889) with choir, Molokai, Hawaii.

Saint Damien de Veuster

Damien was born on January 3, 1840, in Tremeloo, Belgium, and was baptized with the name Joseph. Following the example of his older brother, he joined the Congregation of the Sacred Hearts of Jesus and Mary, took the religious name Damien, and studied for the priesthood. In 1864 he was sent to Hawaii where he was ordained a priest and served the native peoples of Hawaii as a missionary.

After nearly ten years working as a missionary, Damien convinced his religious superiors to send him to the island of Molokai, where people suffering from leprosy had been sent to live segregated from the rest of the population. Just as in Jesus' time, they were made to be social outcasts and judged by many to have been punished for leading sinful lives.

Damián pronto experimentó por sí mismo la soledad emocional y la tristeza que acompañaban las enfermedades y el sufrimiento físicos de los marginados en Molokai. Esto lo llevó a ver la necesidad que tenían de ser tocados, tanto física como espiritualmente, así que les tendió una mano sin temer por su salud personal.

El Padre Damián, por último, contrajo la enfermedad a principios de la década de 1880 y continuó cuidando a los demás en medio de su propio sufrimiento. Después de veinticinco años en Hawái, el Padre Damián murió a consecuencia de la lepra el 15 de abril de 1889. Damián fue nombrado Santo por el Papa Benedicto XVI.

¿A quién conoces o de quién has leído que haya tendido una mano y tocado la vida de las personas que habían sido marginadas por sus amigos, vecinos o comunidad? Trabaja con un compañero y comparte lo que sabes acerca de estas personas.

El Papa San Juan Pablo II en la beatificación del Padre Damián, Basílica de Koekelberg, en Bruselas, Bélgica, 4 de junio de 1995.

Monumento con inscripción en inglés y en hawaiano, tahitiano, en la villa de Kalaupapa, Molokai.

JOSEPH DAMIEN DE VEUSTER, BORN 3RD JANUARY 1840,

JOSEPH DAMIEN DE VEUSTER, HANAU I KA LA 3 O IANUALE 1840,

Damien soon experienced for himself the emotional loneliness and sadness that accompanied the physical illnesses and suffering of the outcasts on Molokai. This led Damien to see their need to be touched, both physically and spiritually, so he reached out to them without fear for his personal safety.

Father Damien eventually contracted the disease himself in the early 1880s and continued to care for others in the midst of his own suffering. After twenty-five years in Hawaii, Father Damien died from the effects of leprosy on April 15, 1889. Damien was named a Saint by Pope Benedict XVI.

Who do you know or who have you read about who has reached out and touched the lives of people who have been cast out by their friends, neighbors, or community? Work with a partner and share what you know about these people.

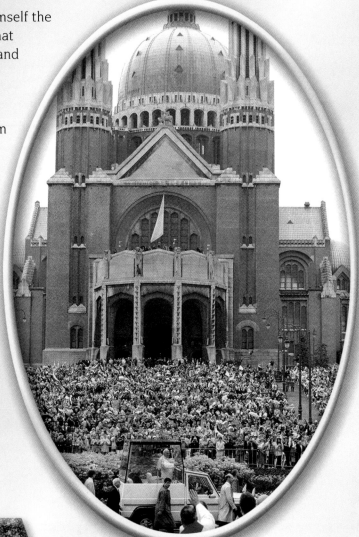

Pope Saint John Paul II at beatification of Father Damien, Basilica of Koekelberg in Brussels, Belgium, June 4, 1995.

JOSEPH DAMIEN DE VEUSTER, BORN 3RD JANUARY 1840,
DIED 15TH APRIL 1889

JOSEPH DAMIEN DE VEUSTER, HANAU I KA LA 3 O IANUALE 1840
MAKE I KA LA 15 O APELILA 1889

Memorial with inscription in English and Hawaiian, Tahitian, in Kalaupapa Village, Molokai.

Vivir la fe
Marca la differencia

Vuelve a la página 46 y lee otra vez Isaías 11:2. Lo que leerás es que los siete Dones del Espíritu Santo fueron mencionados por primera vez hace casi 3,000 años en el Libro de Isaías. La Iglesia primitiva tomaba en un principio ese pasaje como una descripción de Jesús, pero finalmente comprendió que esto se aplica a todos los que son "ungidos", es decir, a todo cristiano que "renace del agua y del Espíritu" (Juan 3:5).

Responder a los Dones del Espíritu Santo

Como candidato al Sacramento de la Confirmación, se te anima a tomar esta antigua herencia y a incorporarla hoy en tu vida de cristiano del siglo XXI. Estas descripciones de los siete Dones del Espíritu Santo pueden ayudarte:

❖ **Sabiduría** es el don de saber cuáles son las decisiones correctas que se deben tomar para vivir una vida santa. El don de la sabiduría te ayuda a evitar las cosas que podrían apartarte de Dios.

❖ **Entendimiento** es el don de comprensión o la habilidad de captar el significado de las enseñanzas de la Iglesia. El don del entendimiento te ayuda a ser tolerante y comprensivo con los demás. Te ayuda a percibir cuándo alguien sufre o necesita compasión.

❖ **Buen juicio (consejo)** es el don de la prudencia. El don de buen juicio te ayuda a tomar decisiones para vivir como un fiel seguidor de Jesús.

Living the Faith
Makes a Difference

Look back to page 46 and reread Isaiah 11:2. What you will read is that the seven Gifts of the Holy Spirit were first mentioned nearly 3,000 years ago in the Book of Isaiah. The early Church initially took up that passage as a description of Jesus but eventually came to understand that it applies to all who are "anointed," that is, to every Christian who is "born of water and Spirit" (John 3:5).

Responding to the Gift of the Holy Spirit

As a candidate for the Sacrament of Confirmation, you are challenged to take this ancient heritage and make it part of your life today as a twenty-first century Christian. These descriptions of the seven Gifts of the Holy Spirit can help you:

❖ **Wisdom** is the gift of knowing the right choices to make to live a holy life. The gift of wisdom helps you avoid the things that could lead you away from God.

❖ **Understanding** is the gift of comprehension, or the ability to grasp the meaning of the teachings of the Church. The gift of understanding helps you be tolerant and sympathetic of others. It helps you sense when someone is hurting or in need of compassion.

❖ **Right Judgment (Counsel)** is the gift of prudence. The gift of right judgment helps you make choices to live as a faithful follower of Jesus.

❖ **Valor (fortaleza)** es el don que te ayuda a hacer valer tu fe en Cristo. El don del valor te ayuda a superar cualquier obstáculo que podría impedirte practicar tu fe.

❖ **Ciencia** es el don del conocimiento y la iluminación. El don de la ciencia te permite elegir el camino correcto que te conducirá a Dios. Te anima a evitar obstáculos que te aparten de Él.

❖ **Reverencia (piedad)** es el don de la confianza en Dios. Este don de reverencia te alienta a querer servir a Dios y a los demás con alegría.

❖ **Admiración y veneración (temor de Dios)** es el don del respeto que te anima a asombrarte de Dios. El don de la admiración y veneración te lleva a amar a Dios de tal manera que no quieres ofenderlo con tus palabras ni con tus acciones.

DECISIÓN DE FE

Para cada uno de los siete Dones del Espíritu Santo, describe un ejemplo práctico de cómo se manifiesta ese Don en tu vida.

_____
_____
_____
_____
_____

Esta semana trabajaré para que los Dones del Espíritu Santo se profundicen en mi vida. Yo voy a

_____
_____

- **Courage (Fortitude)** is the gift that helps you stand up for your faith in Christ. The gift of courage helps you overcome any obstacles that would keep you from practicing your faith.

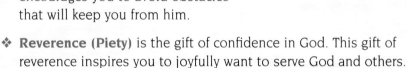

- **Knowledge** is the gift of knowing and enlightenment. The gift of knowledge enables you to choose the right path that will lead you to God. It encourages you to avoid obstacles that will keep you from him.

- **Reverence (Piety)** is the gift of confidence in God. This gift of reverence inspires you to joyfully want to serve God and others.

- **Wonder and Awe (Fear of the Lord)** is the gift of respect that encourages you to be in awe of God. The gift of wonder and awe moves you to so love God that you do not want to offend him by your words or actions.

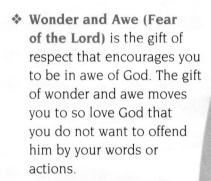

Faith Decision

For each of the seven Gifts of the Holy Spirit, describe a practical example of what that Gift would look like in your life.

_____

_____

_____

_____

_____

This week I will work to make the Gifts of the Holy Spirit a deeper part of my life. I will

_____

_____

mis pensamientos

En este capítulo exploraste las tradiciones bíblicas y de la Iglesia respecto a la imposición de las manos. Has aprendido la importancia de este rito y cómo derrama al Espíritu Santo sobre ti. Tu proceso de transformación por el poder del Espíritu Santo ya ha comenzado en tu Bautismo y ha continuado con la recepción frecuente de la Eucaristía.

Escribe tus pensamientos acerca de cómo esperas que el Espíritu Santo siga transformando tu vida como resultado de tu Confirmación.

_____

_____

_____

_____

_____

_____

_____

_____

_____

Para preguntarles a tu padrino o madrina y a tus padres:

¿De qué manera los Dones del Espíritu Santo los han fortalecido para ser testigos de Cristo?

my thoughts

In this chapter you explored the biblical and Church traditions of the laying on of hands. You have learned about the significance of this ritual and how it calls down the Holy Spirit upon you. The process of your being transformed by the power of the Holy Spirit has already begun in your Baptism and has been ongoing through the regular reception of the Eucharist.

Write your thoughts about how you hope the Holy Spirit will further transform your life as a result of your Confirmation.

_____

_____

_____

_____

_____

_____

_____

_____

_____

A question to share with your sponsor and parents:

How have the Gifts of the Holy Spirit strengthened you to be a witness for Christ?

Unción con el Santo Crisma

Reflexión para el rito inicial

Describe tu experiencia de haber sido ungido en la frente en el rito inicial.

Todos nosotros probablemente hemos usado lociones o aceites para proteger o suavizar la piel alguna vez. Los padres frotan a los recién nacidos con aceite para bebés después de bañarlos. A los deportistas con frecuencia se les hacen masajes terapéuticos con aceites y otros ungüentos curativos. La Iglesia aplica óleo, o unge, las manos, los pies y la cabeza de las personas en la celebración de los Sacramentos.

Piensa en una ocasión en que has experimentado los efectos benéficos de un aceite o ungüento. ¿Cuándo has sido testigo de que se usaran óleos durante la celebración de los Sacramentos?

Santo Crisma sobre una mesa frente a un vitral del Espíritu Santo.

Reflection on the Opening Ritual

Describe your experience as your forehead was anointed in the opening ritual.

All of us have probably used lotions or oils to protect or soothe our skin at one time or another. Parents rub baby oil on newborns after bathing them. Athletes are often given therapeutic massages with healing oils and other ointments. The Church rubs oil on, or anoints, people's hands, feet, and head in the celebration of the Sacraments.

Think of a time when you have experienced the beneficial effects of oil or ointment. When have you witnessed oils being used during the celebration of the Sacraments?

Sacred Chrism on table in front of stained-glass image of Holy Spirit.

105

El siervo ungido de Dios

¿En qué se parecía la unción de Jesús con el Espíritu Santo a la unción del Siervo de Isaías?

Vocabulario de fe

Poemas del Siervo

Serie de pasajes del Libro de Isaías que describen los sufrimientos del Siervo de Yavé, que redimirá al pueblo de Dios.

prefigurar

Palabra que significa "figurarse, o imaginar, o anunciar anticipadamente".

En algún momento de tu vida, probablemente hayas oído a un amigo o familiar contarte una anécdota sobre algo que les sucedió. Es posible que su anécdota fuera parecida a una experiencia que tú hayas tenido. Los cristianos con frecuencia comprendemos mejor cómo obra Dios en nuestra vida leyendo pasajes de la Biblia. Cuando leemos o escuchamos la Sagrada Escritura, solemos reconocer que lo que se describe en un pasaje es similar a una experiencia de nuestra propia vida.

La prefiguración de la misión de Jesús

Lucas 4:16–22 describe a Jesús de pie en la sinagoga de Nazaret, leyendo un pasaje del Libro de Isaías y proclamando que el Espíritu de Dios estaba obrando en su vida. El texto que Jesús leyó, Isaías 61:1–2, es un pasaje que habla de las acciones que Dios realiza en el mundo para restaurar el pueblo de Dios.

En el relato de Lucas sobre el bautismo de Jesús, que precede al de la sinagoga, leemos:

> Un día fue bautizado también Jesús entre el pueblo que venía a recibir el bautismo. Y mientras estaba en oración, se abrieron los cielos: el Espíritu Santo bajó sobre él y se manifestó exteriormente en forma de paloma, y del cielo vino una voz: "Tú eres mi Hijo, hoy te he dado a la vida." Lucas 3:21–22

Bautismo de Jesús, vitral.

Esta identificación de Jesús como el "hijo" de Dios es la misma que se describe en Isaías 42:1, un pasaje que proviene de uno de los **poemas del Siervo** del Libro de Isaías. Los poemas del Siervo son una serie de pasajes que describen los sufrimientos del Siervo de Dios, que redimirán al pueblo de Dios.

God's Anointed Servant

At some point in your life, you have probably heard a friend or family member tell a story about something that happened to them. Their story may have been similar to an experience that you have had. Christians often better understand how God works in our lives by reading passages in the Bible. When we read or listen to Sacred Scripture, we often recognize that what is being described in a passage is similar to a life experience of our own.

Jesus' Mission Prefigured

Baptism of Jesus, stained glass.

Luke 4:16–22 describes Jesus standing up in the synagogue in Nazareth, reading a passage from the Book of Isaiah, and proclaiming that the Spirit of God was at work in his life. The text that Jesus read, Isaiah 61:1–2, is from a passage that speaks of God's activity in the world restoring God's people.

In Luke's account of the baptism of Jesus, which precedes the synagogue account, we read:

> After all the people had been baptized and Jesus also had been baptized and was praying, heaven was opened and the holy Spirit descended upon him in bodily form like a dove. And a voice came from heaven, "You are my beloved Son; with you I am well pleased." LUKE 3:21–22

This identification of Jesus as God's "beloved Son" is the same description used in Isaiah 42:1, a passage that comes from one of the **Servant poems** in the Book of Isaiah. The Servant poems are a series of passages that describe the suffering Servant of God whose suffering will redeem God's people.

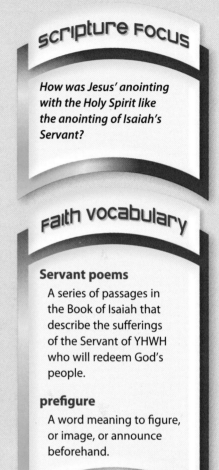

Scripture Focus

How was Jesus' anointing with the Holy Spirit like the anointing of Isaiah's Servant?

Faith Vocabulary

Servant poems
A series of passages in the Book of Isaiah that describe the sufferings of the Servant of YHWH who will redeem God's people.

prefigure
A word meaning to figure, or image, or announce beforehand.

Inmediatamente después de su Bautismo, los recién bautizados son ungidos en la coronilla con el Santo Crisma mientras el celebrante dice: "Dios todopoderoso, / Padre de nuestro Señor Jesucristo, / que los ha librado del pecado / y les ha dado la nueva vida / por el agua y el Espíritu Santo, / los unja con el crisma de la salvación, / para que, incorporados a su pueblo, / sean para siempre miembros de Cristo Sacerdote, / de Cristo Profeta / y de Cristo Rey (*Ritual para el Bautismo de los niños* 62).

La Iglesia primitiva reconocía la importancia de la unción de Jesús con el Espíritu Santo en su bautismo. San Pedro, por ejemplo, dijo al pagano Cornelio: "[Ustedes saben que] Jesús de Nazaret fue consagrado por Dios, que le dio Espíritu Santo y poder. Y como Dios estaba con él, pasó haciendo el bien y sanando a los oprimidos por el diablo" (Hechos de los Apóstoles 10:38).

Jesucristo, el Ungido

El Siervo de los poemas del Siervo, de Isaías, nunca es identificado con claridad por el profeta. Algunos estudiosos creen que el Libro de Isaías se refería a una figura histórica específica. Otros estudiosos creen que el Siervo era una figura representativa de toda la nación de Israel. La Iglesia, con la guía del Espíritu Santo, ha llegado a reconocer que este Siervo sufriente **prefiguraba**, o señalaba, a Jesús de Nazaret, el Cristo, el Ungido.

En varios versos después del pasaje del Libro de Isaías que Jesús leyó en la sinagoga, el profeta se dirige al pueblo judío. Usa palabras que nosotros, los cristianos, podríamos aplicarnos a nosotros mismos. Dice:

> Y ustedes serán llamados "sacerdotes de Yavé" y los nombrarán "ministros de nuestro Dios". . .
> Sus hijos se harán famosos entre las naciones. . .
> Todos los que los vean reconocerán que son una raza bendecida de Yavé.
> ISAÍAS 61:6, 9

Somos "los ungidos" que compartimos la misión y el ministerio de Jesucristo, Sacerdote, Profeta y Rey. La Iglesia es "una raza elegida, un reino de sacerdotes, una nación consagrada, un pueblo que Dios hizo suyo..." (1.ª Pedro 2:9).

En un grupo pequeño lee Efesios 1:1–14. Comenta cómo este pasaje te ayuda a prepararte para la Confirmación y a asumir las responsabilidades que surgen de recibir este Sacramento. Escribe tus pensamientos aquí.

¿Qué aprendemos sobre Cristo y la Iglesia en el Libro de Isaías?

_____

_____

_____

The early Church recognized the significance of Jesus' anointing with the Spirit at his baptism. Saint Peter, for example, said to the pagan Cornelius, "[You know] how God anointed Jesus of Nazareth with the holy Spirit and power. He went about doing good and healing all those oppressed by the devil, for God was with him" (Acts of the Apostles 10:38).

Jesus Christ, the Anointed One

The Servant in Isaiah's Servant poems is never clearly identified by the prophet. Some scholars think the Book of Isaiah had a specific historical figure in mind. Other scholars think the Servant was a figure representing the entire nation of Israel. The Church, under the guidance of the Holy Spirit, has come to recognize that this suffering Servant **prefigured,** or pointed to, Jesus of Nazareth, the Christ, the Anointed One.

In several verses after the passage from the Book of Isaiah that Jesus read in the synagogue, the prophet addresses the Jewish people. He uses words that we Christians can apply to ourselves. He says:

> You yourselves shall be named priests of the LORD,
>   ministers of our God you shall be called. . . .
> Their descendants shall be renowned among
>   the nations, . . .
> All who see them shall acknowledge them
>   as a race the LORD has blessed.   ISAIAH 61:6, 9

We are "anointed ones" who share in the mission and ministry of Jesus Christ, Priest, Prophet, and King. The Church is "a chosen race, a royal priesthood, a holy nation, a people of [God's] own" (1 Peter 2:9).

What do we learn about Christ and the Church from the Book of Isaiah?

Liturgy Link

Immediately after their Baptism, the newly baptized are anointed on the crown of their head with Chrism as the celebrant says, "The God of power and Father of our Lord Jesus Christ / has freed you from sin / and brought you to new life / through water and the Holy Spirit. / He now anoints you with the chrism of salvation, / so that, united with his people, / you may remain forever a member of Christ / who is Priest, Prophet, and King" (*Rite of Baptism* 62).

lifelinks

In a small group read Ephesians 1:1–14. Discuss how this passage helps you prepare for Confirmation and assume the responsibilities that flow from receiving this Sacrament. Write your thoughts here.

_____

_____

_____

Consagrados para la misión

tema doctrinal

¿Cuál es el significado de la unción con el Santo Crisma en la liturgia de la Iglesia?

vocabulario de fe

Santo Crisma

Aceite de oliva perfumado; uno de los tres óleos que la Iglesia bendice, que se usa en la celebración del Bautismo, la Confirmación y el Orden Sagrado, así como también en la consagración de las iglesias, el altar y los vasos sagrados.

La palabra *ungir* tiene varios significados, entre ellos, "untar o frotar con aceite", "aplicar óleo en un rito sagrado, en especial para la consagración" y "escoger por elección divina o como si fuera elección divina". El rito de la unción en los Sacramentos de la Iglesia incluye todos estos significados ya que apunta al misterio de Dios obrando en la Iglesia y en los bautizados.

La misión de los ungidos de Dios

En la tradición bíblica la aplicación real y física de óleo, la unción, con frecuencia representa que se aparta, o consagra, un objeto o una persona para un uso sagrado o una misión divina. Los vasos empleados para el culto se ungían con óleo. Y también los reyes de Israel (ver 1.° Samuel 16:13).

El Antiguo Testamento revela que la conexión entre la unción y recibir una participación en la vida del Espíritu de Dios era la verdad clave de la fe entre el pueblo judío. Esta conexión existía aun cuando no se aplicara el óleo. Por ejemplo, el primer Libro de los Reyes nos dice que, después de que Dios ordenó al profeta Elías consagrar a Eliseo (ver 1.° Reyes 19:16), Elías no usó óleo; solo "le tiró encima su manto" (ver 1.° Reyes 19:19).

Este y otros pasajes del Antiguo Testamento nos ayudan a comprender que recibir el don del Espíritu Santo llegó a considerarse una unción, en especial cuando estaba conectada con el mandato de Dios de encomendar a alguien una misión determinada.

El título *Cristo* significa "el Ungido" o "Mesías". El Nuevo Testamento identifica a Jesús como el Cristo más de 475 veces. Esto demuestra a la fe de la Iglesia que Jesús es el Ungido y el Mesías. Él es el enviado por su Padre y el ungido con el Espíritu Santo para cumplir la misión de redimir a la humanidad.

Unción con el Santo Crisma durante el Rito de la Confirmación a cargo del sacerdote delegado por el obispo.

Consecrated for Mission

The word *anoint* has several meanings, including "to smear or rub with oil," "to apply oil as a sacred rite, especially for consecration," and "to choose by or as if by divine election." The ritual anointing in the Sacraments of the Church includes all of these meanings as it points to the mystery of God working in the Church and within the baptized.

The Mission of God's Anointed Ones

In the biblical tradition the actual physical application of oil, anointing, often represents that a thing or a person is being set aside, or consecrated, for a sacred use or a divine mission. Vessels used for worship were anointed with oil. So were kings in Israel (see 1 Samuel 16:13).

The Old Testament reveals that the connection between anointing and being given a share in the life of the Spirit of God was a key truth of faith among the Jewish people. This connection existed even when there was no physical use of oil. For example, the first Book of Kings tells us that after God told Elijah the Prophet to anoint Elisha (see 1 Kings 19:16), Elijah did not use oil; he did nothing more than "[throw] his cloak over him" (see 1 Kings 19:19).

This and other Old Testament passages help us understand how receiving the gift of the Holy Spirit came to be referred to as an anointing, especially when it was connected to God entrusting someone with a special mission.

The title *Christ* means "Anointed One" or "Messiah." The New Testament identifies Jesus as the Christ over 475 times. This attests to the Church's faith that Jesus is the Anointed One and Messiah. He is the One sent by his Father and anointed by the Holy Spirit to fulfill the mission of redeeming humankind.

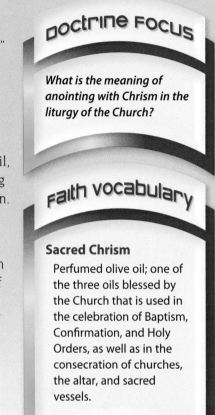

Anointing with Chrism during the Rite of Confirmation by priest delegated by bishop.

Doctrine Focus

What is the meaning of anointing with Chrism in the liturgy of the Church?

Faith Vocabulary

Sacred Chrism
Perfumed olive oil; one of the three oils blessed by the Church that is used in the celebration of Baptism, Confirmation, and Holy Orders, as well as in the consecration of churches, the altar, and sacred vessels.

San Cirilo, obispo de Jerusalén en el siglo IV, predicó una serie de homilías durante la semana de Pascua. Esto es lo que dijo a los neófitos, o los recién iniciados en la Iglesia, acerca de ser ungidos con el Santo Crisma: Habéis sido hechos participantes de Cristo y con razón sois llamados "cristos", es decir "ungidos" (ver *Catequesis mistagógica* 3).

Participar de la misión de Cristo

Los cristianos llevan el nombre de Cristo. Unidos a Cristo en el Bautismo, renacemos del agua y del Espíritu Santo, y en la Confirmación se nos sella con el don del Espíritu Santo. Se nos hace partícipes del don de la Salvación y recibimos la responsabilidad de compartir ese don con los demás participando de la misión de Jesucristo en el mundo.

El don de la Salvación es el don del perdón divino que nos ha reconciliado con Dios (ver 2.ª Corintios 5:18–19). Sin embargo, este maravilloso don se nos otorga con un propósito divino: Dios Padre nos ha elegido para que participemos de la misión de su Hijo. La unción con el óleo perfumado del **Santo Crisma** en el Bautismo es una expresión gozosa del hecho de que somos uno en Jesucristo. Somos miembros de su Cuerpo, a través del cual Él continúa viviendo y actuando en el mundo, ofreciendo la Salvación a todos.

El día de tu Confirmación volverás a ser ungido con el Santo Crisma. El don del Espíritu Santo que recibiste por primera vez en el Bautismo y que te eligió y te dio el poder para tan increíble misión se renueva y se fortalece.

Unción en la coronilla de un bebé recién bautizado.

¿Cuál es el don y la misión que has recibido como cristiano, como "ungido"?

Enlaces con la vida

Trabaja en grupos pequeños y busca en los cuatro Evangelios ocasiones en que Jesús explicó su misión en la Tierra. Comenta qué hacen los adolescentes católicos que muestra que participan de la obra de Cristo y la continúan. Escribe tus pensamientos aquí.

_____

_____

_____

Sharing in the Mission of Christ

Christians bear the name of Christ. Joined to Christ in Baptism we are reborn of water and the Holy Spirit, and in Confirmation we are sealed with the gift of the Holy Spirit. We are made sharers in the gift of Salvation and receive the responsibility to share that gift with others by participating in the mission of Jesus Christ in the world.

The gift of Salvation is the gift of divine forgiveness that has reconciled us with God (see 2 Corinthians 5:18–19). This wonderful gift, however, is given to us with a divine purpose: God the Father has chosen us to share in the mission of his Son. The anointing with the perfumed oil of **Sacred Chrism** in Baptism is a joyful expression of the fact that we are one with Jesus Christ. We are members of his Body through whom he continues to live and act in the world, offering Salvation to one and all.

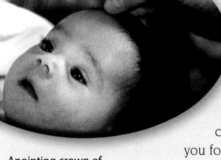

Anointing crown of the head of a newly baptized infant.

On the day of your Confirmation you will again be anointed with Sacred Chrism. The gift of the Holy Spirit you first received at Baptism and who chooses you and empowers you for such an astounding mission is renewed and strengthened.

What is the gift and mission you have received as a Christian, an "anointed one"?

LITURGY LINK

Saint Cyril, a bishop of Jerusalem in the fourth century, preached a series of homilies during Easter week. Here is what he said to the neophytes, or those newly initiated into the Church, about their being anointed with Sacred Chrism: [S]ince you share in Christ it is right to call you Christs or anointed ones (see Mystagogical Catecheses 3).

lifelinks

Work in small groups and look through the four Gospels for times when Jesus explained his mission on Earth. Discuss what Catholic teens do that shows they share in and continue Christ's work. Write your thoughts here.

_____

_____

_____

Llamado por su nombre

Tema del Rito

¿Cuál es la importancia de la unción con el Santo Crisma en el Rito de la Confirmación?

Vocabulario de fe

Misa Crismal
Misa que se celebra durante Semana Santa, de ser posible a la mañana del Jueves Santo, por el obispo de una diócesis, quien consagra el Santo Crisma y demás óleos que se usarán en las liturgias de todas las iglesias de la diócesis durante el año.

Unción en la frente con el Santo Crisma realizada por el obispo durante el Rito de la Confirmación.

En el Segundo Concilio Vaticano (1962–1965) los obispos enseñaron que "la Liturgia consta de una parte que es inmutable por ser la institución divina, y de otras partes sujetas a cambio" (*Constitución sobre la Sagrada Liturgia* 21). Aunque la esencia de nuestros Sacramentos no varía con el tiempo, la forma externa de esos ritos ha evolucionado a lo largo de la historia de la Iglesia.

Sellados con el Don del Espíritu Santo

Con el paso de los siglos la Iglesia ha hecho modificaciones en la manera en que se celebra el Rito de la Confirmación. Durante los 500 primeros años de la Iglesia, una persona era iniciada a través de un proceso de evangelización y catequesis. Este proceso de iniciación constaba de varias celebraciones rituales diferentes. La culminación de ese proceso siempre llevaba a un rito del agua (Bautismo), la imposición de las manos con la unción (Confirmación) y la participación en la Cena del Señor (Eucaristía), que se celebraban al mismo tiempo.

Hoy, las Iglesias de Oriente continúan practicando la iniciación completa de una persona (incluso bebés) en la Iglesia mediante los tres ritos en la misma celebración. En la Iglesia de Occidente, la celebración del Sacramento de la Confirmación se fue separando gradualmente de la de los otros dos Sacramentos de la Iniciación Cristiana: el Bautismo y la Eucaristía.

Called by Name

Anointing of forehead with Sacred Chrism by bishop during the Rite of Confirmation.

RITUAL FOCUS

What is the significance of the anointing with Sacred Chrism in the Rite of Confirmation?

FAITH VOCABULARY

Chrism Mass

The Mass celebrated during Holy Week, if possible on Holy Thursday morning, by the bishop of a diocese who consecrates the Sacred Chrism and other oils that will be used at liturgies in every church of the diocese throughout the year.

At the Second Vatican Council (1962–1965) the bishops taught that "the liturgy is made up of immutable elements, divinely instituted, and of elements subject to change" (*Constitution on the Sacred Liturgy* 21). Although the essentials of our Sacraments do not change over time, the outward form of those rituals has evolved throughout the history of the Church.

Sealed with the Gift of the Holy Spirit

Across the centuries the Church has made changes in the way that the Rite of Confirmation is celebrated. In the first 500 years of the Church, a person was initiated into the Church through a process of evangelization and catechesis. This process of initiation involved a number of different ritual celebrations. The culmination of that process always led to a water rite (Baptism), the laying on of hands with anointing (Confirmation), and participation in the Lord's Supper (Eucharist) celebrated at the same time.

Today, the Churches of the East continue the practice of fully initiating a person (even infants) into the Church with all three rites in the same celebration. In the Church in the West, the celebration of the Sacrament of Confirmation was gradually separated from the celebration of the other two Sacraments of Christian Initiation, Baptism and Eucharist.

En 1971 el Papa Pablo VI modificó las palabras de la fórmula sacramental que expresa el obispo en el Sacramento de la Confirmación. Anteriormente, usando una fórmula que data del siglo XII, el obispo decía: "Yo te signo con la señal de la cruz y te confirmo con el crisma de la salvación, en el nombre del Padre…". La nueva fórmula del Papa Pablo VI, "Recibe por esta señal el Don del Espíritu Santo", es en realidad muy antigua. Su uso se remonta al siglo IV y se ha aplicado en la Iglesia de Oriente desde el siglo V.

Aunque en circunstancias excepcionales los obispos delegan en los sacerdotes la autoridad para conferir la Confirmación, siempre se reservan la consagración del Santo Crisma. En la actualidad, durante Semana Santa en la **Misa Crismal** de la mañana del Jueves Santo, el obispo consagra el Crisma que se usará en la diócesis a lo largo del año.

Inmediatamente después de que el obispo haya extendido las manos y rezado sobre los candidatos, los que van a confirmarse se acercan a él individualmente. El padrino o la madrina los acompaña y coloca la mano sobre el hombro derecho del candidato. El obispo se dirige a cada candidato por su nombre. Este momento representa un llamado personal de Dios. Aunque todavía se observa la costumbre de elegir el nombre de un como Santo patrón, muchos consideran valioso usar el nombre bautismal para mostrar la relación entre el Bautismo y la Confirmación.

A continuación se lleva a cabo el momento más solemne de la celebración, las palabras y las acciones esenciales del Sacramento. El obispo apoya la mano sobre tu cabeza, te unge la frente con el Santo Crisma y, mientras hace la señal de la cruz, dice: "(Nombre), recibe por esta señal el Don del Espíritu Santo".

Es importante que el rito requiera tu respuesta: "Amén". Tú no eres un receptor pasivo del Sacramento. Eres un participante activo, ya que Dios te llama a ejercer el discipulado profundamente. Tu "Amén" es un "¡Así sea!" público. Es tu reconocimiento público y la aceptación de lo que se acaba de celebrar.

Enlaces con la Vida

Lee *Hechos de los Apóstoles 2:38, Romanos 5:5, 2.ª Corintios 1:21–22 y Efesios 1:13–14.* En este espacio en blanco describe lo que ellos te dicen acerca del don del Espíritu Santo.

_____

_____

_____

¿Qué estas reconociendo cuando respondes "Amén" a la unción de la Confirmación?

While under exceptional circumstances bishops sometimes delegated to priests the authority to confer Confirmation, they always reserved to themselves the consecration of the Chrism. Today, during Holy Week at the **Chrism Mass** on Holy Thursday morning, the bishop consecrates all the Chrism that will be used in the diocese throughout the year.

Immediately after the bishop has extended his hands and prayed over all the candidates, each of those to be confirmed approaches him individually. The sponsor accompanies the candidate and places his or her hand on the candidate's right shoulder. The bishop addresses each candidate by name. This underlines that this moment represents a very personal call from God calling the candidate by name to be anointed. Although the custom of taking a new Saint's name as one's patron Saint may still be observed, many see a value in using one's baptismal name as a way of showing the connection between Baptism and Confirmation.

The most solemn moment in the celebration now takes place. The words and actions essential to the Sacrament now occur. As the bishop places his hand on top of your head, he anoints your forehead with Chrism, as he makes the sign of the cross, saying, "(Name), be sealed with the Gift of the Holy Spirit."

It is significant that the rite calls for you to respond, "Amen." You are not a passive recipient of the Sacrament. You are an active partner as God calls you to discipleship on a still deeper level. Your "Amen" is a public "So be it!" It is your public acknowledgment and acceptance of what has just been celebrated.

Liturgy Link

In 1971 Pope Paul VI changed the words of the sacramental formula spoken by the bishop in the Sacrament of Confirmation. Previously, using a formula that can be traced back to the twelfth century, the bishop said, "I sign you with the sign of the cross and confirm you with the chrism of salvation, in the name of the Father . . ." The new formula of Pope Paul VI, "Be sealed with the Gift of the Holy Spirit," is actually a very ancient one. Its use can be traced back as early as the fourth century and has been in use in the Church in the East since the fifth century.

What are you acknowledging when you respond "Amen" to your anointing in Confirmation?

lifelinks

Read *Acts of the Apostles 2:38, Romans 5:5, 2 Corinthians 1:21–22, and Ephesians 1:13–14*. In this space describe what they tell you about the gift of the Holy Spirit.

_____

_____

_____

La Iglesia
Vive la fe

Los profetas de la antigua Israel proclamaban que oprimir o incluso descuidar a los pobres y desamparados violaba la Alianza. Hoy la Iglesia Católica, a través de su enseñanza social, habla de una "opción preferencial por los pobres" y nos llama a todos a ser testigos de la presencia amorosa de Dios en el mundo. La Red Cristo Rey de escuelas es un excelente ejemplo de las grandes cosas que pueden suceder cuando los discípulos de Jesús están abiertos la motivación del Espíritu Santo y se ponen en acción para ayudar a los necesitados.

La Red Cristo Rey

La Red Cristo Rey es una asociación nacional de escuelas secundarias que proporciona educación católica de alto nivel a jóvenes de familias de bajos ingresos, que, de otra manera, no podrían costear una oportunidad así. La mayoría de los estudiantes que asisten a una escuela de la Red Cristo Rey van luego a la universidad. La clave de la naturaleza única de las escuelas de la Red Cristo Rey es un programa laboral con empresas desarrollado en 1996 por la Escuela Secundaria Jesuita Cristo Rey de Chicago.

El Padre John Foley y sus compañeros jesuitas fundaron la Red Cristo Rey en 1996. Sabían que no había manera de que los estudiantes del vecindario pudieran pagar casi $ 9,000 por año para estudiar en Cristo Rey. El Padre Foley se dirigió a las empresas de Chicago para pedirles puestos de trabajo para los estudiantes de Cristo Rey.

The Church
Lives the Faith

The prophets in ancient Israel proclaimed that oppressing or even neglecting the poor and powerless violated the Covenant. The Catholic Church today through her social teaching speaks of a "preferential option for the poor" and calls every one of us to be witnesses of God's loving presence in the world. The Cristo Rey Network of schools is an excellent example of what great things can happen when Jesus' disciples are open to the prompting of the Holy Spirit and take action to help people in need.

The Cristo Rey Network

The Cristo Rey Network is a nationwide association of high schools that provide high-quality Catholic education to young people from low-income families who otherwise could not afford such an opportunity. Most of the students who attend a Cristo Rey Network school go on to college. The key to the unique character of Cristo Rey Network schools is a corporate internship program developed in 1996 by Cristo Rey Jesuit High School of Chicago.

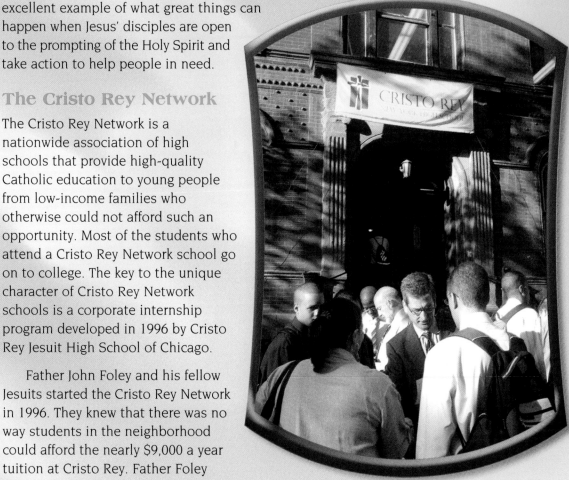

Father John Foley and his fellow Jesuits started the Cristo Rey Network in 1996. They knew that there was no way students in the neighborhood could afford the nearly $9,000 a year tuition at Cristo Rey. Father Foley approached Chicago businesses, requesting internship positions for the students at Cristo Rey.

De acuerdo con el programa de pasantías laborales, los estudiantes pasan cuatro días completos por semana en clases y un día en el trabajo. Ya sea que realicen tareas de oficina, como archivar o entregar expedientes de abogados, o ayuden a un contador a procesar las cuentas, el salario de los estudiantes internos va directamente a la escuela para su educación.

La Red Cristo Rey de Chicago demostró ser tan exitosa y prometedora que la Fundación Iniciativa Educativa Cassin y la Fundación Bill y Melinda Gates establecieron un fondo de más de $ 20 millones para apoyarla. Los fondos financian estudios de viabilidad para escuelas nuevas, proporcionan dinero para costos operativos iniciales, sostienen la red de conexiones entre las escuelas miembro, apoyan el intercambio de actividades de mejores prácticas y pagan varios gastos de la red.

Hay más de una docena de congregaciones religiosas que proporcionan personal a las escuelas Cristo Rey en el país. De hecho, esta iniciativa ya ha influido y beneficiado la vida de miles de jóvenes. Para obtener más información sobre la Red Cristo Rey, visita cristoreynetwork.org.

¿De qué manera la Red Cristo Rey es un ejemplo de cómo se vive la Enseñanza Social Católica y se marca una diferencia?

The students in the internship program spend four extended days each week in class and one day at work. Whether they are doing clerical tasks, such as filing or delivering lawyers' briefs, or helping an accountant crunch numbers, the student intern's salary goes straight to the school toward their tuition.

The Cristo Rey Network in Chicago proved so successful and so promising that the Cassin Educational Initiative Foundation and the Bill and Melinda Gates Foundation set up a fund of more than $20 million to support the network. The funds seed feasibility studies of new schools, provide money for start-up operating costs, support networking among member schools, share best-practices activities, and pay various expenses for the network.

There are now more than a dozen religious congregations who staff Cristo Rey schools throughout the nation. Literally thousands of young people's lives have already been touched and changed by this initiative. For more on the Cristo Rey Network visit cristoreynetwork.org.

How is the Cristo Rey Network an example of Catholic Social Teaching being lived and making a difference?

Vivir la fe

Marca la differencia

En Jesucristo y a través de su vida y su obra salvadora, la humanidad se reconcilia con Dios. Esta reconciliación incluye vivir el Gran Mandamiento, que Jesús reafirmó, y resume la Ley de Dios (ver Mateo 22:34–40). El amor a Dios, al prójimo y a uno mismo forma un mandamiento único e inseparable. Como "ungidos", seguidores del Ungido, cumplimos con el mandamiento de Jesús de amarnos unos a otros (ver Juan 13:34–35 y Mateo 25:31–46) y de participar de su misión de reconciliación.

Sensibilidad cultural

Vivimos en un mundo en que la tecnología de la comunicación ha incrementado nuestra conciencia sobre la diversidad cultural y étnica en el mundo. Para algunos, este aumento de la conciencia provoca desconfianza, odio y absoluta discriminación, lo cual, a veces, conduce a divisiones y miedos que nos desafían a cumplir nuestra misión de ser reconciliadores.

Desarrollar habilidades que mejoran nuestra sensibilidad cultural y apoyan la comunicación cultural puede ayudarnos a servir de reconciliadores y agentes de curación, y a tender puentes de comprensión. Usar estas habilidades contribuye a que vivamos el mandamiento de Jesús de anunciar el Evangelio de la Salvación y la reconciliación en Cristo, y a que cumplamos nuestro llamado de ser testigos de Cristo en el mundo.

Estas son algunas sugerencias que pueden ayudarte a acercarte a otras culturas con sensibilidad:

❖ **Mantén abierta la mente y el corazón.** Límpiate la mente y el corazón de cualquier juicio anticipado (prejuicio) que puedas tener basado en conversaciones pasadas o en descripciones tendenciosas de medios de comunicación sobre una cultura en particular.

Living the Faith
Makes a Difference

In Jesus Christ and through his saving life and work, humanity is reconciled with God. This reconciliation includes the living out of the Great Commandment, which Jesus reaffirmed, and summarizes the Law of God (see Matthew 22:34–40). The love of God and of one's neighbor and self forms a single, inseparable command. As "anointed ones," followers of the Anointed One, we fulfill Jesus' command to love one another (see John 13:34–35 and Matthew 25:31–46) and share in his mission of reconciliation.

Cultural Sensitivity

We live in a world in which communication technology has heightened our awareness of the world's cultural and ethnic diversity. For some, this heightened awareness gives rise to suspicion, hatred, and outright discrimination—all of which sometimes result in divisions and fears that challenge us to fulfill our mission to be reconcilers.

Developing the skills that enhance cultural sensitivity and support cultural communication can help us serve as reconcilers and agents of healing and build bridges of understanding. Using these skills can help us live Jesus' command to announce the Gospel of Salvation and reconciliation in Christ and fulfill our call to be witnesses for Christ in the world.

Here are some suggestions to help you approach other cultures with sensitivity:

❖ **Maintain an Open Mind and Heart.** Clear your mind and heart of any prejudgments (prejudices) that you might have based either on past conversations or on biased media portrayals of a particular culture.

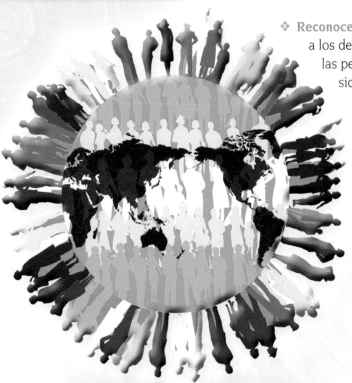

❖ **Reconoce los aspectos comunes.** Acércate a los demás como iguales. Respeta a todas las personas como hijas de Dios, que han sido creadas a su imagen y semejanza. Identifica los valores y creencias que podrías compartir con los demás.

❖ **Pregunta y escucha.** Pregunta a los demás sobre su cultura y tradiciones culturales, o por qué hacen determinadas cosas. Aprender y dialogar sobre la importancia de una costumbre o creencia particular ayuda a las personas a crecer en la comprensión mutua.

❖ **Comprométete.** Busca maneras de aumentar tus experiencias personales con personas y acontecimientos de varias culturas que sean diferentes de la tuya. Descubre el valor de los dones que tienen las personas de cada cultura para compartir con los demás.

❖ **Evita las generalizaciones.** Toma conciencia de que una sola conversación o reunión con unas pocas personas de una cultura en particular no te da un panorama completo de la manera de vivir y los valores de esa cultura.

❖ **Empieza por casa.** Dedica tiempo a examinar sinceramente tu propia cultura y tradiciones culturales.

Decisión de Fe

- En un grupo pequeño comenta cada una de las sugerencias para desarrollar sensibilidad cultural. Luego identifica cómo implementar cada sugerencia podría ayudar a una persona a ser reconciliadora y sanadora en caso de haber divisiones.

- Dedica tiempo a la oración. Habla en silencio con Dios acerca de cómo considera las diferencias entre sus hijos de toda la Tierra. Como fruto de tu oración, identifica una sola actitud o comportamiento que te gustaría cambiar en ti para crecer en respeto y reverencia hacia todas las personas.

Esta semana, para ser mejor reconciliador y sanador de divisiones, yo voy a

_____

_____

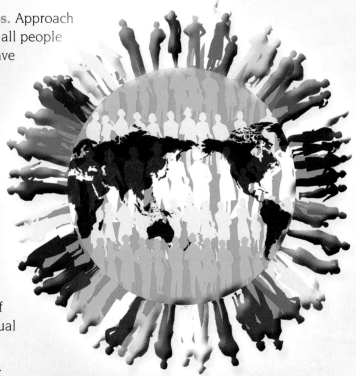

❖ **Recognize Commonalities.** Approach others as equals. Respect all people as children of God who have been created in his image and likeness. Identify the values and beliefs that you might share with others.

❖ **Question and Listen.** Ask others about their culture and cultural traditions or why they do certain things. Learning and dialoguing about the significance of a particular custom or belief helps people grow in mutual understanding.

❖ **Involve Yourself.** Look for ways to increase your personal experiences of people and events from a variety of cultures that are different from your own. Discover and value the giftedness that people of each culture have to share with others.

❖ **Avoid Generalizations.** Recognize that only one conversation or meeting with a few people from a particular culture does not give the complete picture of a culture's way of life and its values.

❖ **Start at Home.** Take the time to honestly examine your own culture and cultural traditions.

Faith Decision

• In a small group discuss each of the suggestions for developing cultural sensitivity. Then identify how implementing each suggestion might help a person become a reconciler and healer of divisions.

• Spend time in prayer. Quietly talk to God about how he looks upon the differences among his children all over the Earth. As the fruit of your prayer, identify a single attitude or behavior that you would like to change in yourself that would help you grow in respect and reverence for all people.

This week I will become a better reconciler and healer of divisions by

_____

_____

mis pensamientos

En este capítulo exploraste el significado de la unción con el Santo Crisma, que es un elemento esencial del Rito de la Confirmación. Has aprendido que en la Confirmación te sellarán con el don del Espíritu Santo. Serás fortalecido y enviado a ser testigo de Cristo, y a dar tu vida en servicio a Dios y a los demás, como lo hizo Cristo, el Ungido.

Escribe tus pensamientos acerca de para qué te llamará Dios cuando seas ungido con el Espíritu Santo.

_____

_____

_____

_____

_____

_____

_____

_____

_____

_____

_____

Para preguntarles a tu padrino o madrina y a tus padres:

¿Cuál ha sido su experiencia sobre la manera en que actúa el Espíritu Santo en su vida para hacerlos más capaces de compartir la misión de Jesús en el mundo?

my thoughts

In this chapter you explored the meaning of the anointing with Sacred Chrism, which is an essential element of the Rite of Confirmation. You have learned that in Confirmation you will be sealed with the gift of the Holy Spirit. You will be strengthened and commissioned to be a witness for Christ, and to give your life in service to God and others as Christ, the Anointed One, did.

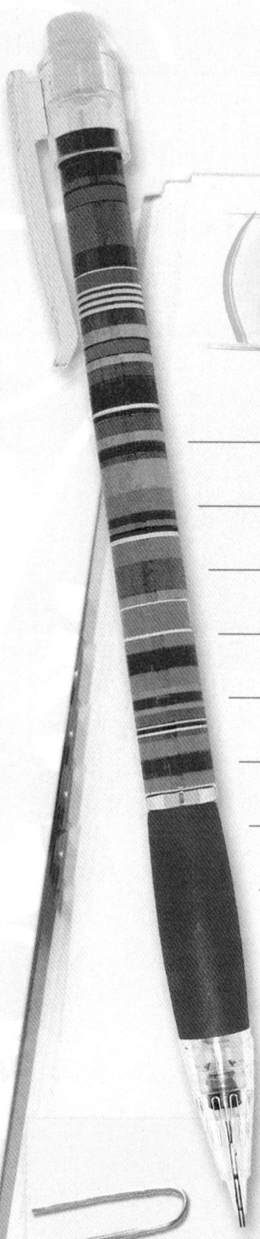

Write your thoughts about what God may be calling you to do as you are anointed with the Holy Spirit.

_____

_____

_____

_____

_____

_____

_____

_____

_____

_____

_____

A question to share with your sponsor and parents:

What has been your experience of the Holy Spirit working in your life to make you more able to share in the mission of Jesus in the world?

Capítulo 6

Intercambio del Rito de la Paz

Reflexión para el Rito inicial

¿Cómo fue tu experiencia cuando intercambiaste el rito de la paz con los demás durante el rito inicial?

Las personas que han vivido una guerra genocida y otras atrocidades han descubierto que la manera más efectiva de llevar reconciliación y curación a su país es decir la verdad sobre lo que sucedió, dejar atrás injusticias pasadas y seguir adelante trabajando para edificar la paz. Cada uno de nosotros ha sufrido injusticias o ha sido herido. Hemos tenido que reconocer lo sucedido y desprendernos de las heridas para construir la paz. Hemos aprendido el significado de las palabras de Jesús: "Felices los que trabajan por la paz" (Mateo 5:9).

¿Cuál es la importancia de desprendernos de las heridas en el proceso de construir la paz?

Exchanging the Gift of Peace

chapter
6

Reflection on the Opening Ritual

What was your experience as you exchanged a sign of peace with others during the opening ritual?

People who have experienced genocidal war and other atrocities have come to discover that the most effective way to bring reconciliation and healing to their country is to tell the truth about what happened, let go of past wrongs, and move forward in the work of building peace. Each of us has experienced being wronged or harmed. We have had to acknowledge what happened and then let go of hurts in order to build peace. We have come to learn the meaning of Jesus' words, "Blessed are the peacemakers" (Matthew 5:9).

What is the importance of letting go of hurts in the process of building peace?

La paz de Dios

Tema Bíblico

¿Cuál es la paz que Jesús y sus discípulos brindan al mundo?

Vocabulario de fe

Shalom

Palabra hebrea que significa *paz,* la suma de todas las bendiciones, materiales y espirituales, y un estado de armonía con Dios, el propio ser y la naturaleza, que trae a la persona la felicidad perfecta.

Para los pueblos que rodeaban Israel en el mundo antiguo, la palabra *paz* primariamente significaba "ausencia de guerra". Si prestas atención a la manera en que usan hoy la palabra *paz* los medios de comunicación habituales, los políticos y otras personas, verás que su significado secular no ha cambiado mucho en los últimos 3,000 años. Sin embargo, la palabra *paz* en la Sagrada Escritura tiene un significado más profundo y más amplio.

Shalom

En el Antiguo Testamento, es claro que el pueblo judío daba un significado muy diferente a su palabra para paz, **shalom,** que está escrita casi 280 veces. Shalom tenía un sentido religioso profundo. Aludía a la combinación de todas las bendiciones que Dios había otorgado y continuaba otorgando a su pueblo.

La paz en el Antiguo Testamento es un don de Dios que se refiere a un estado de armonía con Él y con toda la creación. Es una felicidad que emana del interior de la persona gracias a las bendiciones de la Alianza. Es la experiencia de una abundancia de bendiciones materiales y espirituales. No es de extrañarse, entonces, que el saludo "La paz esté con ustedes" fuera común y se encuentre con frecuencia en las Sagradas Escrituras de la antigua Israel (como ejemplos, ver 1.º Samuel 25:6 y 1.º Crónicas 12:19).

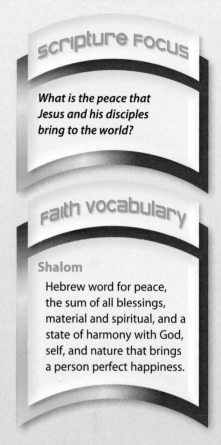

scripture focus

What is the peace that Jesus and his disciples bring to the world?

Faith vocabulary

Shalom

Hebrew word for peace, the sum of all blessings, material and spiritual, and a state of harmony with God, self, and nature that brings a person perfect happiness.

To the peoples of the ancient world that surrounded Israel, the word *peace* primarily meant "an absence of war." If you are attentive to how the word *peace* is used today in the popular media and by politicians and others, you will see that its secular meaning has not changed much in the last 3,000 years. The word *peace* in Sacred Scripture, however, has a far deeper and broader meaning.

Shalom

In the Old Testament, it is clear that the Jewish people had a very different meaning for their word for peace, **shalom,** which is used in the Old Testament nearly 280 times. Shalom had deep religious significance. It pointed to the combination of all the blessings God had bestowed and continues to bestow on his people.

Peace in the Old Testament is a gift from God that refers to a state of harmony with God and all creation. It is a happiness radiating from within a person because of the blessings of the Covenant. It is the experience of an abundance of material and spiritual blessings. There is little wonder, then, that the greeting "Peace be with you" became a regular greeting found often in the Scriptures of ancient Israel (see 1 Samuel 25:6 and 1 Chronicles 12:19 for examples).

Jesús, la paz de Dios

La Iglesia primitiva tenía fe en Jesús, el Príncipe de la Paz anunciado por Isaías, el que brindaría la paz de Dios (ver Isaías 9:5–6, 54:10, 13–14). Jesús es la paz de Dios, el que trajo la reconciliación a todos "porque la sangre de su cruz ha restablecido la paz" (Colosenses 1:20).

Lucas 9:51—19:27 describe el viaje de Jesús a Jerusalén como un momento en el que enseña lo que significa ser sus discípulos. Jesús envía a una misión a setenta y dos de sus seguidores (ver Lucas 10:1–12), igual que antes había enviado a los Doce (ver Lucas 9:1–6). Les da instrucciones para que, cuando entren en una casa, compartan la paz, el don de la paz de Dios.

"Al entrar en cualquier casa, bendíganla antes diciendo: La paz sea en esta casa. Si en ella vive un hombre de paz, recibirá la paz que ustedes le traen; de lo contrario, la bendición volverá a ustedes... Cuando entren en una ciudad y sean bien recibidos, coman lo que les sirvan, sanen a los enfermos y digan a su gente: El Reino de Dios ha venido a ustedes." Lucas 10:5–6, 8–9

Jesús, el Príncipe de la Paz, asociaba su don de la paz con el perdón de los pecados y con la curación. El *shalom* es un signo infalible de que el reino de Dios ha venido. Proclamar esa realidad, como representantes de Cristo, es la misión y el ministerio de los discípulos.

ENLACES CON LA VIDA

Trabaja en un grupo pequeño para buscar 1.ª Corintios 1:3, 2.ª Corintios 1:2, Gálatas 1:3, Efesios 1:2, Filipenses 1:2, Colosenses 1:2, 1 Tesalonicenses 1:1, 1.ª Timoteo 1:2, 2.ª Timoteo 1:2, Tito 1:4, Filemón 3, 2.ª Pedro 1:2, 2.ª Juan 3, Judas 1:2 y Apocalipsis 1:4. Comenta qué dicen estos saludos acerca de ser discípulos de Cristo.

¿En qué se parece y en qué se diferencia el shalom del significado común de paz?

Jesus, the Peace of God

The early Church came to faith in Jesus, the Prince of Peace announced by Isaiah, the One who would bring God's peace (see Isaiah 9:5–6, 54:10, 13–14). Jesus is the peace of God, the one who brought reconciliation to all by "making peace by the blood of his cross" (Colossians 1:20).

Luke 9:51–19:27 describes Jesus' journey to Jerusalem as a time when he teaches his followers what it means to be his disciples. At the beginning of this section of Luke's Gospel, Jesus sends seventy-two of his followers out on mission (see Luke 10:1–12), just as he had earlier sent out the Twelve (see Luke 9:1–6). He instructs them that the first thing they are to do is share shalom, the gift of God's peace, with those they greet whenever they enter a house.

> "Into whatever house you enter, first say, 'Peace to this household.' If a peaceful person lives there, your peace will rest on him; but if not, it will return to you. . . .Whatever town you enter and they welcome you, eat what is set before you, cure the sick in it and say to them, 'The kingdom of God is at hand for you.'"
>
> LUKE 10:5–6, 8–9

Jesus, the Prince of Peace, associated his gift of peace with both forgiveness of sin and healing. Shalom is the sure sign that God's kingdom has come upon them. Proclaiming that reality, as representatives of Christ, is the mission and ministry of the disciples of Christ.

How is shalom like and unlike the common understanding of peace?

lifelinks

Work in a small group to look up 1 Corinthians 1:3, 2 Corinthians 1:2, Galatians 1:3, Ephesians 1:2, Philippians 1:2, Colossians 1:2, 1 Thessalonians 1:1, 1 Timothy 1:2, 2 Timothy 1:2, Titus 1:4, Philemon 3, 2 Peter 1:2, 2 John 3, Jude 1:2, and Revelation 1:4. Discuss what these greetings say about being disciples of Christ.

_____

_____

_____

La paz de Cristo

tema doctrinal

¿Cómo logró Jesús hacer las paces entre Dios Padre y la humanidad?

vocabulario de fe

encíclica

Carta formal acerca de la enseñanza doctrinal o moral, u otro aspecto de la vida de la Iglesia, escrita por el Papa o con la autorización del Papa.

El relato de Adán y Eva en el Libro del Génesis habla de la desobediencia pecaminosa de nuestros primeros padres, o Pecado Original. El Pecado Original provocó no solo para ellos, sino para toda la humanidad, la pérdida de la santidad y la justicia originales que nuestros primeros padres habían recibido de Dios.

El Pecado Original alejó a nuestros primeros padres y al género humano de Dios. Ese distanciamiento después se amplió y afectó las relaciones mutuas entre las personas y con toda la creación, como ilustran los relatos de Caín y Abel (Génesis 4:1–25), Noé y el diluvio (Génesis 6:5—9:28) y La torre de Babel (Génesis 11:1–9).

El Salvador que reconcilia

La historia de los efectos de este pecado en el pueblo de Dios y la reconciliación del pueblo de Dios con Él es un tema principal de las Sagradas Escrituras. En el Antiguo Testamento leemos, una y otra vez, relatos sobre la manera en que Dios envió a profetas y otras personas a su pueblo para pedirle que se apartara del pecado y regresara a su amor.

Esta obra de Dios entre su pueblo culminó cuando el Padre envió a su Hijo único.

> Mientras lo estaba pensando, el Ángel del Señor se le apareció en sueños y le dijo: "José, descendiente de David, no tengas miedo de llevarte a María, tu esposa, a tu casa; si bien está esperando por obra del Espíritu Santo, tú eres el que pondrás el nombre al hijo que dará a luz. Y lo llamarás Jesús, porque él salvará a su pueblo de sus pecados". Todo esto sucedió para que se cumpliera lo que había dicho el Señor por boca del profeta...
>
> MATEO 1:20–22

Encarnación, vitral.

El nombre Jesús significa "Dios salva". Después de la Resurrección, llenos del don del Espíritu Santo, los discípulos empezaron a proclamar que Jesús era el Mesías, el largamente esperado Salvador.

The Peace of Christ

The story of Adam and Eve in the Book of Genesis tells about the sinful disobedience of our first parents, or Original Sin. Original Sin resulted in the loss, not only for themselves but also for all human beings, of the original holiness and justice that our first parents had received from God.

Original Sin alienated our first parents and the human race from God. That alienation then spread and affected the relationships of people with one another and all of creation, as the stories of Cain and Abel (Genesis 4:1–25), Noah and the Great Flood (Genesis 6:5–9:28), and the Tower of Babel (Genesis 11:1–9) illustrate.

A Savior Who Reconciles

The story of the effects of this sin upon God's people and the reconciliation of God's people with him is a major theme of the Scriptures. In the Old Testament we read accounts of the way, time and time again, God sent prophets and others to his people to call them to turn away from sin and return to his love.

This work of God among his people culminated in the Father sending his only Son.

[B]ehold, the angel of the Lord appeared to him in a dream and said, "Joseph, son of David, do not be afraid to take Mary your wife into your home. For it is through the holy Spirit that this child has been conceived in her. She will bear a son and you are to name him Jesus, because he will save his people from their sins." All this took place to fulfill what the Lord had said through the prophet.

MATTHEW 1:20–22

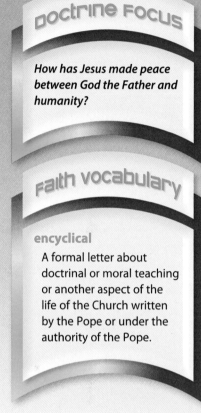

Incarnation, stained glass.

The name Jesus means "God saves." After the Resurrection—once they had been filled with the gift of the Holy Spirit—the disciples began to proclaim that Jesus was the Messiah, the long-awaited Savior.

Doctrine FOCUS

How has Jesus made peace between God the Father and humanity?

Faith Vocabulary

encyclical
A formal letter about doctrinal or moral teaching or another aspect of the life of the Church written by the Pope or under the authority of the Pope.

El Evangelio de la Paz

Los Apóstoles y los evangelistas usaban la palabra paz para resumir la obra salvífica de Jesús y predicaban "el Evangelio de la paz" (Efesios 6:15). Al principio del Evangelio según Lucas, Zacarías, el padre de San Juan Bautista, profetizó que el niño que nacería de María iba a "guiar nuestros pasos por un sendero de paz" (Lucas 1:79). El último libro del Nuevo Testamento, el Apocalipsis, empieza con este saludo:

Reciban gracia y paz de parte de Aquel que es, que era y que viene, y de parte de . . . Cristo Jesús . . . |É|l nos ama y por su sangre nos ha purificado de nuestros pecados . . .   APOCALIPSIS 1:4–6

La paz de Cristo está siempre unida al don del Espíritu Santo, cuya presencia en nuestra vida la hace real. San Pablo dice: "Que el Dios de toda esperanza los colme de gozo y paz ... por el poder del Espíritu Santo" (Romanos 15:13). Renacidos del agua y del Espíritu Santo, los bautizados deben vivir juntos en paz y armonía, para que el mundo tenga fe en Jesús, fuente de toda paz.

En 1963, en plena guerra fría entre la URSS y los EUA, el Papa San Juan XXIII escribió la **encíclica** *La paz en la Tierra* (*Pacem in Terris*). El Papa San Juan XXIII nos recuerda la importancia de proclamar la paz de Cristo en palabras y en obras. Llama a todos los ciudadanos y a todas las naciones a restablecer una sociedad basada en la justicia, los derechos y las responsabilidades como fundamentos de la paz en el mundo. *La paz en la Tierra* sigue vigente como un vehemente llamado profético a reformar el mundo como el Príncipe de la Paz enseñó que debía ser.

El Papa San Juan XXIII firmando su encíclica *La paz en la Tierra*, 11 de abril de 1963.

ENLACES CON LA VIDA

Dedica unos momentos a imaginar cómo sería un mundo colmado de paz. Luego comenta con un compañero quiénes son hoy los líderes de la paz y qué puedes hacer tú para responder a tu llamado bautismal de ser un mediador de paz, un hijo de Dios.

_____

_____

_____

¿Cuáles son algunos ejemplos de cómo usaban los autores del Nuevo Testamento la palabra paz para describir a Jesús y la obra para la cual Él fue enviado?

The Gospel of Peace

The Apostles and Evangelists used the word *peace* to sum up the saving work of Jesus and preached "the gospel of peace" (Ephesians 6:15). At the beginning of Luke's Gospel, Zechariah, the father of Saint John the Baptist, prophesied that the child yet to be born of Mary would "guide our feet into the path of peace" (Luke 1:79). The last book of the New Testament, Revelation, opens with the greeting:

> [P]eace from him who is and who was and who is to come, and from . . . Jesus Christ, . . . who loves us and has freed us from our sins by his blood.

REVELATION 1:4–5

Pope Saint John XXIII signing his encyclical *Pacem in Terris,* April 11, 1963.

The peace of Christ is always bound up with the gift of the Holy Spirit, whose presence in our lives makes it real. Saint Paul says, "May the God of hope fill you with all joy and peace . . . by the power of the holy Spirit" (Romans 15:13). Reborn of water and the Holy Spirit, the baptized are to live together in peace and harmony, so that the world might come to faith in Jesus, the source of all peace.

In 1963, at the height of the Cold War between the USSR and the USA, Pope John XXIII wrote the **encyclical** *Pacem in Terris* (*Peace on Earth*). Saint John XXIII reminded us of the importance of proclaiming both in word and deed the peace of Christ. He called on all citizens and nations to reestablish a society based on justice, rights, and responsibilities as the foundations of peace in the world. *Pacem in Terris* still stands as an impassioned prophetic call to reshape the world as the Prince of Peace meant it to be.

What are some examples of how the authors of the New Testament used the word peace to describe Jesus and the work he was sent to do?

lifelinks

Take a few moments to imagine a world filled with peace and what that would look like. Then discuss with a partner who the leaders of peace are today and what you can do to respond to your baptismal call to live as a peacemaker, a child of God.

_____

_____

_____

El Rito de la paz

tema del rito

¿Cuál es la importancia de compartir el rito de la paz en el Rito de la Confirmación?

vocabulario de fe

Rito de la paz
Uno de los rituales litúrgicos más antiguos de la Iglesia, en el cual los cristianos comparten entre sí un gesto y una oración para que vengan sobre ellos las bendiciones de la paz de Cristo.

Dada la importancia de la palabra *paz* para los antiguos judíos y los miembros de la Iglesia primitiva, no sorprende que haya surgido un rito especial para compartir la paz en las reuniones de celebración del culto de la Iglesia primitiva. El rito que conocemos como **Rito de la paz** data de nuestras fuentes litúrgicas más antiguas. San Pablo debe de haberse referido a esta tradición litúrgica cuando escribió: "Salúdense unos a otros con el beso santo" (Romanos 16:16).

El beso de la paz

Una de las primeras descripciones de la liturgia de la Iglesia se encuentra en los escritos de San Justino, uno de los primeros mártires de la Iglesia de Roma. Alrededor del año 150, dice, en un pasaje que describe cómo celebran los cristianos la Eucaristía, que terminadas las oraciones comunitarias (Oración de los fieles), se daban "mutuamente el beso de la paz".

Unos cincuenta años más tarde, en el siglo III, San Hipólito escribió un documento llamado *Tradición apostólica*, que describe una costumbre más elaborada realizada por el obispo en la liturgia de la iniciación. Hipólito informa que justo antes de que un candidato sea confirmado con el óleo de acción de gracias: [el obispo] los signará luego en la frente, les dará un beso y dirá: "El Señor esté con ustedes". La persona signada responderá: "Y con tu espíritu". Deberá hacer esto con cada uno. Cuando hayan rezado, se darán el beso de la paz.

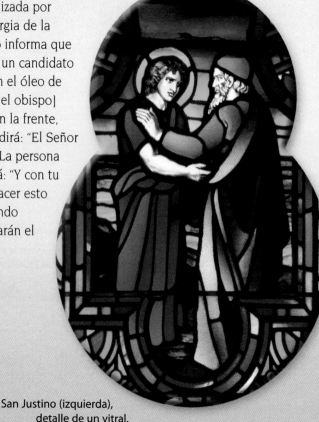

San Justino (izquierda), detalle de un vitral.

The Sign of Peace

Given the significance that the word *peace* had among the ancient Jews and the members of the early Church, it is not surprising that a special ritual for sharing peace arose within the gatherings of the early Church for worship. The ritual we know as the **Sign of Peace** can be traced back in our earliest liturgical sources. Saint Paul may have been referring to this liturgical tradition when he wrote, "Greet one another with a holy kiss" (Roman 16:16).

The Kiss of Peace

One of the earliest descriptions of the liturgy of the Church is found in the writings of Saint Justin, an early martyr of the Church in Rome. Writing around the year 150, he says, in a passage describing how Christians celebrated the Eucharist, that after the prayers in common (Prayer of the Faithful) "we greet one another with a kiss."

A little more than fifty years later a document called the *Apostolic Tradition*, which was written by Saint Hippolytus in the third century, describes a more elaborate custom led by the bishop in the liturgy of initiation. Hippolytus reports that just after a candidate has been confirmed with the oil of thanksgiving:

[the bishop] will then mark them with the sign on the forehead, then give them a kiss, saying "The Lord be with you." The person marked with the sign will answer: "And with your spirit." He is to do this for each one. When they have prayed, let them offer the kiss of peace.

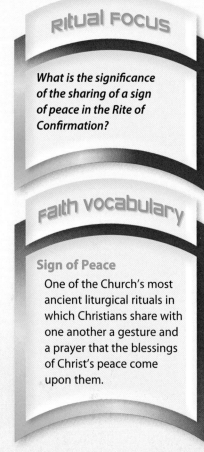

Saint Justin (left),
detail from stained glass.

RITUAL FOCUS

What is the significance of the sharing of a sign of peace in the Rite of Confirmation?

Faith Vocabulary

Sign of Peace
One of the Church's most ancient liturgical rituals in which Christians share with one another a gesture and a prayer that the blessings of Christ's peace come upon them.

El Rito de la Confirmación es muy específico en su instrucción de que, inmediatamente después de que el candidato haya sido ungido, el obispo debe decir: "La paz esté contigo", y el recién confirmado debe responder: "Y con tu espíritu".

En algún momento durante el año 350, en una serie de sermones, San Cirilo habló del significado de las ceremonias que los neófitos, o los recién iniciados en la Iglesia, habían experimentado en su Bautismo, Confirmación y Primera Eucaristía durante la Vigilia Pascual. San Cirilo describió el significado del Rito de la paz, luego lo mencionó como Beso de la paz, que habían recibido inmediatamente después de la unción con óleo, como en la actualidad. Cirilo escribió:

> Este beso … reconcilia y une unas almas con otras, y les garantiza el total olvido de las injurias… Por eso decía Cristo: "Si, pues, al presentar tu ofrenda en el altar te acuerdas entonces de que un hermano tuyo tiene algo contra ti, deja tu ofrenda allí, delante del altar, y vete primero a reconciliarte con tu hermano; luego vuelves y presentas tu ofrenda" (Mateo 5:23—24). Por tanto, el ósculo es reconciliación y, por ello, es santo, como dice en alguna parte el bienaventurado Pablo: "Saludaos los unos a los otros con el beso santo" (1.ª Corintios 16:20).
>
> CATEQUESIS MISTAGÓGICA 23, 3

enlaces con la vida

Piensa en tus relaciones con tus familiares, amigos y otras personas. ¿Con quién necesitarías reconciliarte, o hacer las paces, antes de tu Confirmación? ¿Qué pasos podrías seguir para hacerlo posible?

¿Qué quería Cirilo que comprendieran los nuevos cristianos acerca del significado del Rito, o Beso, de la paz?

Sometime around the year 350, Saint Cyril in a series of sermons talked about the meaning of the ceremonies that the neophytes, or those newly initiated into the Church, had experienced at their Baptism, Confirmation, and First Eucharist during the Easter Vigil. Saint Cyril described the meaning of the Sign of Peace, then referred to as the Kiss of Peace, which was received right after the anointing with oil as it is today. Cyril wrote:

> This kiss unites souls, it requires that we forget all grudges. This is why Christ said: "If you are presenting your gift at the altar, and there you remember that your brother has a grievance against you, leave your offering there before the altar, and go first to be reconciled to your brother, then return and present your offering" (Matthew 5:23–24). The kiss, then, is an act of reconciliation. That is why it is holy, as blessed Paul proclaims it to be when he says, "Greet one another with a holy kiss" (1 Corinthians 16:20).
>
> MYSTAGOGICAL CATECHESES 23, 3

Liturgy Link

The Rite of Confirmation is very specific in its direction that immediately after the candidate has been anointed, the bishop is to say, "Peace be with you," and the newly confirmed person is to respond, "And with your spirit."

What did Cyril want the new Christians to understand about the meaning of the Sign, or Kiss, of Peace?

lifelinks

Think about your relationships with your family, friends, and others. Who might you need to be reconciled with, or make peace with, before your Confirmation? What steps might you take to make this possible?

_____

_____

_____

La Iglesia
Vive la fe

La Iglesia Católica de los Estados Unidos de América está poniendo en acción el Evangelio de la paz de muchas maneras. Una manera interesante en que esto está sucediendo es a través de la Iniciativa Mediadores de Paz. La Iniciativa Mediadores de paz está arraigada en la misión mediadora de paz y de reconciliación de la Iglesia, y está inspirada en la visión y el entusiasmo del Cardenal Joseph Bernardin, Arzobispo de Chicago, que murió en 1996.

Iniciativa Mediadores de Paz

La Iniciativa Mediadores de Paz (Peacebuilders Initiative) busca promover una nueva generación de líderes católicos jóvenes. Cada verano, cuarenta estudiantes de escuelas secundarias comienzan un programa que transforma la vida, de un año de duración, que les ofrece conocimientos profundos y experiencia práctica para convertirse en mediadores de paz. Ubicado en un área urbana culturalmente diversa de la sede de Hyde Park de la Unión Teológica Católica de Chicago, este programa integral de estudio, ministerio, oración y reflexión desafía a los participantes a pensar críticamente, a plantear preguntas teológicas significativas y a profundizar su comprensión de la fe católica. Los participantes aprenden las habilidades necesarias para el liderazgo, la resolución de conflictos y la mediación para la paz. Se benefician de los recursos y la experiencia de instructores que se convierten en modelos y compañeros importantes.

The Church
Lives the Faith

The Catholic Church in the United States of America is putting the Gospel of peace into action in many ways. One exciting way that this is happening is through the Peacebuilders Initiative. The Peacebuilders Initiative is rooted in the Church's mission of peacemaking and reconciliation and is inspired by the vision and passion of Joseph Cardinal Bernardin, the Archbishop of Chicago, who died in 1996.

Peacebuilders Initiative

Peacebuilders Initiative seeks to foster a new generation of young Catholic leaders. Each summer, forty high school students begin a yearlong, life-changing program that offers in-depth knowledge and hands-on experience in becoming a peacebuilder. Located in a culturally diverse urban setting on the Hyde Park campus of the Catholic Theological Union in Chicago, this integrated program of study, ministry, prayer, and reflection challenges participants to think critically, ask tough theological questions, and deepen their understanding of the Catholic faith. Participants learn the skills necessary for leadership, conflict resolution, and peacemaking. They profit from the resources and experience of mentors who become important role models and companions.

Cada día del programa comienza con una oración matutina, después de la cual los participantes exploran el significado de la paz para la Iglesia. Por la tarde, se envían equipos de participantes e instructores a distintas partes de Chicago a ver en directo la transformación de los conflictos y la mediación de paz. Los participantes trabajan junto con hombres y mujeres que se han abocado a la obra de mediación de paz y reconciliación de la Iglesia en ambientes urbanos. Al atardecer, los participantes se reúnen en grupos pequeños para compartir la fe y reflexionar sobre el día. La construcción de la comunidad y el tiempo social son componentes esenciales de este programa. Los participantes tienen cantidad de actividades divertidas durante la semana, de modo que pueden desarrollar una verdadera amistad y compañerismo.

La participación en la Iniciativa Mediadores de Paz no termina después del semestre de verano. A lo largo del año, los participantes crean y desarrollan proyectos para mejorar la mediación de paz y la reconciliación en su escuela, parroquia o comunidad. Si deseas aprender más sobre la Iniciativa Mediadores de Paz, puedes visitar su sitio web en peacebuildersinitiative.org.

¿Cuáles son los elementos clave de la Iniciativa Mediadores de Paz? ¿Por qué participar en la Iniciativa Mediadores de Paz te ayuda a vivir el Evangelio de la paz?

Each day of the program begins with morning prayer, which is followed by participants exploring the Church's understanding of peace. In the afternoon, teams of participants and mentors are sent to ministry sites throughout Chicago to see firsthand conflict transformation and peacebuilding. Participants work side-by-side with men and women who have dedicated themselves to the Church's work of peacebuilding and reconciliation in urban settings. In the evening the participants meet in small groups for faith sharing and reflect on the day. Community building and social time are essential components of this program. Participants are given plenty of fun activities throughout the week so that true friendship and fellowship can develop.

Participation in the Peacebuilders Initiative does not end after the summer session. Over the course of the year participants create and develop projects to advance peacebuilding and reconciliation in their schools, parishes, or communities. If you would like to learn more about the Peacebuilders Initiative, you can visit their Web site at peacebuildersinitiative.org.

What are the key elements of the Peacebuilders Initiative? Why would participation in the Peacebuilders Initiative help you live the Gospel of peace?

En una Carta a los Gálatas, San Pablo contrasta "lo que proviene de la carne" (5:19) con "el fruto del Espíritu" (5:22, 23). Este pasaje es el origen de la tradición de la Iglesia de enumerar doce Frutos del Espíritu Santo, que son los siguientes: caridad, gozo, paz, paciencia, longanimidad, bondad, benignidad, mansedumbre, fidelidad, modestia, continencia y castidad (ver el *Catecismo de la Iglesia Católica,* 1832).

Tranquilidad del espíritu

Los estudiosos de la Sagrada Escritura señalan que la palabra *paz* como aparece en la lista de los Frutos del Espíritu Santo en Gálatas tiene un significado cristiano particular que no se encuentra en la literatura judía o pagana. El significado de paz dado en los Frutos del Espíritu Santo es "serenidad" o "tranquilidad del espíritu".

La tradición católica ofrece un extremadamente rico conjunto de recursos que te ayudan a lograr esta paz mental interior. Uno de estos recursos es la oración contemplativa. Santa Teresa de Jesús describe la oración contemplativa como "tomando el tiempo para estar a solas con quien sabemos nos ama". En la oración contemplativa una persona usa pocas palabras y simplemente está a solas con Dios y presente a la moción del Espíritu Santo en su vida (ver el *Catecismo de la Iglesia Católica,* 2709–2724).

Living the Faith
Makes a Difference

In the Letter to the Galatians, Saint Paul contrasts the "works of the flesh" (5:19) with "the fruit of the Spirit" (5:22, 23). This passage is the origin of the Church's tradition of listing twelve Fruits of the Holy Spirit, namely: charity, joy, peace, patience, kindness, goodness, generosity, gentleness, faithfulness, modesty, self-control, and chastity (see *Catechism of the Catholic Church* 1832).

Peace of Mind

Scripture scholars point out that the word *peace* as it appears in the list of the Fruits of the Holy Spirit in Galatians has a distinctively Christian meaning not found in Jewish or pagan literature. The meaning of *peace* as a Fruit of the Holy Spirit is "serenity," or "peace of mind."

Catholic tradition offers a wonderfully rich set of resources to help you achieve this inner peace of mind. One of these resources is contemplative prayer. Saint Teresa of Jesus describes contemplative prayer as "taking time . . . to be alone with him who we know loves us." In contemplative prayer a person uses few words and is simply alone with God and is present to the movement of the Holy Spirit in his or her life (see *Catechism of the Catholic Church* 2709–2724).

La lectio divina es una clase de oración contemplativa. Es una forma antigua de rezar con la Palabra de Dios contenida en la Biblia. Aunque la lectio divina se inició y desarrolló en monasterios de hombres y mujeres, es una manera sencilla de orar que casi todos pueden usar.

- ◆ Comienza en silencio, apártate de las inquietudes, las preocupaciones y las ocupaciones de la vida.

- ◆ Colócate en presencia de Dios.

- ◆ Selecciona una parte de la Biblia, puede ser un pasaje de los Evangelios o un verso de un salmo.

- ◆ Léelo lentamente. Puedes leerlo en voz alta. Algunas personas se han dado cuenta de que escribir o copiar el pasaje de la Sagrada Escritura las ayuda a hacerlo con calma. Es importante no apurarse.

- ◆ Cuando algo te conmueva —una imagen, una palabra, una enseñanza—, detente y piensa en ello. Deja que la Palabra de Dios te envuelva.

- ◆ Cuando sientas que has terminado con esa palabra o versículo en particular, continúa, pero lentamente. San Benito decía: *"Non multa, sed multum"*. "No muchos versículos, sino penetrar profundamente en el que tienes ante ti".

- ◆ Cuando finalices este momento de oración, ofrece a Dios una oración de acción de gracias.

Puedes aprender más sobre la lectio divina visitando el sitio web ocarm.org.

DECISIÓN DE FE

- • Dedica algún tiempo a comentar:

  —¿Por qué para muchas personas es difícil estar en silencio?

  —¿Cómo sería estar en silencio durante un período de tiempo largo (una hora, un día, una semana)?

- • Piensa en qué momento de esta semana podrías permanecer en silencio y estar a solas con Dios—sin televisión, música, computadora ni otras distracciones— para rezar usando la lectio divina.

Esta semana leeré devotamente la Biblia usando la lectio divina y escucharé a Dios en el silencio de la contemplación en las siguientes ocasiones:

_____

_____

_____

Lectio divina is a kind of contemplative prayer. It is an ancient way of praying over the Word of God contained in the Bible. Although lectio divina began and developed in monasteries of men and women, it is a simple way of praying that just about anyone can use.

◆ Begin in silence, move away from the concerns and worries and busyness of life.

◆ Place yourself in God's presence.

◆ Select a part of the Bible, maybe a Gospel passage or a psalm verse.

◆ Read it slowly. You may wish to read it out loud. Some people have found that writing or copying out the passage of Scripture helps them to slow down. It is important not to rush.

◆ As something strikes you—an image, a word, a teaching—stop and dwell with that. Let God's Word take hold of you.

◆ After you feel you have finished with that particular word or verse move on, but slowly. Saint Benedict said, "Non multa, sed multum," "Not many verses, but go into depth with what you have before you."

◆ When you are finished with this time of prayer, offer God a prayer of thanksgiving.

You can learn more about lectio divina by visiting the Web site ocarm.org.

FAITH DECISION

• Spend some time discussing:

—Why is keeping silent difficult for many people?

—What might it be like to be silent for an extended period of time—an hour, a day, a weekend?

• Think about when you might spend silent time during the week being simply alone with God—without your television, music, computer, or other distractions—to pray using lectio divina.

This week I will prayerfully read the Bible using lectio divina and listen to God in the silence of contemplation at the following time:

_____

_____

_____

mis pensamientos

En este capítulo aprendiste el significado de *shalom*, o don de la paz de Dios. Exploraste la importancia del intercambio del rito de la paz en el Rito de la Confirmación y cómo este expresa uno de los efectos de la efusión del Espíritu Santo, concretamente, la paz. Esa paz es el restablecimiento de nuestra amistad con Dios. Es uno de los Frutos de la presencia del Espíritu Santo en nuestra vida. Origina una manera de vivir que nos hace mediadores de paz.

Escribe tus pensamientos acerca del don de la paz. ¿Cómo has experimentado ya la paz en tu vida y cómo ansías profundizar esa experiencia gracias a uno de los efectos de ser confirmado?

_____

_____

_____

_____

_____

_____

_____

_____

_____

_____

_____

_____

Para preguntarles a tu padrino o madrina y a tus padres:

¿Cómo ha sido su experiencia de la paz gracias a la presencia del Espíritu Santo, que está en ustedes y actuando en su vida?

my thoughts

In this chapter you learned about the meaning of *shalom*, or God's gift of peace. You explored the significance of the exchange of a sign of peace in the Rite of Confirmation and how it expresses one of the effects of the outpouring of the Holy Spirit, namely, peace. Such peace is the restoration of our friendship with God. It is one of the Fruits of the Holy Spirit's presence in our lives. It overflows into a way of living that makes us peacemakers.

Write your thoughts about the gift of peace. How have you already experienced peace in your life, and how do you long for a greater experience of it as one of the effects of being confirmed?

_____

_____

_____

_____

_____

_____

_____

_____

_____

A question to share with your sponsor and parents:

What has been your experience of peace resulting from the Holy Spirit's presence with you and working in your life?

Capítulo 7

Participación en la Eucaristía

Reflexión para el rito inicial

¿Qué experimentaste al compartir el pan en el rito inicial y relacionarte con los que sufren?

Durante los días inmediatamente posteriores a la destrucción de las Torres Gemelas del World Trade Center, el 11 de septiembre de 2001, ciudadanos de todo el mundo sintieron una profunda y sentida solidaridad, o conexión, con las víctimas y sus seres queridos. Nos solidarizamos, hicimos vigilias a la luz de las velas, compartimos su dolor y llegamos a darnos cuenta de lo profundamente interconectados que estamos unos con otros.

¿De qué manera te ayuda tu propia experiencia de solidaridad con quienes sufren a comprender el sacrificio de Jesús por nuestros pecados?

Estudiantes de la Universidad Católica de América (CUA), vigilia a la luz de las velas, lago reflectante del Capitolio, Washington D.C., 11 de septiembre de 2002.

Sharing in the Eucharist

chapter 7

Reflection on the Opening Ritual

What was your experience as you shared the bread in the opening ritual and connected with those who are suffering?

In the days immediately following the destruction of the Twin Towers of the World Trade Center in New York City on September 11, 2001, citizens throughout the world felt a deep and powerful solidarity, or connection, with the victims and their loved ones. We stood in solidarity, held candlelight vigils, shared their pain, and came to realize how deeply interconnected we are with one another.

In what way does your own experience of solidarity with those who suffer help you better understand the sacrifice of Jesus for our sins?

Catholic University of America students, candlelight vigil, Capitol Reflecting Pool, Washington D.C., September 11, 2002.

153

El pan de aflicción

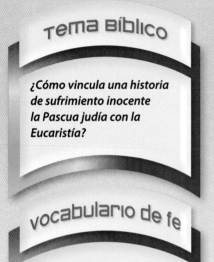

tema bíblico

¿Cómo vincula una historia de sufrimiento inocente la Pascua judía con la Eucaristía?

vocabulario de fe

Pascua judía

La fiesta judía que celebra que los israelitas se libraran de la muerte y que Dios salvara a su pueblo de la esclavitud en Egipto y lo guiara a la libertad en la tierra que le había prometido.

Dado que la Última Cena tiene lugar en el contexto de la celebración de la **Pascua judía,** es esencial que conozcamos y entendamos esta celebración. De esta manera, podremos llegar a entender el significado del sacrificio eucarístico. La palabra hebrea que significa Pascua judía, *pesah,* se traduce en griego como *pascha*. Los cuatro Evangelios vinculan claramente la Pascua judía con el Misterio Pascual de la Pasión, Muerte, Resurrección y gloriosa Ascensión de Jesús.

El Cordero de Dios

Cada año el pueblo judío se reúne y celebra los acontecimientos salvadores de Yavé, que libró a los israelitas de la muerte, al salvarlos de la esclavitud en Egipto y guiarlos sin peligro a la tierra que les había prometido. Fue esencial para estos acontecimientos salvadores la matanza del cordero de la Pascua judía, o pascual, con cuya sangre se marcaban las jambas de las puertas de los israelitas. Esta era una señal para el Señor, que pasará de largo y no permitirá que el Exterminador entre en sus casas (Éxodo 12:23).

San Juan Bautista identificó a Jesús como el Cordero de Dios, el que carga con el pecado del mundo (Juan 1:29). La sangre inocente de Jesús ha librado de una vez por todas a la humanidad de la esclavitud del pecado y el poder de la muerte. Por voluntad propia, Jesús se ofreció en nuestro lugar como un sacrificio en la Cruz.

En su Pascua, los judíos comen pan ácimo y hierbas amargas, pan de aflicción, para recordar el doloroso pasado de su liberación. Esta imagen del "pan de aflicción" describe asimismo el origen de nuestra alegría eucarística. Así como la Pascua judía continúa siendo una fiesta alegre para ese pueblo, la Eucaristía es una alegría para los cristianos. La Resurrección y la Ascensión de Jesús son un anuncio de nuestra propia liberación en la Tierra Prometida del Cielo. En la Eucaristía, participamos del Cuerpo y la Sangre de Cristo, el Cordero de Dios, que quita los pecados de los vivos y de los muertos. Profundizamos más nuestra comunión con Dios y recibimos la promesa de la gloria por venir.

Cordero de Dios, detalle de vitral.

The Bread of Affliction

Because the Last Supper takes place in the context of the Jewish **Passover** celebration, it is essential for us to know about and understand this celebration. In this way we can come to understand the meaning of the Eucharistic sacrifice. The Hebrew word for Passover, *pesah*, is translated *pascha* in Greek. The four Gospels clearly link the Paschal Mystery of Jesus' Passion, Death, Resurrection, and glorious Ascension with the Passover.

The Lamb of God

Each year the Jewish people gather and celebrate the saving events of YHWH sparing the Israelites from death and saving them from slavery in Egypt and leading them safely to the land he promised them. Integral to these saving events was the slaughter of the passover, or paschal, lamb, whose blood marked the doorposts of the homes of the Israelites. This signaled the Lord to "pass over that door and not let the destroyer come into your houses" (Exodus 12:23).

Saint John the Baptist identified Jesus to be "the Lamb of God, who takes away the sin of the world" (John 1:29). The innocent blood of Jesus has once and for all delivered humanity from the slavery of sin and power of death. Jesus willingly offered himself up in our place as a sacrifice on the Cross.

On Passover the Jews eat unleavened bread and bitter herbs, the bread of affliction, to remind them of the painful past of their deliverance. This imagery of the "bread of affliction" paints the background of our Eucharistic joy as well. Just as the Passover remains a joyful feast for the Jews, the Eucharist is a joy for Christians. Jesus' Resurrection and Ascension is a foreshadowing of our own deliverance in the Promised Land of Heaven. In the Eucharist, we share in the Body and Blood of Christ, the Lamb of God who takes away the sins of both the living and dead. We enter more deeply into communion with God and receive the pledge of the glory to come.

scripture FOCUS

How does a history of innocent suffering link the Jewish Passover and the Eucharist?

Faith vocabulary

Passover

The Jewish feast that celebrates the sparing of the Israelites from death, and God's saving his people from slavery in Egypt and leading them to freedom in the land he promised them.

Lamb of God, detail from stained glass.

Una ofrenda de amor

En la narración de la Última Cena del Evangelio según Juan, no se menciona que Jesús ofreciera el pan y el vino como su Cuerpo y su Sangre. El Evangelio según Juan describe, en cambio, que Jesús lavó los pies de los discípulos. Muchos estudiosos de la Sagrada Escritura ven esto como la manera en que Juan describe el significado de que Jesús instituyera la Eucaristía.

El Evangelio según Juan incluye un detalle importante en este relato. En los tiempos de Jesús, existía la costumbre de que el anfitrión mojara un trozo de pan y se lo ofreciera a uno de los invitados como un signo especial de honor o afecto. Jesús usó esta costumbre para hacer un último llamamiento a Judas Iscariote para que cambiara su idea de traicionarlo. Después de describir cómo Jesús lavó los pies de los discípulos, el Evangelio según Juan continúa:

Jesús despide a Judas, **de la serie** *La vida de Jesús.* **William Hole, artista británico del siglo** xix.

... Jesús se conmovió en su espíritu y dijo con toda claridad: En verdad les digo: uno de ustedes me va a entregar. Los discípulos se miraron unos a otros, pues no sabían a quién se refería. Uno de sus discípulos, el que Jesús amaba, estaba recostado junto a él en la mesa, y Simón Pedro le hizo señas para que le preguntara de quién hablaba. Se volvió a Jesús y le preguntó: Señor, ¿quién es? Jesús le contestó: Voy a mojar un pedazo de pan en el plato. Aquél al cual se lo dé, ése es. Jesús mojó un pedazo de pan y se lo dio a Judas Iscariote, hijo de Simón. Apenas Judas tomó el pedazo de pan, Satanás entró en él. Entonces Jesús le dijo: Lo que vas a hacer, hazlo pronto. . . .

Judas se comió el pedazo de pan y salió inmediatamente. Era de noche.
Juan 13:21–27, 30

¿Qué temas comunes están presentes tanto en la Pascua judía como en la Eucaristía?

Enlaces con la vida

Imagina que eres uno de los discípulos, que no sea Judas Iscariote, en la Última Cena. Describe tus pensamientos y tus sentimientos mientras Jesús le habla a Judas.

_____

_____

_____

An Offering of Love

In the narrative of the Last Supper in John's Gospel, there is no mention of Jesus offering the bread and wine as his Body and Blood. Instead, John's Gospel describes Jesus washing the disciples' feet. Many Scripture scholars see this as John's way of describing the meaning of Jesus instituting the Eucharist.

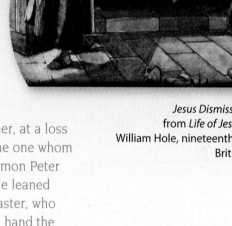

Jesus Dismisses Judas,
from *Life of Jesus* series.
William Hole, nineteenth-century
British artist.

John's Gospel includes a significant detail in this account. In Jesus' time there was a custom of the dinner host dipping a piece of bread and offering it to one of the guests as a special sign of honor or affection. Jesus used this custom to make a last appeal to Judas Iscariot to change his mind about betraying him. After describing Jesus washing the disciples' feet, John's Gospel continues:

> . . . Jesus was deeply troubled and testified, "Amen, amen, I say to you, one of you will betray me." The disciples looked at one another, at a loss as to whom he meant. One of his disciples, the one whom Jesus loved, was reclining at Jesus' side. So Simon Peter nodded to him to find out whom he meant. He leaned back against Jesus' chest and said to him, "Master, who is it?" Jesus answered, "It is the one to whom I hand the morsel after I have dipped it." So he dipped the morsel and [took it and] handed it to Judas, son of Simon the Iscariot. After he took the morsel, Satan entered him. So Jesus said to him, "What you are going to do, do quickly." . . .

So he took the morsel and left at once. And it was night.

JOHN 13:21–27, 30

What common themes are present in both the Jewish Passover and the Eucharist?

lifelinks

Imagine that you are one of the disciples, other than Judas Iscariot, at the Last Supper. Describe your thoughts and feelings as Jesus speaks to Judas.

_____

_____

_____

Participación en la Eucaristía

Tema doctrinal

¿Cómo nos prepara para encontrar a Dios nuestra participación plena, consciente y activa en la Eucaristía?

Vocabulario de fe

sacrificio
Ofrenda voluntaria, hecha por amor, de algo muy valioso, por ejemplo, la propia vida.

La Biblia está llena de relatos acerca de encuentros con Dios que han cambiado la vida de las personas. Con frecuencia esos encuentros tuvieron lugar durante una comida, o hubo una comida después, o se conmemoraron con una comida. Esos relatos son antecedentes de la comida en Emaús durante la cual dos discípulos reconocieron al Señor Resucitado por cómo partió el pan (ver Lucas 24:29–31). La Eucaristía también debe ser para nosotros lo mismo que aquellas comidas: una en la cual encontramos a Cristo, que nos transforma y nos cambia la vida.

Eucaristía: encuentro que transforma la vida

El Evangelio según Lucas nos cuenta que los dos discípulos escucharon atentamente a Cristo y le pidieron que se quedara con ellos aquella noche. Ellos participaron en su encuentro con el Cristo Resucitado. Nuestra participación en la Eucaristía requiere la misma atención a Cristo, que está presente con nosotros.

Todo encuentro con el Misterio de Dios, que transforma la vida, tiene dos aspectos: la parte de Dios y nuestra respuesta. Dios está presente y activo en todas las celebraciones de la Eucaristía de muchas maneras: en la Sagrada Escritura, la asamblea, el sacerdote y, de forma exclusiva, en el Cuerpo y la Sangre de Cristo.

La Plegaria Eucarística habla de la presencia de Dios como la obra del Espíritu Santo, quien es invocado, no solamente sobre el pan y el vino, sino también sobre nosotros. El sacerdote le dice al Padre:

Dirige tu mirada sobre la ofrenda de tu Iglesia, y reconoce en ella la Víctima por cuya inmolación quisiste devolvernos tu amistad, para que fortalecidos con el Cuerpo y la Sangre de tu Hijo y llenos de su Espíritu Santo, formemos en Cristo un solo cuerpo y un solo espíritu.

PLEGARIA EUCARÍSTICA III

Participation in the Eucharist

The Bible is filled with accounts of people's life-changing encounters with God. Often those meetings took place during a meal or were followed by or commemorated in a meal. Such stories are the background for the meal in Emmaus during which two disciples recognized the Risen Lord in the breaking of the bread (see Luke 24:29–31). The Eucharist is meant to be that kind of meal for us, too—one in which we meet Christ who transforms us and changes our lives.

Eucharist: Life-Changing Encounter

Luke's Gospel tells us that the two disciples listened attentively to Christ and asked for him to stay with them for the evening. They were involved in their encounter with the Risen Christ. Our participation in the Eucharist requires that same attention to Christ, who is present with us.

There are two sides to every life-changing encounter with the Mystery of God: God's part and our response. God is present and active at every celebration of the Eucharist in many ways—in the Scripture, the assembly, the priest, and, in a unique way, in the Body and Blood of Christ.

The Eucharistic Prayer speaks of God's presence as the work of the Holy Spirit, who is invoked, not only over both bread and wine, but over us as well. The priest prays to the Father:

Look, we pray, upon the oblation of your Church and, recognizing the sacrificial Victim by whose death you willed to reconcile us to yourself, grant that we, who are nourished by the Body and Blood of your Son and filled with his Holy Spirit, may become one body, one spirit in Christ.
EUCHARISTIC PRAYER III

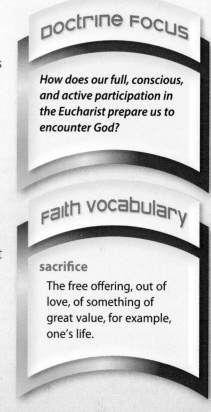

Cada uno de los Sacramentos tiene gracias, o efectos transformadores, especiales para nuestra vida. Una de las gracias especiales de la Eucaristía nos vincula con los pobres y los que sufren, y exige que nos solidaricemos con ellos y actuemos en su beneficio. "La Eucaristía entraña un compromiso en favor de los pobres. Para recibir en la verdad el Cuerpo y la Sangre de Cristo entregados por nosotros debemos reconocer a Cristo en los más pobres, sus hermanos" (*Catecismo de la Iglesia Católica* 1397).

Una mente y un corazón con Cristo

El poder del Espíritu Santo está en acción en la Eucaristía para profundizar nuestra unión con Cristo, apartarnos del pecado, profundizar nuestra unidad con el Cuerpo Místico de Cristo, la Iglesia, y comprometernos con los pobres. ¿Qué se requiere de nosotros para que ocurra este encuentro que transforma la vida? Como los dos discípulos de Emaús, debemos ahondarnos en el misterio hecho presente en todas las Eucaristías. Debemos unirnos a Cristo y, por amor y obediencia, ofrecernos al Padre como un **sacrificio** vivo. Debemos tener la misma actitud de mente y de corazón que Jesús: una actitud de autoentrega y compromiso para solidarizarnos con todos aquellos por quienes Él murió.

La participación plena, consciente y activa en la Eucaristía no se refiere solamente a nuestra conducta externa en la Misa: escuchar, responder a las plegarias, cantar, etc. Requiere que tengamos cierta predisposición interna, o hábitos, de la mente y el corazón por la cual Dios nos guía para que tomemos conciencia de lo que está sucediendo en nuestro interior para ser uno en mente y corazón con Cristo. Tanto nuestras actitudes externas como nuestra predisposición interna nos ayudan a unirnos con Cristo en una autoentrega voluntaria a Dios Padre con el mismo espíritu de amor y obediencia que la suya.

¿Cuál es la función del Espíritu Santo en la Eucaristía? ¿Cuál es nuestra función?

enlaces con la vida

En un grupo pequeño, haz una lista de las actitudes internas y externas que se requieren para una participación plena, consciente y activa en la Eucaristía. En tu diario, escribe qué puedes hacer para desarrollar estas actitudes.

_____

_____

_____

One Mind and Heart with Christ

The power of the Holy Spirit is at work in the Eucharist to deepen our union with Christ, separate us from sin, deepen our unity with the Mystical Body of Christ, the Church, and commit us to the poor. What is required of us in order for this life-changing encounter to take place? Like the two disciples from Emmaus, we must enter deeply into the mystery made present at every Eucharist. We must join ourselves to Christ, and out of love and obedience, offer ourselves as a living **sacrifice** to the Father. We must have the same attitude of mind and heart as Jesus: an attitude of self-offering and commitment to stand in solidarity with all those for whom Jesus died.

Full, conscious, and active participation in the Eucharist refers not just to our external behaviors at Mass—listening, responding to prayers, singing, and so on. It requires us to have certain internal dispositions, or habits, of mind and heart by which God guides us to be aware of what is happening inside of us and to be of one mind and heart with Christ. Both our external and internal dispositions help us join with Christ in freely giving ourselves over to God the Father with the same spirit of love and obedience as he did.

What is the role of the Holy Spirit at Eucharist?
What is our role?

lifelinks

In a small group make a list of the internal and external dispositions that are required for a person's full, conscious, and active participation in the Eucharist. In your journal write what you can do to develop these dispositions.

_____

_____

_____

La Confirmación y la Eucaristía

tema del rito

¿Cómo nos ayuda la historia de la celebración de la Confirmación a entender su función en el proceso de la iniciación cristiana?

vocabulario de fe

Sacramentos de la Iniciación Cristiana

El Bautismo, la Confirmación y la Eucaristía; las bases de toda vida cristiana.

Generalmente, hoy en dia en nuestro pais, los que han sido bautizados como bebes celebran la Confirmación en algún momento después de haber recibido la Primera Comunión. Esto puede dar la idea equivocada de que la Confirmación, no la Eucaristía, es el punto culminante y la cima del proceso de la iniciación cristiana.

La bases de la vida cristiana

Los tres **Sacramentos de la Iniciación Cristiana** (Bautismo, Confirmación y Eucaristía) son las bases de toda vida cristiana. En la Iglesia primitiva, siempre que una persona de cualquier edad ingresaba como miembro de la Iglesia, se celebraban los tres Sacramentos de la Iniciación Cristiana al mismo tiempo, en un orden fijo: Bautismo, Confirmación y Eucaristía.

La preparación para celebrar estos Sacramentos comúnmente duraba muchos años y tenía lugar en un proceso conocido como catecumenado. Luego de siglos de usar esta práctica, finalmente se dio por sentado que la participación en la Eucaristía estaba reservada para quienes se hubieran primero bautizado y confirmado.

Con el tiempo, en la Iglesia de Occidente, la celebración de la Confirmación quedó separada del Bautismo y la Eucaristía. Se hizo normal el Bautismo de bebés y no estaba permitido participar en la Eucaristía hasta que los niños no se hubieran confirmado primero, generalmente alrededor de los doce años. Al inicio del siglo xx, cuando se permitió que los niños bautizados de bebés recibieran la Comunión a la edad de la razón, o discreción, a los siete años aproximadamente, la secuencia de la celebración de los Sacramentos de la Iniciación Cristiana cambió y la Confirmación empezó a celebrarse a una edad más avanzada después de recibir la primera Sagrada Comunión.

Confirmation and Eucharist

In most places in our country at the present time, Confirmation is celebrated sometime after those who have been baptized as infants receive their First Holy Communion. This can give the mistaken impression that Confirmation, not Eucharist, is the culmination and high point of the process of Christian initiation.

Foundation of the Christian Life

The three **Sacraments of Christian Initiation** (Baptism, Confirmation, and Eucharist) are the foundation of every Christian life. In the early Church, whenever a person of any age was brought into membership in the Church, all three Sacraments of Christian Initiation were celebrated at the same time and in the fixed order of Baptism, Confirmation, and Eucharist.

A person's preparation for celebrating these Sacraments often lasted for many years and took place in a process known as the catechumenate. After centuries of this practice, it was eventually taken for granted that participation in the Eucharist was reserved for those who had first been baptized and confirmed.

Over time in the Church in the West the celebration of Confirmation became separated from Baptism and the Eucharist. Infant Baptism became the norm and sharing in the Eucharist was not allowed until the young child had first been confirmed, usually around the age of twelve. At the start of the twentieth century when children baptized as infants were permitted to receive Communion at the age of reason, or discretion, around the age of seven, the sequence of celebrating the Sacraments of Christian Initiation was changed, and Confirmation was celebrated at a later age after the first reception of Holy Communion.

Ritual Focus

How does the history of the celebration of Confirmation help us understand its role in the process of Christian initiation?

Faith Vocabulary

Sacraments of Christian Initiation

Baptism, Confirmation, and Eucharist; the foundation of every Christian life.

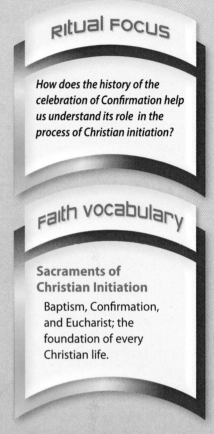

En la Iglesia primitiva, se despedía a los catecúmenos de la asamblea después de la Liturgia de la Palabra y no se les permitía participar en la Liturgia Eucarística. Tampoco se les permitía participar al momento de rezar la Plegaria Universal o la Oración de los Fieles. Esas oraciones estaban reservadas para los que habían completado su iniciación. Del mismo modo, solamente quienes pudieran participar en la Eucaristía estaban habilitados para llevar las ofrendas al altar. Por eso es importante que el *Ritual para la Confirmación* proporciona un texto especial para que los recién confirmados recen la Oración de los Fieles y sugiere que ellos también deben estar entre quienes lleven las ofrendas al altar.

Transformados en el Cuerpo de Cristo

La Introducción del *Ritual para la Confirmación* enfatiza la relación de la Confirmación con la Eucaristía. Establece que el proceso de preparación para la Confirmación debe contener una formación que ayude "a los candidatos a tornar más autentico su deseo de participar en la Eucaristia podrá ser sincero (12). La introducción continúa:

> La Confirmación se tiene normalmente dentro de la Misa, para que se manifieste más claramente la conexión fundamental de este Sacramento con toda la iniciación cristiana, que alcanza su cumbre en la comunión del Cuerpo y la Sangre de Cristo. De este modo los confirmandos participan de la Eucaristía con la que se completa su iniciación cristiana.
>
> *Ritual para la Confirmación* 13

Estas son claves importantes para que comprendas de qué manera recibir el Sacramento de la Confirmación te ayuda a participar en la Eucaristía más plena, más consciente y más activamente. El don de la plenitud del Espíritu Santo que recibirás en la Confirmación te permitirá, como ya hemos visto, estar más profundamente en una sagrada comunión con Jesús al recibir el Sacramento de su Cuerpo y su Sangre. Al participar más plenamente en la Eucaristía, progresivamente te transformarás por el poder del Espíritu Santo en el Cuerpo de Cristo como un miembro pleno de su Iglesia.

¿Cómo profundizará la Confirmación tu capacidad de participar en la Eucaristía?

ENLACES CON LA VIDA

Dedica tiempo a rezar para pedirle al Espíritu Santo que te enseñe a participar en la Misa dominical más plena, más activa y más conscientemente.

_____

_____

_____

Transformed into the Body of Christ

The "Introduction" in the *Rite of Confirmation* stresses the connection of Confirmation to the Eucharist. It states that the preparation process for Confirmation should include instruction that assists "the candidates to have a genuine desire to share in the eucharist" (12). The introduction continues:

> Confirmation takes place as a rule within Mass in order that the fundamental connection of this sacrament with all of Christian initiation may stand out in clearer light. Christian initiation reaches its culmination in the communion of the body and blood of Christ. The newly confirmed therefore participate in the eucharist, which completes their Christian initiation.
>
> *Rite of Confirmation* 13

These are important clues that help you understand how your reception of the Sacrament of Confirmation helps you participate in the Eucharist more fully, consciously, and actively. The gift of the fullness of the Holy Spirit that you will receive in Confirmation will help you, as we have seen, enter more deeply into a holy communion with Jesus through receiving the Sacrament of his Body and Blood. By participating more fully in the Eucharist, you will—through the power of the Holy Spirit—be progressively transformed into the Body of Christ as a full member of his Church.

How will Confirmation deepen your ability to participate in the Eucharist?

LiTurgy LiNk

In the early Church catechumens were dismissed from the assembly after the Liturgy of the Word and were not allowed to participate in the Liturgy of the Eucharist. They were also not allowed to participate in the praying of the Universal Prayer, or Prayer of the Faithful. Those prayers were reserved for the fully initiated. Similarly, only people who were able to share in the Eucharist could bring the gifts to the altar. That is why it is significant that the Rite of Confirmation provides a special text for the Prayer of the Faithful to be prayed by the newly confirmed and suggests that they should also be among those bringing the gifts to the altar.

lifelinks

Spend some time in prayer asking the Holy Spirit to show you how to participate in the Mass each Sunday more fully, actively, and consciously.

_____

_____

_____

La Iglesia
Vive la fe

Uno de los frutos, o gracias especiales, de nuestra participación en la Eucaristía es la gracia de reconocer a Cristo en los más pobres de nuestros hermanos. Los obispos de los Estados Unidos nos ayudan a responder a esa gracia de muchas maneras. Una de ellas es a través de nuestra participación en la obra de *Catholic Relief Services* (Servicios Católicos de Socorro, o CRS, por su sigla en inglés). Estas campañas dan fundamento a la insistencia de la Iglesia de que [l]a Eucaristía entraña un compromiso en favor de los pobres (*Catecismo de la Iglesia Católica* 1397).

Distribución de granos para cultivo por parte de CRS, aldea de Kaunga Mashi, Zambia, cerca de la frontera con Angola.

Catholic Relief Services

Un excelente ejemplo de la manera en que Catholic Relief Services se solidariza con los pobres del mundo es su trabajo en Níger, una de las naciones más pobres de todo el mundo. Níger está en la región del Sahara, en África occidental, y su tamaño es cuatro quintos del de Alaska. El 63 % de los 16.3 millones de habitantes del país vive con menos de un dólar estadounidense por día. Según UNICEF (Fondo Internacional de las Naciones Unidas para la Ayuda a la Infancia), el 50 % de los niños nigerios están desnutridos y el 71 % de la población adulta no sabe leer ni escribir.

Distribución de alimentos por parte de CRS durante una hambruna y sequía, Mongu, Zambia.

The Church
Lives the Faith

One of the fruits, or special graces, of our participation in the Eucharist is the grace "to recognize Christ in the poorest" of our brothers and sisters. The bishops of the United States help us respond to that grace in many ways. One way is through our participation in the work of Catholic Relief Services (CRS). These efforts give substance to the Church's insistence that "[t]he Eucharist commits us to the poor" (*Catechism of the Catholic Church* 1397).

CRS distribution of seeds to grow crops, Kaunga Mashi village, Zambia, near border of Angola.

Catholic Relief Services

An excellent example of the way that Catholic Relief Services stands in solidarity with the poor of the world is their work in Niger, one of the poorest nations in the entire world. Niger, in West Africa's Sahara region, is four-fifths the size of Alaska. Sixty-three percent of the country's 16.3 million people live on less than one U.S. dollar a day. According to UNICEF, United Nations Children's Fund, 50 percent of Niger's children are malnourished, and 71 percent of the adult population cannot read or write.

CRS distribution of food during a famine and drought, Mungus, Zambia.

Catholic Relief Services ha estado trabajando en Níger desde 1991. Guiada por los valores que expresan las enseñanzas sociales de la Iglesia Católica, la obra de Catholic Relief Services en Níger incluye, entre otros, estos programas:

❖ **Alimentos por trabajo:** CRS patrocina las actividades de Alimentos por trabajo que ayudan a que más de 40,000 jefes de familia aprendan técnicas agrícolas sostenibles, mejoren la infraestructura local y alimenten a su familia en tiempos de hambruna.

❖ **Seguridad alimentaria:** CRS trabaja con otras organizaciones internacionales y entidades locales para promover la agricultura sostenible, la administración de los recursos naturales y mejorar la salud y la nutrición en 120 aldeas.

Clase de nutrición en la clínica médica materno-infantil de CRS, aldea de Hangar, cerca de Bembereke, Benín.

❖ **Educación nómada:** CRS, en asociación con la Iglesia Católica y el Programa Mundial de Alimentos, lleva adelante un proyecto educativo que ayuda a que niños nómadas tengan acceso a una educación primaria de calidad.

Un ejemplo de cómo funcionan estos programas lo ilustra el trabajo de CRS con los pobres de Níger en 2004 como respuesta a una enorme plaga de langostas y la subsiguiente sequía. El doble golpe destruyó casi el 80 % de los cultivos, cuya consecuencia fue que algunas familias comieran hojas, hierbas y hasta las semillas que debieron haber plantado en la temporada de siembra. CRS y sus entidades asociadas repartieron raciones de alimentos a más de 40,000 familias y suministraron dietas terapéuticas a 7,000 niños desnutridos. CRS y sus entidades asociadas repartieron además cupones que permitían a los jefes de familia tengan acceso a alimento para animales, semillas y herramientas agrícolas para prepararse para la temporada de siembra. Puedes leer más acerca de Catholic Relief Services en crs.org o crsespanol.org.

Distribución de alimentos a cargo de CRS y el Programa Mundial de Alimentos, en Tolkobeye, Níger.

¿Por qué es la obra de CRS un ejemplo de la importancia que la Iglesia Católica le da a la relación entre la Eucaristía y la solidaridad de la Iglesia con los pobres?

Catholic Relief Services has been working in Niger since 1991. Guided by the values expressed in the social teachings of the Catholic Church, Catholic Relief Services' work in Niger includes these and other programs:

❖ **Food for Work:** CRS sponsors Food for Work activities that help over 40,000 households learn sustainable agriculture techniques, improve local infrastructure, and feed their families during times of hunger.
❖ **Food Security:** CRS works with other international organizations and local partners to promote sustainable agriculture, natural resource management, and improved health and nutrition in 120 villages.
❖ **Nomad Education:** CRS, in partnership with the Catholic Church and World Food Program, runs an education project helping nomad children access quality primary education.

Nutrition education at CRS mother/child health clinic, Hangar village, near Bembereke, Benin.

An example of how these programs work is illustrated by CRS's working with the poor of Niger in 2004 to respond to a severe locust outbreak and subsequent drought. The double blow destroyed nearly 80 percent of crops, resulting in some families eating leaves, grasses, and the seeds they would have planted during the growing season. CRS and its partners distributed food rations to over 40,000 families and provided therapeutic feeding to 7,000 malnourished children. CRS and its partners also distributed vouchers that would enable households to access animal feed, seeds, and planting tools in preparation for the planting season. Read more about Catholic Relief Services at crs.org.

CRS/World Food Program distribution of food, Tolkobeye, Niger.

How is the work of CRS an example of the Catholic Church taking seriously the connection between the Eucharist and the solidarity of the Church with the poor?

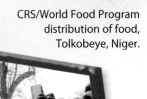

En la Confirmación recibirás el don del Espíritu Santo. La Confirmación imprime una marca espiritual, o carácter indeleble, en tu alma. Por esta razón, la Confirmación puede recibirse solamente una vez. Esto te llevará a una iniciación más profunda en el Cuerpo de Cristo, la Iglesia, y a una participación más plena en la Eucaristía.

Esto te autoriza a tomar parte más estrechamente en la misión de la Iglesia y a dar testimonio de la fe cristiana por la palabra acompañada de las obras (*Catecismo de la Iglesia Católica* 1316).

Juventud y líderes adultos de SOME [So Others Might Eat (Para que el prójimo pueda comer)], comedor de beneficencia para los desamparados en Washington, D.C.

Dar testimonio de la fe cristiana

Nuestra solidaridad con los pobres, que es uno de los frutos de la Sagrada Comunión, es otra manera de decir "dar testimonio de la fe cristiana." El Sermón de la Montaña, en el capítulo 5 del Evangelio según Mateo, presenta una visión y un resumen de cómo los discípulos de Jesús van a dar testimonio de su fe en Él. Estas acciones son clave para lo que significa para ti participar en la Eucaristía a un nivel profundo: no es simplemente concurriendo a Misa, sino participando plena, activa y conscientemente en la celebración de la Eucaristía y viviendo su significado plena, activa y conscientemente en tu vida diaria.

Un Explorador Águila y sus amigos pintan un edificio comunitario, Jacksonville, Florida.

Living the Faith
Makes a Difference

At Confirmation you will be sealed with the gift of the Holy Spirit. Confirmation imprints a spiritual mark, or indelible character, on your soul. For this reason Confirmation may be received only one time. You will be led to a deeper initiation into the Body of Christ, the Church, and a fuller participation in the Eucharist. This empowers you to take part more closely in the mission of the Church and to "bear witness to the Christian faith in words accompanied by deed" (*Catechism of the Catholic Church* 1316).

SOME (So Others Might Eat) youth and adult leaders, Washington, D.C. soup kitchen for homeless people.

Bearing Witness to the Christian Faith

Our solidarity with the poor, which is one of the fruits of Holy Communion, is another name for "bearing witness to the Christian faith." The Sermon on the Mount in chapter 5 of Matthew's Gospel presents a vision and summary of how the disciples of Jesus are to bear witness to their faith in him. These actions are key to what it means for you to participate in the Eucharist at a deep level—not simply by attending Mass, but by fully, actively, and consciously participating in the Eucharistic celebration and by fully, actively, and consciously living out its meaning in your life every day.

Eagle scout and friends painting a community building, Jacksonville, Florida.

DECISIÓN DE FE

Trabaja en un grupo pequeño para completar la tabla.

- *Busca y lee las Bienaventuranzas en Mateo 5:3–11. Comenta el significado de cada una de las Bienaventuranzas.*

- *Elige tres de las Bienaventuranzas. Escribe una de ellas en cada espacio de la columna izquierda.*

- *En los espacios de la columna central, vuelve a expresar cada Bienaventuranza en lenguaje actual, de modo que tus compañeros puedan entender con más claridad el significado de las palabras de Jesús.*

- *En los espacios de la columna derecha, escribe maneras concretas y reales en que puedes vivir cada Bienaventuranza.*

La Bienaventuranza	La Bienaventuranza en lenguaje actual	La Bienaventuranza en acción

Esta semana viviré las Bienaventuranzas más plenamente al

_____

_____

_____ .

Faith Decision

Work in a small group to fill out the chart.

- *Look up and read the Beatitudes in Matthew 5:3–11. Discuss the meaning of each of the Beatitudes.*

- *Choose three of the Beatitudes. Write one of the Beatitudes you have chosen in each of the spaces in the left column.*

- *In the spaces in the center column restate each in contemporary language so that your peers can more clearly understand the meaning of Jesus' words.*

- *In the spaces in the right column write concrete and realistic ways you can live each of the Beatitudes.*

The Beatitude	Beatitude in Contemporary Language	Beatitude in Action

This week I will live the Beatitudes more fully by

_____

_____

_____ .

mis pensamientos

En este capítulo aprendiste por qué es más apropiado celebrar el Rito de la Confirmación dentro de la Misa. Analizaste cómo te autoriza el don del Espíritu Santo a participar en la Eucaristía más plena, más consciente y más activamente. Descubriste las consecuencias que tiene la participación en la Eucaristía para tu solidaridad con los pobres y los débiles de este mundo.

Reflexiona y escribe acerca de cualquier entendimiento nuevo que tengas sobre la Eucaristía y de cómo la participación en la Eucaristía se relaciona con tu Confirmación.

Para preguntarles a tu padrino o madrina y a tus padres:

¿Cuál ha sido su experiencia de la relación entre participar en la Eucaristía y solidarizarse con los pobres y los débiles?

my thoughts

In this chapter you learned why the Rite of Confirmation is most appropriately celebrated within Mass. You explored how the gift of the Holy Spirit empowers you to participate in the Eucharist more fully, consciously, and actively. You discovered the implications that participation in the Eucharist has for your solidarity with the poor and powerless of this world.

Reflect on and write any new understandings you have of the Eucharist and how participation in the Eucharist is connected to your Confirmation.

_____

_____

_____

_____

_____

_____

_____

_____

_____

A question to share with your sponsor and parents:

What has been your experience of the connection between sharing in the Eucharist and standing in solidarity with poor and powerless people?

Despedida
con una misión

Reflexión para el rito inicial

¿Qué experimentaste al escuchar el testimonio público durante el rito inicial?

Los medios de comunicación están repletos de personas que dan testimonio público de diversas experiencias. Celebridades, deportistas, políticos y empresarios abrazan causas y comparten cómo les ha cambiado la vida un nuevo compromiso. Todos los días, actores, médicos y otras personas promocionan algún producto nuevo elogiando sus asombrosos efectos.

De tu experiencia, ¿cuál es la manera más efectiva de que una persona dé testimonio públicamente de su fe en Jesús?

Green World (Mundo verde) #2.
Diana Ong (n. 1940),
artista gráfica de origen chinoamericano.

Sending Forth on Mission

Reflection on the Opening Ritual

What was your experience as you listened to the public witness during the opening ritual?

The media are filled with people who offer public witness to various experiences. Celebrities, athletes, politicians, and business people embrace causes and share how their lives have been changed by their new commitments. Every day actors, doctors, and other people endorse some new product by praising its amazing effects.

From your experience, what is the most effective way that a person can publicly witness to their faith in Jesus?

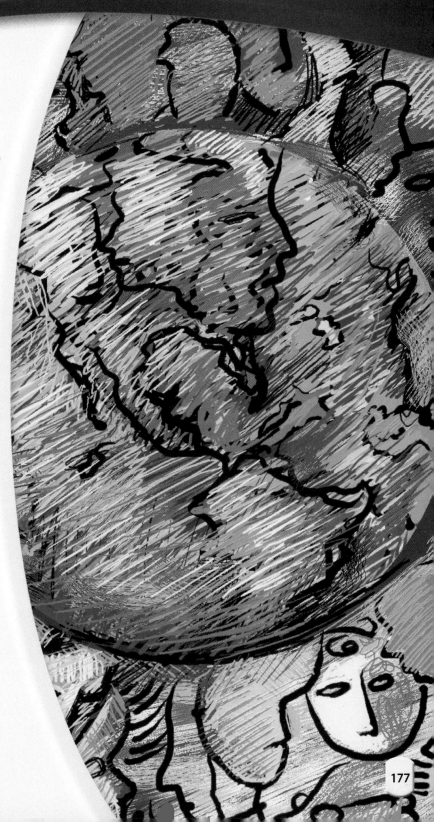

Green World #2.
Diana Ong (b. 1940),
Chinese-American graphic artist.

Transformados por el Espíritu Santo

Tema bíblico

¿Cómo muestran los Hechos de los Apóstoles que el Espíritu Santo transformó a los discípulos de temerosos a audaces y valientes seguidores de Jesús?

Vocabulario de fe

Sanedrín

Consejo supremo gubernamental del pueblo judío en los tiempos de Jesús.

Resurrección

Regreso físico de Jesús de entre los muertos a una nueva y gloriosa vida al tercer día de su Muerte en la Cruz y de ser colocado en un sepulcro; un hecho que históricamente atestiguaron los discípulos que verdaderamente se encontraron con el Resucitado.

La Iglesia es el Templo del Espíritu Santo. San Lucas muestra deliberadamente en los Hechos de los Apóstoles cómo sigue estando presente en la Iglesia el Espíritu Santo, quien animó el ministerio de Jesús. Lucas hace esto mediante una técnica de espejo. Con esta técnica, Lucas describe en los Hechos de los Apóstoles acontecimientos similares a los que ha narrado previamente en su Evangelio. Esta es la manera de Lucas de decirles a sus lectores que el Espíritu Santo sigue viviendo en la Iglesia y continúa el ministerio que Jesús les confió a sus discípulos.

Audaces testigos de Cristo

Jesús está verdaderamente vivo en su Iglesia. San Lucas dio testimonio tanto del hecho de que los discípulos de Jesús se encontraron con el Señor Resucitado como del asombroso efecto que esos encuentros tuvieron en los discípulos después de que recibieran el don del Espíritu Santo en Pentecostés. Los mismos discípulos que habían huido de Jesús atemorizados durante sus horas finales, de repente están llenos de valor. Perdieron el miedo y son testigos audaces de que Jesús ha resucitado de entre los muertos. Los estudiosos señalan que Lucas usa la palabra griega que significa *audaz* como forma abreviada de enfatizar la presencia del Espíritu Santo actuando en los discípulos.

Después de presentar la valiente proclamación de San Pedro a los peregrinos judíos reunidos en Jerusalén para la celebración de Pentecostés, Lucas cuenta en sus Hechos de los Apóstoles las curas milagrosas y las expulsiones de demonios que efectúan los Apóstoles, igual que Jesús que como Dios estaba con él, pasó haciendo el bien y sanando a los oprimidos por el diablo (Hechos de los Apóstoles 10:38). Del mismo modo, los Apóstoles proclaman la llegada del Reino de Dios exhortando al arrepentimiento y la fe en Jesús como el Ungido de Dios.

San Pedro predicando, detalle de vitral.

Transformed by the Holy Spirit

The Church is the Temple of the Holy Spirit. Saint Luke deliberately shows in the Acts of the Apostles how the Holy Spirit who animated Jesus' ministry continues to be present in the Church. Luke does this by using a mirroring technique. By this technique Luke describes in the Acts of the Apostles events that are similar to what he has previously narrated in his Gospel. This is Luke's way of saying to his readers that the Holy Spirit lives on in the Church, continuing the ministry that Jesus entrusted to his disciples.

Bold Witness for Christ

Jesus is truly alive in his Church. Saint Luke attests both to the fact that the disciples of Jesus encountered the Risen Lord and to the amazing effect those encounters had on the disciples after they received the gift of the Holy Spirit on Pentecost. The very disciples who ran away from Jesus in fear during his final hours are suddenly filled with courage. They become fearless and bold witnesses to the fact that Jesus has been raised from the dead. Scholars point out that Luke's use of the Greek word for bold is his shorthand way of emphasizing the presence of the Holy Spirit at work in the disciples.

After presenting Saint Peter's courageous proclamation to the Jewish pilgrims gathered in Jerusalem for the celebration of Pentecost, Luke includes in his Acts of the Apostles accounts of the Apostles performing miraculous cures and casting out demons, just as Jesus "went about doing good and healing all those oppressed by the devil, for God was with him" (Acts of the Apostles 10:38). Likewise, the Apostles proclaim the arrival of God's kingdom, calling for repentance and faith in Jesus as God's Anointed One.

Saint Peter preaching, detail from stained glass.

Scripture Focus

How does the Acts of the Apostles show that the Holy Spirit transformed the disciples from fearful to fearless, courageous followers of Jesus?

Faith Vocabulary

Sanhedrin
The supreme governing council of the Jewish people during Jesus' time.

Resurrection
The bodily raising of Jesus from the dead on the third day of his Death on the Cross and burial in a tomb to a new and glorified life, an event historically attested to by the disciples who really encountered the Risen One.

Llenos del Espíritu Santo

El capítulo 4 de los Hechos de los Apóstoles describe cómo el don del Espíritu Santo transformó a los temerosos Apóstoles en audaces testigos de la Resurrección de Jesús. Después de curar al tullido, San Pedro y San Juan son arrestados y llevados ante los jefes judíos del Sanedrín. El **Sanedrín** era el consejo supremo gubernamental del pueblo judío en los tiempos de Jesús. Luego el relato de San Lucas describe lo que ocurrió:

. . . Pedro, lleno del Espíritu Santo, les dijo: . . . [Los jefes judíos] Quedaron admirados al ver la seguridad con que hablaban Pedro y Juan, que eran hombres sin instrucción ni preparación, pero sabían que habían estado con Jesús.

HECHOS DE LOS APÓSTOLES 4:8, 13

San Juan cura a los enfermos con su sombra, detalle de fresco. Masaccio (1401–1428), pintor italiano, escuela florentina.

Los jefes judíos debatieron entonces entre ellos sobre qué hacer con los Apóstoles y finalmente decidieron liberar a Pedro y a Juan. Los dos Apóstoles regresaron con los suyos y contaron lo que había ocurrido. La gente se alegró y se unió en oración diciendo:

Y ahora, Señor, fíjate en sus amenazas; concede a tus siervos anunciar tu Palabra con toda valentía, mientras tú manifiestas tu poder y das grandes golpes, realizando curaciones, señales y prodigios por el nombre de tu santo siervo Jesús. Terminada la oración, tembló el lugar donde estaban reunidos. Todos quedaron llenos del Espíritu Santo y se pudieron a anunciar con valentía la Palabra de Dios. HECHOS DE LOS APÓSTOLES 4:29–31

ENLACES CON LA VIDA

En un grupo pequeño, lee Hechos de los Apóstoles 4:5–22, el relato completo de San Pedro y San Juan ante el Sanedrín. Luego crea una oración grupal al Espíritu Santo para pedirle la misma valentía para proclamar la Buena Nueva.

_____

_____

_____

¿Qué enfatiza San Lucas al destacar la valentía con la que los Apóstoles hablaban de Jesús?

Filled with the Holy Spirit

Chapter 4 of the Acts of the Apostles describes how the gift of the Holy Spirit transformed the frightened Apostles into bold witnesses to Jesus' Resurrection. After curing a crippled man, Saint Peter and Saint John were arrested and brought before the Jewish leaders in the Sanhedrin. The **Sanhedrin** was the supreme governing council of the Jewish people during Jesus' time. Then Saint Luke's narrative describes what happened:

> . . . Peter, filled with the holy Spirit, answered them, . . . Observing the boldness of Peter and John and perceiving them to be uneducated, ordinary men, [the Jewish leaders] were amazed, and they recognized them as the companions of Jesus.
>
> ACTS OF THE APOSTLES 4:8, 13

Saint Peter Following Saint John as He Heals the Sick with His Shadow, detail from fresco. Masaccio (1401–1428), Italian painter, Florentine School.

The Jewish leaders then discussed among themselves what to do with the Apostles and ultimately decided to release Peter and John. The two Apostles returned to "their own people" and reported what had happened. The people rejoiced and joined in prayer, saying:

> "And now, Lord, take note of their threats, and enable your servants to speak your word with all boldness, as you stretch forth [your] hand to heal, and signs and wonders are done through the name of your holy servant Jesus." As they prayed, the place where they were gathered shook, and they were all filled with the holy Spirit and continued to speak the word of God with boldness.
>
> ACTS OF THE APOSTLES 4:29–31

What does Saint Luke emphasize by making such a point of the boldness with which the Apostles spoke about Jesus?

lifelinks

In a small group read Acts of the Apostles 4:5–22, the entire account of Saint Peter and Saint John before the Sanhedrin. Then create a group prayer to the Holy Spirit, asking for the same boldness to proclaim the Good News.

_____

_____

_____

Nuestra misión como evangelizadores

tema doctrinal

¿Cómo difunde hoy la Iglesia el Evangelio?

vocabulario de fe

evangelización

Obra fundamental de la Iglesia para la cual existe; la obra de la Iglesia de compartir el Evangelio con todas las personas "para que entre en el corazón de todos y renueve la faz de la tierra".

Dar testimonio público de Jesucristo y del Evangelio es la esencia de la obra de todo bautizado. Toda Salvación proviene de Dios y se ha cumplido de una vez y para siempre a través de Jesucristo y del Espíritu Santo, y se hace presente en las acciones sagradas de la liturgia de la Iglesia, especialmente en los Siete Sacramentos. El núcleo de nuestra vocación como cristianos yace en nuestra misión de anunciar el don de la Salvación y de llevar el Evangelio de Jesús al mundo entero. A esta obra de la Iglesia la llamamos **evangelización**. La evangelización es la obra de la Iglesia de compartir el Evangelio con todas las personas para que entre en el corazón de todos y renueve la faz de la tierra.

Papa Pablo VI, Congreso Eucarístico, Mumbai, India, 3 de diciembre de 1964.

Una "Nueva evangelización"

El Papa Pablo VI, quien fue Papa desde 1963 hasta 1978, recordó a la Iglesia la importancia de esta obra. Escribió:

> Evangelizar constituye, en efecto, la dicha y vocación propia de la Iglesia, su identidad más profunda. Ella existe para evangelizar, . . .
> ACERCA DE LA EVANGELIZACIÓN EN EL MUNDO CONTEMPORÁNEO (EVANGELII NUNTIANDI) 14

La evangelización no es una tarea reservada para unos pocos elegidos de la Iglesia, como los misioneros que dejan su patria y viajan a otros países. La evangelización es la tarea que Jesús ha dado a todos y cada uno de los bautizados. La responsabilidad de participar en la obra de evangelización que tenemos todos los cristianos emana de su iniciación en el Cuerpo de Cristo, la Iglesia. Las gracias de la Confirmación y la Eucaristía profundizan esta responsabilidad y fortalecen a los bautizados para que difundan la Buena Nueva.

En su primera visita a Polonia como Papa, el 9 de junio de 1979, el Papa San Juan Pablo II proclamó que ¡... ha comenzado la nueva evangelización!. Sin embargo, fue cinco años después, el 12 de octubre de 1984, en ocasión de su visita a Puerto Príncipe, Haití, que hizo un llamado más formal para esta nueva evangelización.

San Juan Pablo II con Jean-Claude Duvalier, presidente de Haití, y Michelle, su esposa, en el aeropuerto de Puerto Príncipe, Haití, 9 de marzo de 1983.

Our Mission as Evangelizers

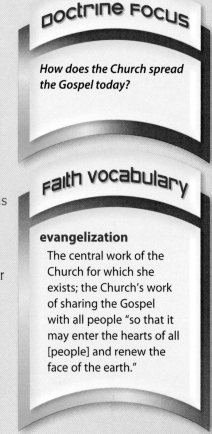

Pope Paul VI, Eucharistic Congress, Bombay, India, December 3, 1964.

Giving public witness to Jesus Christ and the Gospel is the heart of the work of all the baptized. All Salvation comes from God and has been accomplished once and for all through Jesus Christ and the Holy Spirit, and is made present in the sacred actions of the Church's liturgy, especially in the Seven Sacraments. The heart of our vocation as Christians lies in our mission to announce the gift of Salvation and to bring the Gospel of Jesus to the entire world. We call this work of the Church **evangelization.** Evangelization is the Church's work of sharing the Gospel with all people "so that it may enter the hearts of all [people] and renew the face of the earth."

A "New Evangelization"

Pope Paul VI, who was Pope from 1963 to 1978, reminded the Church of the importance of this work. He wrote:

> Evangelizing is in fact the grace and vocation proper to the Church, her deepest identity. She exists in order to evangelize, . . .   ON EVANGELIZATION IN THE MODERN WORLD 14

Evangelization is not a task reserved for a select few within the Church, such as missionaries who leave their homeland and travel to other countries. Evangelization is the task that Jesus has given to each and every one of the baptized. The responsibility of all Christians to participate in the work of evangelization flows from their initiation into the Body of Christ, the Church. The graces of Confirmation and the Eucharist deepen this responsibility and strengthen the baptized to spread the Good News.

On his first visit to Poland as Pope on June 9, 1979, Pope John Paul II first proclaimed that "A new evangelization has begun!" However, it was five years later on October 12, 1984, on the occasion of his visit to Port-au-Prince, Haiti, that he called in a more formal way for this "new evangelization."

Saint John Paul II with Jean-Claude Duvalier, President of Haiti and his wife Michelle, at airport, Port-au-Prince, Haiti, March 9, 1983.

Durante los veinte años siguientes, explicó lo que él quería decir con esta nueva evangelización. La describía como un compromiso de difundir el Evangelio, que sería novedoso por el fervor con el cual se persigue, los métodos que emplea y la manera en que se la expresa en diversas culturas.

Vayan y hagan discípulos

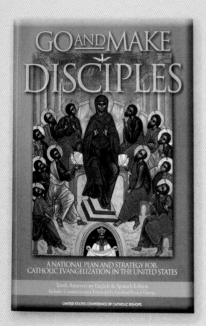

En 1992, los obispos de los Estados Unidos escribieron un importante plan y estrategia nacional para la evangelización. Este plan, *Vayan y Hagan Discípulos*, ayuda a que los católicos tengan un mejor sentido de la evangelización y de cómo hacerla realidad en su vida. Las tres metas de la evangelización mencionadas en *Vayan y Hagan Discípulos* son:

- "Despertar en todos los católicos tal entusiasmo por su fe que, por amor a su fe en Jesús, la compartan libremente con los demás (46).

- "Invitar a todas las personas en Estados Unidos, independientemente de su procedencia social o cultural, a escuchar el mensaje de la salvación en Jesucristo, de modo que puedan unirse a nosotros en la plenitud de la fe (53). Nuestros obispos nos alientan a invitar a los menos predispuestos a que escuchen nuestras ideas, no a imponérselas.

- "Fomentar los valores del Evangelio, promoviendo la dignidad de la persona humana, la importancia de la familia y el bien común, para que nuestra nación pueda continuar transformándose por el poder salvador de Cristo (56). Debemos trabajar para que nuestra sociedad llegue a ser como Jesús la hubiera transformado.

Las tres metas son un resumen claro y desafiante del mensaje del Papa Pablo VI y reflejan lo que San Juan Pablo II llamó la nueva evangelización.

ENLACES CON LA VIDA

Trabaja en un grupo pequeño para investigar el Evangelio y hallar tres pasajes que describan a Jesús o a sus discípulos viviendo cada una de las tres metas de la evangelización. Decide una manera práctica en que tú puedas vivir cada meta.

_____

_____

_____

¿Cómo resumirías con tus propias palabras las tres metas de la evangelización detalladas en Vayan y Hagan Discípulos?

Over the next twenty-one years he explained what he meant by this "new evangelization." He described it as a commitment to spread the Gospel that would be new in the fervor with which it is pursued, the methods it employs, and the way it is expressed in various cultures.

Go and Make Disciples

In 1992 the United States Catholic bishops wrote an important national plan and strategy for evangelization. This plan, *Go and Make Disciples*, helps Catholics get a better sense of the meaning of evangelization and how they can make it real in their own lives. The three goals of Catholic evangelization named and discussed in *Go and Make Disciples* are:

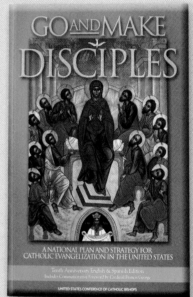

- "To bring about in all Catholics such an enthusiasm for their faith that, in living their faith in Jesus, they freely share it with others" (46).

- "To invite all people in the United States, whatever their social or cultural background, to hear the message of salvation in Jesus Christ so they may come to join us in the fullness of the Catholic faith" (53). Our bishops encourage us to invite, not to force our ideas on, others who are unwilling to hear them.

- "To foster gospel values in our society, promoting the dignity of the human person, the importance of the family, and the common good of our society, so that our nation may continue to be transformed by the saving power of Jesus Christ" (56). We must work to change our society to become more as Jesus would have it be.

All three goals are both a clear and challenging summary of Pope Paul VI's message and reflect what Saint John Paul II called the "new evangelization."

How would you summarize the three goals of evangelization spelled out in Go and Make Disciples *in your own words?*

lifelinks

Work in a small group to search the Gospels to find three passages that describe Jesus or his disciples living each of the three goals of evangelization. Decide on one practical way you can live each of the goals.

_____

_____

_____

En el nombre del Señor, pueden ir en paz

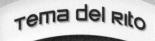
vocabulario de fe

Misa

Palabra que significa "enviado"; la celebración sacramental más importante de la Iglesia en la cual nos reunimos a escuchar la Palabra de Dios y a celebrar la Eucaristía; nombre dado a la celebración de la Eucaristía, que proviene de las palabras en latín de una de las despedidas finales: *"Ite, missa est"*.

En el Imperio romano se hablaba latín y, cuando un encuentro público de cualquier tipo concluía, un funcionario cerraba la reunión. El funcionario despedía a los presentes con una fórmula conocida, que generalmente tenía la palabra *misa*, que significaba conclusión o despedida. Cuando el latín se volvió el idioma predominante usado por la Iglesia en la celebración de su culto, se le dio una fórmula similar de despedida para la conclusión de la liturgia: I*te, missa est*.

Ite, missa est

En los primeros años de la Iglesia, la reunión semanal de los cristianos en domingo se llamaba El Banquete del Señor, o la fracción del pan, o la Eucaristía. El nombre **"Misa"** empezó a usarse solo siglos más adelante, después de que se cambiara el idioma de culto del hebreo y el griego al latín.

El uso litúrgico de I*te, missa est*, "Vayan, ha terminado", en la Iglesia se remonta casi hasta el siglo v. Al principio, la frase no tenía ningún significado religioso especial y era únicamente una manera de decirle a las personas que podían irse. Con el tiempo, sin embargo, la idea de que la asamblea es enviada se transformó en un elemento muy simbólico y significativo de la celebración litúrgica. Se envía a la asamblea a vivir lo que han celebrado. A medida que este entendimiento se desarrolló, la palabra M*isa* pasó gradualmente a aludir a toda la liturgia Eucarística.

Vivir como testigos de Cristo

Cuando te confirmas, las palabras finales de la liturgia serán de despedida, palabras formales con un profundo significado. Como discípulo de Jesucristo, ungido y marcado con el Espíritu Santo, te enviarán a una misión muy particular. Te enviarán a participar en la misión de evangelización de la Iglesia.

Go Forth, the Mass Is Ended

In the Latin speaking Roman Empire, when a public meeting of any sort was concluded, an official closed the gathering. The official dismissed those present with a familiar formula, often using the word *missa*, which meant "conclusion" or "dismissal." Once Latin became the predominant language used by the Church in the celebration of her worship, a similar formula of dismissal was given at the conclusion of the liturgy, I*te, missa est*.

Ite, missa est

In the early centuries of the Church, the weekly gathering of Christians on Sunday was called "the Lord's Supper" or "the breaking of the bread" or the "Eucharist." The name **"Mass"** came to be used only centuries later after the language of worship shifted from Hebrew and Greek to Latin.

The Church's liturgical use of I*te, missa est*, "Go, it is ended" can be traced back almost to the fifth century. At first, the phrase had no special religious significance and was just a way of telling the people they could leave. Over time, however, the notion that the assembly is "sent forth" became a highly symbolic and significant element of the liturgical celebration. The assembly is sent forth to live what they have celebrated. As this understanding developed, the word M*issa* (Mass) gradually came to refer to the entire Eucharistic liturgy.

Living as Witnesses for Christ

When you are confirmed, the final words of the liturgy will be words of dismissal—a formal sending forth that is full of meaning. As a disciple of Jesus Christ, anointed and sealed with the Holy Spirit, you will be sent forth on a very particular mission. You will be sent forth to take part in the Church's mission of evangelization.

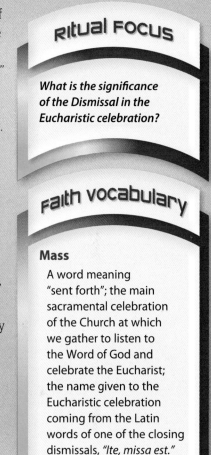

Ritual Focus

What is the significance of the Dismissal in the Eucharistic celebration?

Faith Vocabulary

Mass
A word meaning "sent forth"; the main sacramental celebration of the Church at which we gather to listen to the Word of God and celebrate the Eucharist; the name given to the Eucharistic celebration coming from the Latin words of one of the closing dismissals, *"Ite, missa est."*

En nuestra traducción actual de las oraciones para la Misa, se ofrecen cinco fórmulas de despedida. Ellas son: "En el nombre del Señor, pueden ir en paz"; "Anuncien a todos la alegría del Señor resucitado. Pueden ir en paz"; "Glorifiquen al Señor con su vida. Pueden ir en paz"; "La alegría del Señor sea su fuerza. Pueden ir en paz" y "Pueden ir en paz".

Lleno con el don del Espíritu Santo, estarás más capacitado para realizar la tarea confiada a todos los discípulos de Jesús, la de proclamar la Buena Nueva del amor salvador de Dios.

El *Ritual para la Confirmación* da dos bendiciones que el obispo puede elegir para rezar inmediatamente antes de la Despedida. En la segunda de estas bendiciones, el obispo extiende las manos sobre los recién confirmados y sobre toda la asamblea, y reza:

Confirma, Señor, / lo que has realizado en nosotros / y conserva en el corazón de tus fieles / los dones del Espíritu Santo, / para que nunca se avergüencen / de dar testimonio de Jesucristo / y cumplan siempre con amor tu voluntad.

RITUAL PARA LA CONFIRMACIÓN 41.

La misión de profesar y proclamar tu fe tanto en palabras como en acciones es la razón de que hayas sido fortalecido con el don del Espíritu Santo. La despedida clásica de todas las Eucaristías, "*Ite missa est*", adquirirá un nuevo significado para ti a medida que crezcas en los Dones del Espíritu Santo. Te están confirmando para esto: para la capacidad de proclamar el Evangelio y de vivir como testigo de Cristo.

¿Para qué misión te enviarán como discípulo confirmado de Jesucristo?

Enlaces con la vida

En un grupo pequeño, comenta qué significaban para ti, antes de leer este capítulo, las palabras de despedida usadas al finalizar la celebración Eucarística. Luego comenta cómo ha cambiado este significado para ti. Escribe tus pensamientos a continuación.

_____

_____

_____

Filled with the gift of the Holy Spirit you will be better able to carry out the task entrusted to every one of Jesus' disciples, the proclamation of the Good News of God's saving love.

The Rite of Confirmation gives two blessings that the bishop may choose from and which he prays just before the Dismissal. In the second of these blessings the bishop extends his hands over the newly confirmed and the entire assembly and prays:

God our Father, / complete the work you have begun / and keep the gifts of your Holy Spirit / active in the hearts of your people. / Make them ready to live [the] Gospel / and eager to do his will. / May they never be ashamed / to proclaim to all the world Christ crucified / living and reigning for ever and ever

RITE OF CONFIRMATION 33

LITURGY LINK

In our current English language translation of the prayers for the Mass, four forms of dismissal are provided. They are, "Go forth, the Mass is ended"; "Go and announce the Gospel of the Lord"; "Go in peace, glorifying the Lord by your life"; and "Go in peace".

The mission of professing and proclaiming your faith in both words and actions is the reason you have been strengthened with the gift of the Holy Spirit. The classic dismissal at every Eucharist, "Ite missa est," will take on new meaning for you as you grow in the Gifts of the Holy Spirit. It is for this—the ability to proclaim the Gospel and live as witnesses for Christ—that you are being confirmed.

What is the mission you will be sent forth to do as a confirmed disciple of Jesus Christ?

lifelinks

In a small group discuss what the words of sending forth used at the end of the Eucharistic celebration meant to you before reading this chapter. Then discuss how this meaning has changed for you. Write your thoughts below.

_____

_____

_____

La Iglesia
Vive la fe

Los católicos trabajan juntos para responder a la invitación y la gracia del Espíritu Santo para cumplir las tareas de evangelización establecidas en *Vayan y Hagan Discípulos*. Los Ministerios Paulistas de Evangelización se establecieron en 1977 como un apostolado de los Padres Paulistas, la primera orden de sacerdotes católicos fundada en los Estados Unidos.

Ministerios Paulistas de Evangelización

Los Ministerios Paulistas de Evangelización ayudan e inspiran a los católicos para que lleven la luz de Cristo a su familia, su lugar de trabajo y su vecindario. Sus miembros proveen recursos de fácil comprensión para diócesis, parroquias y feligreses católicos, que los ayudan a llevar la Buena Nueva de Jesucristo a personas de diversos entornos. El amplio abanico de programas y servicios provistos ofrecen una idea de las numerosas maneras diferentes en que podemos cumplir el mandato de Jesús de compartir la Buena Nueva del amor de Dios.

Estos son algunos de los recursos que los Ministerios Paulistas de Evangelización ofrecen, según se los describe en su sitio web, pemdc.org:

▶ **Vive la Eucaristía.** Vive la Eucaristía es un programa que se desarrolla en las parroquias, diseñado para ayudar a revitalizar su vida y espiritualidad mediante una experiencia más profunda de la Misa.

The Church
Lives the Faith

Catholics work together to respond to the invitation and grace of the Holy Spirit to fulfill the tasks of evangelization set forth in *Go and Make Disciples*. The Paulist Evangelization Ministries was established in 1977 as an apostolate of the Paulist Fathers, the first order of Catholic priests established in the United States.

Paulist Evangelization Ministries

Paulist Evangelization Ministries inspires and helps Catholics to bring the light of Christ to their families, workplaces, and neighborhoods. Its members provide user-friendly resources to Catholic dioceses, parishes, and individuals, helping them bring the Good News of Jesus Christ to a variety of people in different settings. The broad range of programs and services provided offers some idea of how many different ways we can fulfill the command of Jesus to share the Good News of God's love.

These are some of the resources Paulist Evangelization Ministries offers as described on their Web site, pemdc.org:

▶ **Living the Eucharist.** Living the Eucharist is a parish-based program designed to help revitalize parish life and spirituality through a deeper experience of the Mass.

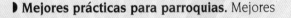

▶ **Mejores prácticas para parroquias.** Mejores prácticas para parroquias es una herramienta de estudio por cuenta propia que permite a las parroquias evaluar siete dimensiones de la vida parroquial como ayuda para que los ministros lleven a cabo la misión de la Iglesia.

▶ **Invita.** "Invita" es un recurso que prepara a los miembros de las parroquias católicas a acercarse e invitar a quienes no tienen tradición religiosa a unirse a la fe católica.

▶ **Católicos tendiendo la mano.** "Católicos tendiendo la mano" es un recurso que prepara a los miembros de las parroquias católicas a acercarse e invitar a los católicos inactivos a que regresen a la práctica activa de la fe.

▶ **Reanima tu fe.** Reanima tu fe es un proceso para grupos pequeños que ayuda a los católicos inactivos a pensar en regresar a la Iglesia.

▶ **Misiones parroquiales.** Las Misiones parroquiales están diseñadas y se ofrecen para proveer a las parroquias una experiencia de un fin de semana o de una semana de espiritualidad evangelizadora.

▶ **Ministros carcelarios.** Los "Ministros carcelarios" colaboran con los capellanes y voluntarios a proveer a los internos una enseñanza católica sólida a través de boletines informativos, Biblias, libros educativos para adultos sobre la fe y tarjetas de oración.

Si deseas hallar más información acerca de algunas de las formas prácticas en que puedes vivir de acuerdo con tu misión como evangelizador, tienes a tu disposición otros recursos en el sitio web de Ministerios Paulistas de Evangelización: pemdc.org.

¿De qué maneras los Ministerios Paulistas de Evangelización ofrecen a los católicos la oportunidad de formar parte de la misión evangelizadora de la Iglesia?

▶ **Best Practice for Parishes.**
Best Practices for Parishes is a self-study tool
that enables parishes to assess seven
dimensions of parish life, helping
parish ministries carry out the
mission of the Church.

▶ **Invite.** "Invite" is a resource
that equips members of
Catholic parishes to reach
out and invite people who
have no Church family to
consider joining the Catholic
faith.

▶ **Catholics Reaching Out.**
"Catholics Reaching Out" is a
resource that equips members of
Catholic parishes to reach out and invite inactive
Catholics to return to the active practice of the faith.

▶ **Awakening Faith.** Awakening Faith is a small group
process that helps inactive Catholics to consider
returning to the Church.

▶ **Parish Missions.** Parish Missions are designed and
offered in order to provide for parishes a weekend or a
weeklong experience in evangelizing spirituality.

▶ **Prison Ministries.** "Prison Ministries" helps prison
chaplains and volunteers provide inmates with solid
Catholic teaching through the use of newsletters,
Bibles, adult faith education books, and prayer cards.

If you would like to find out more about some of the
practical ways that you can live out your mission as an
evangelizer, there are other resources available on the
Paulist Evangelization Ministries Web site at pemdc.org.

*What are some of the ways that Paulist Evangelization
Ministries offers Catholics the opportunity to be part of the
Church's mission of evangelization?*

De maneras muy sencillas y efectivas, cada uno de nosotros que sea un seguidor de Jesús bautizado y lleno de fe puede desarrollar sus destrezas al ser evangelizadores a diario. *Vayan y Hagan Discípulos* nos proporciona una visión emocionante de cómo pueden todos los miembros de la Iglesia Católica proclamar el Evangelio, invitar a los demás a hacerse discípulos de Cristo e invitar también a los miembros de la Iglesia a profundizar su fe en Cristo. En el marco de las tres metas de *Vayan y Hagan Discípulos*, piensa cómo puedes responder al llamado de Jesús a difundir el Evangelio como Él nos encomendó: Vayan, pues, y hagan que todos los pueblos sean mis discípulos (Mateo 28:19).

Deja que tu luz brille

Meta 1: Con entusiasmo, vivir nuestra fe y compartirla con los demás por la palabra y el testimonio. Todos hemos conocido personas cuyo entusiasmo es contagioso. Dado que son tan positivas y felices, no podemos evitar sentirnos energizados e interesados en lo que hacen. Esta es la clase de testimonio que los discípulos de Jesús deben dar a aquellos a quienes conozcan en el viaje de la vida.

Reflexiona sobre el Espíritu Santo, que habita dentro de ti. Pídele al Espíritu Santo que encienda tu corazón y tu mente con el don y el poder del entusiasmo. Menciona una cualidad de una persona entusiasmada. Luego decide cómo puedes desarrollar esa cualidad para hacerla parte de quien eres.

Cualidad: _____

Lo que puedo hacer: _____

Living the Faith
Makes a Difference

In very simple and effective ways, each of us who is a baptized and Spirit-filled follower of Jesus can develop our skills at being everyday evangelizers. *Go and Make Disciples* provides us with an exciting vision of how every member of the Catholic Church can proclaim the Gospel, invite others to become disciples of Christ, and also invite members of the Church to deepen their faith in Christ. Using the framework of the three goals set forth in *Go and Make Disciples*, think about how you can answer the call of Jesus to help spread the Gospel as he commanded, "Go, therefore, and make disciples of all nations" (Matthew 28:19).

Let Your Light Shine

Goal 1: To live and share our faith enthusiastically with others by word and witness. We have all known people whose enthusiasm is infectious. We cannot help but feel energized and interested in what they are about since they are so positive and happy. That is the kind of witness that the disciples of Jesus are meant to give to those they meet along life's journey.

Reflect on the Holy Spirit who dwells within you. Ask the Holy Spirit to fire your heart and mind with the gift and power of enthusiasm. Name a quality of a person of enthusiasm. Then decide on how you can grow in making that quality part of who you are.

Quality: _____

What I can do: _____

Meta 2: Invitar a los demás a conocer a Jesucristo. Muchos necesitan simplemente una invitación personal y quizás hasta estén deseando silenciosamente aprender más acerca de Jesús y de la Iglesia Católica. Invitar a los demás a que conozcan más profundamente a Jesucristo es vincularlos con la Iglesia, el Cuerpo de Cristo, en el cual Jesús continúa estando presente en la Palabra, en los Sacramentos y en un pueblo que lleva su nombre.

Reflexiona sobre la presencia de Jesús contigo. Pídele al Señor Jesús que te ayude a crecer como una persona de hospitalidad cristiana, como alguien que extiende a los demás una invitación para conocer mejor a Cristo. Menciona una cualidad de una persona de hospitalidad cristiana. Luego decide cómo puedes desarrollar esa cualidad para hacerla parte de quien eres.

Cualidad: _____

Lo que puedo hacer: _____

DECISIÓN DE FE

- Trabaja en un grupo pequeño para identificar varias maneras concretas de que alguien de tu edad pueda trabajar con los demás para transformar el mundo en Cristo.

- Elige una de esas maneras y trabaja con los demás para implementarla.

Mi manera de participar esta semana en la obra evangelizadora de la Iglesia será

_____

_____

_____

_____

Meta 3: Ayudar a transformar el mundo en Cristo. Las enseñanzas sociales de la Iglesia Católica nos guían en la obra de transformación del mundo en Cristo. Repasa los Principios básicos de la Enseñanza Social Católica, en la página 116. Reflexiona sobre cómo estás viviendo uno de estos principios. Luego decide cómo hacer que los principios de la Enseñanza Social Católica formen parte de tu vida diaria para transformar el mundo en Cristo.

Principio: _____

_____

Lo que puedo hacer: _____

_____

Goal 2: To invite others to know Jesus Christ. Many people simply need a personal invitation and may even have been silently wishing to learn more about Jesus and the Catholic Church. Inviting others to come to know Jesus Christ more deeply is about connecting them to the Church, the Body of Christ, in which Jesus continues to be present in Word, in Sacrament, and in a people who bear his name.

Reflect on the presence of Jesus with you. Ask the Lord Jesus to help you grow as a person of Christian hospitality, a person who extends an invitation to others to come to know Christ better. Name a quality of a person of Christian hospitality. Then decide on how you can grow in making that quality part of who you are.

Quality: _____

What I can do: _____

Goal 3: To help transform the world in Christ. The social teachings of the Catholic Church guide us in the work of the transformation of the world in Christ. Review the "Basic Principles of Catholic Social Teaching" on page 116. Reflect on how you are living one of these principles. Then decide on how you make the principles of Catholic Social Teaching part of your everyday life to help transform the world in Christ.

Principle: _____

_____

What I can do: _____

_____

FAITH DECISION

- Work in a small group to identify several concrete ways a person your age can work with others to transform the world in Christ.

- Choose one of those ways and work with others to implement it.

This week I will take part in the Church's work of evangelization by

_____

_____

_____

_____

mis pensamientos

En este capítulo, aprendiste acerca de la última parte de la celebración de la Confirmación, la despedida en la conclusión de la liturgia Eucarística. Has analizado el rico simbolismo y el significado del mandato de despedida, *Ite missa est*, por el cual se envía a la asamblea a compartir la Buena Nueva del amor de Dios. En el Rito de la Confirmación te marcarán con el don del Espíritu Santo a fin de que formes parte en la misión de evangelización de la Iglesia. Estas palabras de despedida, por lo tanto, están dirigidas a ti de manera muy precisa.

> *Reflexiona sobre las palabras del mandato de despedida y escribe tus pensamientos acerca de la manera en que cada semana en la Misa te envían a evangelizar.*

_____

_____

_____

_____

_____

_____

_____

_____

_____

_____

_____

Para preguntarles a tu padrino o madrina y a tus padres:

¿Cuál ha sido su experiencia de compartir la Buena Nueva de Dios con los demás?

my thoughts

In this chapter you learned about the last part of the celebration of Confirmation, the sending forth at the conclusion of the Eucharistic liturgy. You have explored the rich symbolism and meaning of the dismissal command, *Ite missa est*, by which the assembly is sent forth to share the Good News of God's love. In the Rite of Confirmation you will be sealed with the gift of the Holy Spirit in order to take part in the Church's mission of evangelization. Those words of dismissal, therefore, are meant for you in a very direct way.

> *Reflect on the words of the dismissal command and write your thoughts about the ways that you are sent forth from Mass each week to evangelize.*

_____

_____

_____

_____

_____

_____

_____

_____

_____

_____

_____

A question to share with your sponsor and parents:

What has been your experience of sharing God's Good News with others?

Capítulo 1

Nos reunimos en el nombre de Jesús

Acción ritual: Reunirse en procesión

Todos: *Caminar en procesión y reunirse en círculo alrededor del centro de oración.*

Líder: Jesús prometió que cada vez que nos reuniéramos en su nombre, Él estaría entre nosotros. Con esto en mente, comenzamos haciendo la Señal de la Cruz.

Todos: *Hacer la Señal de la Cruz.*

Líder: Inclinemos la cabeza mientras recordamos que el Señor está con nosotros en este momento de oración. *(Pausa).*
Señor Jesús, nos has hecho tuyos en el Bautismo, y nos has reunido aquí este día para comprender más profundamente el misterio de tu amor por nosotros. Muéstranos cómo reunirnos en tu nombre, para que podamos adorarte en espíritu y en verdad. Tú que vives y reinas por los siglos de los siglos.

Todos: **Amén.**

Lectura de la Escritura

Lector: Lectura del santo Evangelio según San Lucas.

Todos: **Gloria a ti, Señor.**

Lector: *Proclamar Lucas 4:16–22ª.*
Concluir diciendo:
Palabra del Señor.

Todos: **Gloria a ti, Señor Jesús.**

Oración de intercesión

Líder: Ofrezcamos ahora nuestras oraciones, llenas de fe en la bondad de Dios.

Lector: Por todos los que no tendrán ni alimento ni refugio esta noche, roguemos al Señor:

Todos: **Te rogamos, Señor.**

Lector: Por todos aquellos que están en prisión y sin esperanza para el futuro, roguemos al Señor:

Todos: **Te rogamos, Señor.**

Lector: Por todos los moribundos, y por aquellos que se reúnen en oración junto a su lecho, roguemos al Señor:

Todos: **Te rogamos, Señor.**

Lector: Por los candidatos de todo el mundo que están preparándose para el Sacramento de la Confirmación, por sus padrinos y sus familiares, roguemos al Señor:

Todos: **Te rogamos, Señor.**

Lector: Oremos ahora en silencio por nuestras intenciones personales. *(Pausa.)*
Roguemos al Señor:

Todos: **Te rogamos, Señor.**

Despedida

Líder: Recemos juntos la oración que Jesús nos enseñó.

Todos: **Padre nuestro...**

Chapter 1

We Gather in Jesus' Name

Ritual Action: Gathering in Procession

All: ***Walk in procession and gather in a circle around the prayer center.***

Leader: Jesus promised that whenever we gather in his name, he is in our midst. With this in mind, we begin with the Sign of the Cross.

All: ***All sign themselves.***

Leader: Let us bow our heads as we remember that the Lord is with us in this moment of prayer. *(Pause.)*

Lord Jesus, you have called us as your own in Baptism, and you have gathered us here this day to understand more deeply the mystery of your love for us. Show us how to gather in your name, so that we might worship you in spirit and in truth. You who live and reign, for ever and ever.

All: **Amen.**

Scripture Reading

Reader: A reading from the holy Gospel according to Luke.

All: **Glory to you, O Lord.**

Reader: *Proclaim Luke 4:16–22a. Conclude by saying,* The Gospel of the Lord.

All: **Praise to you, Lord Jesus Christ.**

Prayer of Intercession

Leader: Let us offer our prayers now, filled with faith in God's goodness.

Reader: For all who will have no food or shelter this night, let us pray to the Lord:

All: **Lord, hear our prayer.**

Reader: For those who are in prison and without hope for the future, let us pray to the Lord:

All: **Lord, hear our prayer.**

Reader: For those who are dying, and for those who gather in prayer at their bedsides, let us pray to the Lord:

All: **Lord, hear our prayer.**

Reader: For candidates throughout the world who are preparing for the Sacrament of Confirmation, and for their sponsors and their families, let us pray to the Lord:

All: **Lord, hear our prayer.**

Reader: Let us now pray in silence for our personal intentions. *(Pause.)* Let us pray to the Lord:

All: **Lord, hear our prayer.**

Closing

Leader: Let us pray together the prayer that Jesus taught.

All: **Our Father . . .**

Capítulo 2

Escuchar la Palabra de Dios

Reunión

Todos: *Reunirse en el área de oración.*

Líder: Jesús prometió que cada vez que nos reuniéramos en su nombre, Él estaría entre nosotros. Con esto en mente, comenzamos haciendo la Señal de la Cruz.

Todos: *Hacer la Señal de la Cruz.*

Líder: Inclinemos la cabeza mientras recordamos que el Señor está con nosotros en este momento de oración. *(Pausa.)*
Dios Todopoderoso, en la plenitud del tiempo, hablaste y tu Palabra se hizo carne humana, que nos salvó de nuestros pecados. Háblanos ahora con una palabra viva, con una palabra que toque nuestro corazón y nos llene de amor. Te lo pedimos en el nombre de Jesús, tu Hijo, la Palabra viva que bajó del Cielo, que vive y reina por los siglos de los siglos.

Todos: **Amén.**

Lectura de la Escritura

Líder: Escuchemos ahora las palabras inspiradas de la Sagrada Escritura con el corazón lleno de fe, recordando que, a través de estas palabras, es Dios mismo quien nos habla. Dejemos que nuestro corazón sea tierra fértil, receptivo a las semillas que se plantan hoy a través de estas palabras de Salvación. *Breve pausa antes de entregar la Biblia al primer lector.*

Lector 1: Lectura del Libro del Deuteronomio. *Proclamar Deuteronomio 28:1, 2. Breve pausa antes de entregar la Biblia al siguiente lector.*

Lector 2: Lectura del Libro de Isaías. *Proclamar Isaías 55:10, 11. Breve pausa antes de entregar la Biblia al siguiente lector.*

Lector 3: Lectura del santo Evangelio según San Mateo. *Proclamar Mateo 13:3–9. Breve pausa antes de entregar la Biblia al siguiente lector.*

Lector 4: Lectura del santo Evangelio según San Juan. *Proclamar Juan 6:63, 68.*

Respuesta comunitaria

Líder: Respondamos a la Palabra de Dios diciendo juntos: Tus palabras, oh Dios, son Espíritu y luz.

Todos: **Tus palabras, oh Dios, son Espíritu y luz.**

Líder: Tu palabra, Señor, es para siempre; / inmutable en los cielos. / De generación en generación tu verdad. Salmo 119:89, 90

Todos: **Tus palabras, oh Dios, son Espíritu y luz.**

Líder: Para mis pasos tu palabra es una lámpara, / una luz en mi sendero. / He hecho un juramento y lo mantendré, / de guardar tus justos juicios. Salmo 119:105–106

Todos: **Tus palabras, oh Dios, son Espíritu y luz.**

Líder: Yo a ti clamo, sálvame, / pues quiero guardar tus testimonios. / Me adelanto a la aurora para clamarte, / espero en tus palabras. Salmo 119:146, 147

Todos: **Tus palabras, oh Dios, son Espíritu y luz.**

Acción ritual: Reverenciar la Palabra de Dios

Líder: Expresemos ahora con algún signo visible cuánto significa para nosotros la Palabra de Dios. Por favor, acérquense a la Biblia entronizada y, con una conciencia y una devoción especiales, reveréncienla besándola, haciendo una cruz sobre ella u ofreciendo alguna otra expresión de su reverencia por la Palabra de Dios.

Todos: *Pasar al frente y reverenciar la Palabra de Dios.*

Despedida

Líder: Recemos juntos la oración que Jesús nos enseñó.

Todos: **Padre nuestro...**

Chapter 2

Listening to the Word of God

Gathering

All: *Gather in the prayer area.*

Leader: Jesus promised that whenever we gather in his name he is in our midst. With this in mind, we begin with the Sign of the Cross.

All: *All sign themselves.*

Leader: Let us bow our heads as we remember that the Lord is with us in this moment of prayer. *(Pause.)*

All-powerful God, in the fullness of time, you spoke your Word who took on human flesh and saved us from our sins. Speak to us now in a living word, a word that touches our hearts and fills us with love. We ask this in the name of Jesus your Son, the living Word come down from Heaven, who lives and reigns for ever and ever.

All: **Amen.**

Scripture Reading

Leader: Let us listen now to the inspired words of Scripture with faith-filled hearts, remembering that through these words it is God himself who speaks to us. Let our hearts be fertile soil, receptive to the seeds that are planted today by these words of Salvation.
Pause briefly before handing the Bible to the first reader.

Reader 1: A reading from the Book of Deuteronomy.
Proclaim Deuteronomy 28:1, 2.
Pause briefly before handing the Bible to the next reader.

Reader 2: A reading from the Book of Isaiah.
Proclaim Isaiah 55:10, 11.
Pause briefly before handing the Bible to the next reader.

Reader 3: A reading from the Gospel of Matthew.
Proclaim Matthew 13:3–9.
Pause briefly before handing the Bible to the next reader.

Reader 4: A reading from the Gospel of John.
Proclaim John 6:63, 68.

Communal Response

Leader: Let us respond to God's Word by saying together: Your words, O God, are Spirit and light.

All: **Your words, O God, are Spirit and light.**

Leader: Your word, LORD, stands forever; / it is firm as the heavens. / Through all generations your truth endures.
PSALM 119:89, 90

All: **Your words, O God, are Spirit and light.**

Leader: Your word is a lamp for my feet, / a light for my path. / I make a solemn vow / to keep your just edicts.   PSALM 119:105–106

All: **Your words, O God, are Spirit and light.**

Leader: I call to you to save me / that I may keep your decrees. / I rise before dawn and cry out; / I put my hope in your words.
PSALM 119:146, 147

All: **Your words, O God, are Spirit and light.**

Ritual Action: Reverencing God's Word

Leader: Let us now express by some visible sign how much the Word of God means to us. Please approach the enthroned Bible and with a special awareness and prayerfulness, reverence it by kissing it, tracing a cross on it, or offering some other expression of your reverence for God's Word.

All: *Come forward and reverence the Word of God.*

Closing

Leader: Let us pray together the prayer that Jesus taught.

All: **Our Father . . .**

Capítulo 3

Recordar nuestro Bautismo

Reunión

Todos: *Reunirse en el área de oración.*

Líder: Jesús prometió que cada vez que nos reuniéramos en su nombre, Él estaría entre nosotros. Con esto en mente, comenzamos haciendo la Señal de la Cruz, invocando a la Santísima Trinidad, en cuyo nombre fuimos bautizados.

Todos: *Hacer la Señal de la Cruz.*

Líder: Inclinemos la cabeza mientras recordamos que el Señor está con nosotros en este momento de oración. *(Pausa.)*

Señor Jesús, en tu bautismo en el río Jordán, el Padre envió al Espíritu Santo sobre ti en forma de paloma, como un signo de que Tú eres su Hijo amado. Ayúdanos hoy a ser conscientes de nuestro Bautismo, cuando fuimos elegidos como hijos amados del Padre, ungidos con el Espíritu Santo y se nos dio una parte de tu vida de resurrección. Te lo pedimos a Ti, que vives y reinas por los siglos de los siglos.

Todos: **Amén.**

Lectura de la Escritura

Líder: Jesús nos ha dicho que vino para darnos el don de la vida eterna. Esa vida se nos ofrece por primera vez en el Sacramento del Bautismo. Escuchen ahora las palabras finales de Jesús a sus discípulos antes de subir al Cielo.

Lector: Lectura del santo Evangelio según San Mateo.

Todos: **Gloria a ti, Señor.**

Lector: *Proclamar Mateo 28:18–20.* Concluir diciendo: Palabra del Señor.

Todos: **Gloria a ti, Señor Jesús.**

Oración de intercesión

Líder: Rezamos por aquellos a los que no se les permite practicar su fe abiertamente, así como por todas las personas que luchan por ser fieles a sus votos bautismales.

Lector: Por todos los miembros de la Iglesia que corren riesgo de persecución o de muerte por practicar su fe, roguemos al Señor:

Todos: **Te rogamos, Señor.**

Lector: Por todos los miembros de la Iglesia que están en prisión por profesar públicamente su fe, roguemos al Señor:

Todos: **Te rogamos, Señor.**

Lector: Por los catecúmenos que preparan su Bautismo, especialmente aquí en nuestra propia parroquia, roguemos al Señor:

Todos: **Te rogamos, Señor.**

Lector: Por los candidatos de todo el mundo que están preparándose para el Sacramento de la Confirmación, y por sus padrinos y sus familiares, roguemos al Señor:

Todos: **Te rogamos, Señor.**

Lector: Por los padres que traen a sus niños para bautizarlos, mientras se preparan para renovar sus propias promesas bautismales, roguemos al Señor:

Todos: **Te rogamos, Señor.**

Lector: Oremos ahora en silencio por nuestras intenciones personales. *(Pausa.)* Roguemos al Señor:

Todos: **Te rogamos, Señor.**

Acción ritual: Bendición con agua bendita

Líder: Expresemos nuestro deseo de renovar la gracia de nuestro Bautismo haciéndonos la Señal de la Cruz con agua bendita. Por favor, acérquense al agua bendita y, con una conciencia y una devoción especiales, bendíganse.

Todos: *Pasar al frente y bendecirse usando el agua bendita.*

Despedida

Líder: Recemos juntos la oración que Jesús nos enseñó.

Todos: **Padre nuestro...**

Chapter 3

Recalling Our Baptism

Gathering

All: *Gather in the prayer area.*

Leader: Jesus promised that whenever we gather in his name, he is in our midst. With this in mind, we begin with the Sign of the Cross, invoking the Holy Trinity, in whose name we were baptized.

All: *All sign themselves.*

Leader: Let us bow our heads as we remember that the Lord is with us in this moment of prayer. *(Pause.)*

Lord Jesus, at your baptism in the Jordan River, the Father sent the Holy Spirit upon you in the form of a dove, as a sign that you are his beloved Son. Help us today to be mindful of our Baptism, when we were chosen as beloved children of the Father, anointed with the Holy Spirit, and given a share in your risen life. We ask you this, Lord Jesus, who lives and reigns for ever and ever.

All: **Amen.**

Scripture Reading

Leader: Jesus has told us that he came to give us the gift of eternal life. That life is first offered to us in the Sacrament of Baptism. Listen now to the final words of Jesus to his disciples before he ascended into Heaven.

Reader: A reading from the holy Gospel according to Matthew.

All: **Glory to you, O Lord.**

Reader: *Proclaim Matthew 28:18–20. Conclude by saying,* The Gospel of the Lord.

All: **Praise to you, Lord Jesus Christ.**

Prayer of Intercession

Leader: We pray for those who are not allowed to practice their faith openly, as well as all people who struggle to be faithful to their baptismal vows.

Reader: For all members of the Church who risk persecution or death by practicing their faith, let us pray to the Lord:

All: **Lord, hear our prayer.**

Reader: For all members of the Church who are in prison for publicly professing their faith, let us pray to the Lord:

All: **Lord, hear our prayer.**

Reader: For catechumens preparing for Baptism, especially here in our own parish, let us pray to the Lord:

All: **Lord, hear our prayer.**

Reader: For candidates throughout the world who are preparing for the Sacrament of Confirmation, and for their sponsors and their families, let us pray to the Lord:

All: **Lord, hear our prayer.**

Reader: For parents bringing their infants to be baptized, as they prepare to renew their own baptismal promises, let us pray to the Lord:

All: **Lord, hear our prayer.**

Reader: Let us now pray in silence for our personal intentions. *(Pause.)* Let us pray to the Lord:

All: **Lord, hear our prayer.**

Ritual Action: Blessing with Holy Water

Leader: Let us express our desire to renew the grace of our Baptism by signing ourselves with holy water. Please approach the holy water and with a special awareness and prayerfulness bless yourself.

All: *Come forward and bless yourself using the holy water.*

Closing

Leader: Let us pray together the prayer that Jesus taught.

All: **Our Father . . .**

Capítulo 4

Recibir una bendición

Reunión

Todos: *Reunirse en el área de oración.*

Líder: Jesús prometió que cada vez que nos reuniéramos en su nombre, Él estaría entre nosotros. Con esto en mente, comenzamos haciendo la Señal de la Cruz.

Todos: *Hacer la Señal de la Cruz.*

Líder: Inclinemos la cabeza y recordemos que el Señor está con nosotros en este momento de oración. *(Pausa).* Bondadoso Jesús, los Evangelios nos dicen cómo reuniste a los niños contigo, imponiéndoles las manos y bendiciéndolos. También impusiste las manos en los enfermos y en otros poseídos por demonios, y disipaste todos los males del cuerpo y del espíritu. Apoya tus manos en nosotros hoy, amoroso Señor, y renueva en nosotros el don de tu Espíritu Santo, derramado en nuestro corazón el día de nuestro Bautismo. Te lo pedimos a Ti, que vives y reinas por los siglos de los siglos.

Todos: **Amén.**

Lectura de la Escritura

Líder: El Libro del Génesis describe cómo Jacob, en su lecho de muerte, concedió una bendición especial a Efraím y a Manasés apoyándoles la mano sobre la cabeza. Escuchemos ahora estas palabras inspiradas de la Sagrada Escritura con el corazón lleno de fe, recordando que a través de estas palabras es Dios mismo quien nos habla hoy.

Lector: Lectura del Libro del Génesis.
Proclamar Génesis 48:13–16.
Concluir diciendo:
Palabra de Dios.

Todos: **Te alabamos, Señor.**

Acción ritual: Imposición de las manos

Líder: Una antigua tradición de nuestros antepasados en la fe era conceder una bendición a una persona mientras le apoyaban las manos sobre la cabeza. Invito a cada uno de ustedes a pasar al frente para recibir una bendición. Pondré las manos sobre su cabeza como señal de bendición y de que los tenemos presentes en la oración de una manera especial mientras se preparan para recibir el don del Espíritu Santo en el Sacramento de la Confirmación. Rezaremos juntos en silencio pidiendo la bendición de Dios y concluiremos diciendo "Amén".
Colocar la mano en la cabeza de cada candidato.

Todos: *Pasar al frente para recibir una bendición.* **Amén.**

Despedida

Líder: Recemos juntos la oración que Jesús nos enseñó.

Todos: **Padre nuestro...**

Chapter 4

Receiving a Blessing

Gathering

All: *Gather in the prayer area.*

Leader: Jesus promised that whenever we gather in his name, he is in our midst. With this in mind, we begin with the Sign of the Cross.

All: *All sign themselves.*

Leader: Let us bow our heads and remember that the Lord is with us in this moment of prayer. *(Pause.)*

Gentle Jesus, the Gospels tell us how you gathered the children to yourself, laying your hands on them and blessing them. You also laid hands on the sick and others possessed by demons, dispelling all evils of body and spirit. Lay your hands on us this day, loving Lord, and renew within us the gift of your Holy Spirit, poured out in our hearts on the day of our Baptism. We ask you this, who lives and reigns for ever and ever.

All: **Amen.**

Scripture Reading

Leader: The Book of Genesis describes how Jacob on his deathbed confers a special blessing on Ephraim and Manasseh by laying his hands on their heads. Let us now listen to these inspired words of Scripture with faith-filled hearts, remembering that through these words God himself speaks to us today.

Reader: A reading from the Book of Genesis. *Proclaim Genesis 48:13–16. Conclude by saying,* The word of the Lord.

All: **Thanks be to God.**

Ritual Action: Laying On of Hands

Leader: The ancient tradition of our ancestors in faith has been to confer a blessing while laying hands on someone's head. I invite each of you to come forward to receive a blessing. I will place my hands on your head as a sign of blessing and that we are holding you in prayer in a special way as you prepare to receive the gift of the Holy Spirit in the Sacrament of Confirmation. We will pray silently together asking for God's blessing and conclude by saying, "Amen." *Place hands on heads of each candidate.*

All: **Come forward to receive a blessing. Amen.**

Closing

Leader: Let us pray together the prayer that Jesus taught.

All: **Our Father . . .**

Capítulo 5

El don del Espíritu Santo

Reunión

Todos: *Reunirse en el área de oración.*

Líder: Jesús prometió que cada vez que nos reuniéramos en su nombre, Él estaría entre nosotros. Con esto en mente, comenzamos haciendo la Señal de la Cruz.

Todos: *Hacer la Señal de la Cruz.*

Líder: Inclinemos la cabeza y recordemos que el Señor está con nosotros en este momento de oración. *(Pausa).*
Ven, Espíritu Santo, llena los corazones de tus fieles, y enciende en ellos el fuego de tu amor. Envía tu Espíritu Creador y serán creadas todas las cosas y renovarás la faz de la tierra. Te lo pedimos por Jesucristo, nuestro Señor, que vive y reina por los siglos de los siglos.

Todos: **Amén.**

Lectura de la Escritura

Líder: El relato de Pentecostés no solo nos cuenta lo que les sucedió a los primeros discípulos de Jesús. También nos enseña que el Espíritu Santo está actuando en nuestra vida. Escuchemos de qué manera el don del Espíritu Santo ha sido derramado en nosotros y en todos los seguidores de Jesucristo.

Lector: Lectura de Hechos de los Apóstoles.
*Proclamar Hechos de los Apóstoles 2:1–4.
Concluir diciendo:*
Palabra de Dios.

Todos: **Te alabamos, Señor.**

Oración de intercesión

Líder: Recemos ahora por quienes han sido elegidos por Dios y han recibido un llamado especial para servir a los pobres y a los débiles.

Lector: Por nuestras hermanas y hermanos que trabajan en países en vía de desarrollo y tratan de mejorar la vida de los pobres y los desamparados, oremos al Señor:

Todos: **Te rogamos, Señor.**

Lector: Por los que defienden los derechos humanos, oremos al Señor:

Todos: **Te rogamos, Señor.**

Lector: Por los trabajadores de la salud que cuidan de quienes no pueden afrontar la atención médica, oremos al Señor:

Todos: **Te rogamos, Señor.**

Lector: Por los que dan consuelo a los presos y a su familia, oremos al Señor:

Todos: **Te rogamos, Señor.**

Lector: Por los candidatos de todo el mundo que se están preparando para el Sacramento de la Confirmación y por sus padrinos y sus familiares, oremos al Señor:

Todos: **Te rogamos, Señor.**

Lector: Recemos ahora en silencio por nuestras intenciones personales. (Pausa).
Oremos al Señor:

Todos: **Te rogamos, Señor.**

Acción ritual: Bendición con óleo

Líder: En el Bautismo, fueron ungidos con el Santo Crisma como signo del don del Espíritu Santo que recibieron. El Santo Crisma será usado otra vez por el obispo cuando les dé la Confirmación. Hoy usaremos óleo común y les marcaremos la cruz en la frente, recordando su Bautismo y esperando ansiosamente su Confirmación.

Todos: *Pasar al frente para recibir el óleo en la frente.*

Líder: *Marcar con óleo una cruz en la frente del candidato, y decir:* Que el don del Espíritu Santo, que recibiste por primera vez en el Bautismo y que te fortalecerá con sus siete Dones en el momento de tu Confirmación, te guíe y te fortalezca mientras te preparas para la Confirmación.

Candidato: **Amén.**

Despedida

Líder: Recemos juntos la oración que Jesús nos enseñó.

Todos: **Padre nuestro...**

Chapter 5

The Gift of the Holy Spirit

Gathering

All: *Gather in the prayer area.*

Leader: Jesus promised that whenever we gather in his name, he is in our midst. With this in mind, we begin with the Sign of the Cross.

All: *All sign themselves.*

Leader: Let us bow our heads and remember that the Lord is with us in this moment of prayer. *(Pause.)*

Come, Holy Spirit, fill the hearts of your faithful, and kindle in them the fire of your love. Send forth your Spirit and they shall be created, and you will renew the face of the earth. We ask this through Jesus Christ our Lord, who lives and reigns for ever and ever.

All: **Amen.**

Scripture Reading

Leader: The account of Pentecost tells us not only what happened to the first disciples of Jesus. It also teaches us that the Holy Spirit is at work in our lives. Let us listen to how the gift of the Holy Spirit has been poured out on us and on all who are followers of Jesus Christ.

Reader: A reading from Acts of the Apostles. *Proclaim Acts of the Apostles 2:1–4. Conclude by saying,* The word of the Lord.

All: **Thanks be to God.**

Prayer of Intercession

Leader: Let us pray now for those who have been chosen by God and given a special call to serve the poor and the powerless.

Reader: For our sisters and brothers who work in developing countries and seek to improve the lives of those who live in poverty and despair, let us pray to the Lord:

All: **Lord, hear our prayer.**

Reader: For those who defend human rights, let us pray to the Lord:

All: **Lord, hear our prayer.**

Reader: For healthcare workers who minister to people unable to afford medical care, let us pray to the Lord:

All: **Lord, hear our prayer.**

Reader: For those who give comfort to prisoners and their families, let us pray to the Lord:

All: **Lord, hear our prayer.**

Reader: For candidates throughout the world who are preparing for the Sacrament of Confirmation and for their sponsors and their families, let us pray to the Lord:

All: **Lord, hear our prayer.**

Reader: Let us now pray in silence for our personal intentions. *(Pause.)* Let us pray to the Lord:

All: **Lord, hear our prayer.**

Ritual Action: Blessing with Oil

Leader: At your Baptism you were anointed with Sacred Chrism as a sign of the gift of the Holy Spirit that you received. Chrism will once again be used by the bishop at your Confirmation. Today we will use ordinary oil and trace the cross on your forehead, recalling your Baptism and looking forward to your Confirmation.

All: *Come forward to receive the oil on your forehead.*

Leader: *Trace a cross on the candidate's forehead with oil, saying,* May the gift of the Holy Spirit you first received at Baptism and who will strengthen you with his sevenfold Gifts at the time of your Confirmation guide and strengthen you as you prepare for Confirmation.

Candidate: Amen

Closing

Leader: Let us pray together the prayer that Jesus taught.

All: **Our Father . . .**

Capítulo 6

Llevar la paz al mundo

Reunión

Todos: *Reunirse en el área de oración.*

Líder: Jesús prometió que cada vez que nos reuniéramos en su nombre, Él estaría entre nosotros. Con esto en mente, comenzamos haciendo la Señal de la Cruz.

Todos: *Hacer la Señal de la Cruz.*

Líder: Inclinemos la cabeza y recordemos que el Señor está con nosotros en este momento de oración. (Pausa). Señor, hazme un instrumento de tu paz: donde haya odio, siembre yo amor; donde haya injuria, perdón; donde haya duda, fe en ti; donde haya tristeza, alegría; donde haya desaliento, esperanza; donde haya oscuridad, tu luz. Maestro, ayúdame a nunca buscar: el ser consolado, sino consolar; el ser entendido, sino entender; el ser amado, sino amar. Porque dando es que recibimos, perdonando es que tú nos perdonas, y muriendo es que volvemos a nacer.

Todos: **Amén.**

Lectura de la Escritura

Líder: En el Evangelio de Juan, el don del Espíritu Santo se les da a los discípulos el Domingo de Pascua por la tarde. Escuchemos ahora de qué manera describe Juan que el don del Espíritu Santo les concedió paz a los discípulos.

Lector: Lectura del santo Evangelio según San Juan.

Todos: **Te alabamos, Señor.**

Lector: *Proclama Juan 20:19–23. Concluir diciendo:* Palabra de Dios.

Todos: **Gloria a ti, Señor Jesús.**

Oración de intercesión

Líder: Como discípulos de Jesús que hemos recibido el don del Espíritu Santo en el Bautismo, se nos ha concedido el don de la paz de Dios y se nos encarga llevar ese don de paz al mundo. Recemos ahora para que el mundo pueda conocer la paz de Dios en abundancia.

Lector: Por la paz en el corazón de todos los que están preocupados, solos o consumidos por la ira y la sed de venganza, oremos al Señor:

Todos: **Te rogamos, Señor.**

Lector: Por las naciones en guerra y por los que creen que la violencia es el camino a la paz, oremos al Señor:

Todos: **Te rogamos, Señor.**

Lector: Por las familias heridas por conflictos domésticos, oremos al Señor:

Todos: **Te rogamos, Señor.**

Lector: Por los jóvenes involucrados en pandillas y otras bandas que usan la violencia como modo de resolver los problemas, oremos al Señor:

Todos: **Te rogamos, Señor.**

Lector: Por los candidatos de todo el mundo que se están preparando para el Sacramento de la Confirmación y por sus padrinos y sus familiares, oremos al Señor:

Todos: **Te rogamos, Señor.**

Lector: Recemos ahora en silencio por nuestras intenciones personales. *(Pausa).* Oremos al Señor:

Todos: **Te rogamos, Señor.**

Acción ritual: Rito de la paz

Líder: Jesús dijo a sus discípulos que, antes de presentar su ofrenda ante el altar, debían ir primero a reconciliarse con quien no estaban en paz. Todas las veces que participamos de la celebración de la Misa, el sacerdote o el diácono nos invita a intercambiar una señal de la paz entre nosotros. Recordando las palabras de Jesús, intercambiemos unos con otros una señal de la paz de Dios.

Todos: *Intercambiar el Rito de la paz.*

Despedida

Líder: Recemos juntos la oración que Jesús nos enseñó.

Todos: **Padre nuestro...**

Chapter 6

Bringing Peace to the World

Gathering

All: *Gather in the prayer area.*

Leader: Jesus promised that whenever we gather in his name he is in our midst. With this in mind, we pray the Sign of the Cross.

All: *All sign themselves.*

Leader: Let us bow our heads and remember that the Lord is with us in this moment of prayer. *(Pause.)*

Lord, make me an instrument of your peace. Where there is hatred, let me sow love; where there is injury, pardon; where there is doubt, faith; where there is despair, hope; where there is darkness, light; and where there is sadness, joy. Grant that we may not so much seek to be consoled as to console; to be understood, as to understand; to be loved as to love; for it is in giving that we receive, it is in pardoning that we are pardoned, and it is in dying that we are born to eternal life.

All: **Amen.**

Scripture Reading

Leader: In John's Gospel the gift of the Holy Spirit is given to the disciples on Easter Sunday evening. Let us listen now as John describes how that gift of the Holy Spirit brought peace to the disciples.

Reader: A reading from the holy Gospel according to John.

All: **Glory to you, O Lord.**

Reader: *Proclaim John 20:19–23. Conclude by saying,* The Gospel of the Lord.

All: **Praise to you, Lord Jesus Christ.**

Prayer of Intercession

Leader: As disciples of Jesus who have received the gift of the Holy Spirit in Baptism, we have been given the gift of God's peace and are commanded to bring that gift of peace to the world. Let us pray now that the world might know God's peace in more abundant measure.

Reader: For peace in the hearts of all who are troubled, lonely, or consumed by anger and a spirit of revenge, let us pray to the Lord:

All: **Lord, hear our prayer.**

Reader: For nations at war and for those who think that recourse to violence is the way to peace, let us pray to the Lord:

All: **Lord, hear our prayer.**

Reader: For families scarred by domestic strife, let us pray to the Lord:

All: **Lord, hear our prayer.**

Reader: For young people caught up in gangs and other movements that use violence as a way to solve problems, let us pray to the Lord:

All: **Lord, hear our prayer.**

Reader: For candidates throughout the world who are preparing for the Sacrament of Confirmation and for their sponsors and their families, let us pray to the Lord:

All: **Lord, hear our prayer.**

Reader: Let us now pray in silence for our personal intentions. *(Pause.)* Let us pray to the Lord:

All: **Lord, hear our prayer.**

Ritual Action: A Sign of Peace

Leader: Jesus told his disciples that before bringing their gift to the altar, they should go first and be reconciled with anyone with whom they are not at peace. Every time we participate in the celebration of Mass, the priest or deacon invites us to exchange a sign of peace with one another. Remembering Jesus' words, let us exchange with one another some sign of God's peace.

All: *Exchange a sign of peace.*

Closing

Leader: Let us pray together the prayer that Jesus taught.

All: **Our Father . . .**

Capítulo 7

Compartir el pan

Reunión
Todos: *Reunirse en el área de oración.*

Líder: Jesús prometió que cada vez que nos reuniéramos en su nombre, Él estaría entre nosotros. Con esto en mente, comenzamos haciendo la Señal de la Cruz.

Todos: *Hacer la Señal de la Cruz.*

Líder: Inclinemos la cabeza y recordemos que el Señor está con nosotros en este momento de oración. *(Pausa).* Padre Celestial, que al participar en la Eucaristía, la que tu Hijo nos mandó ofrecer en memoria suya, nos transformemos, con Él, en don eterno para ti. Te lo pedimos por Jesucristo, nuestro Señor, que vive y reina por los siglos de los siglos.

Todos: **Amén.**

Lectura de la Escritura
Líder: Las antiguas raíces de nuestra celebración de la Eucaristía se encuentran en la Pascua judía: Dios libera a los israelitas de la esclavitud en Egipto. La celebración de la Pascua judía conmemora esa liberación. El pan ácimo, el "pan de aflicción", que se come todos los años en la Pascua judía es un recordatorio de la prisa con la que los israelitas tuvieron que huir del faraón. Escuchen ahora estas palabras de Moisés cuando manda a los israelitas a conmemorar devotamente la manera en que Dios los liberó.

Lector: Lectura del Libro del Deuteronomio. *Proclamar Deuteronomio 16:1–3. Concluir diciendo:* Palabra de Dios.

Todos: **Te alabamos, Señor.**

Oración de intercesión
Líder: Recordemos en oración a los hijos de Dios cuyo pan de cada día es un "pan de aflicción".

Lector: Por aquellos que sufren agonía física, sea por dolor de una enfermedad o por la tortura, oremos al Señor:

Todos: **Te rogamos, Señor.**

Lector: Por aquellos cuyo hogar y cuyo sustento se han perdido por los estragos de la guerra o de las catástrofes naturales, oremos al Señor:

Todos: **Te rogamos, Señor.**

Lector: Por los enfermos terminales, por los niños que mueren de SIDA y por los que sufren la pérdida de seres queridos, oremos al Señor:

Todos: **Te rogamos, Señor.**

Lector: Por los candidatos de todo el mundo que están preparándose para el Sacramento de la Confirmación, por sus padrinos y sus familiares, oremos al Señor:

Todos: **Te rogamos, Señor.**

Lector: Oremos ahora en silencio por nuestras intenciones personales. *(Pausa).* Oremos al Señor:

Todos: **Te rogamos, Señor.**

Acción ritual: Compartir el pan
Líder: Compartir el "pan de aflicción" ácimo en la Pascua judía le recuerda al pueblo judío de hoy los sufrimientos del pueblo de Dios que se encuentra bajo todos los "faraones" de este mundo. En la Eucaristía sigue habiendo pan ácimo, pero para nosotros es un recuerdo de la Pascua judía de Jesús: su pasaje a través del sufrimiento y la muerte a la vida sin fin. Ahora compartiremos unos con otros un trozo de pan ácimo. Los invito a pensar en él como "pan de aflicción", que simboliza a todos quienes sufren en este mundo por la esclavitud del pecado, la violencia, la pobreza, la desesperación y cualquier otra carga. Lo compartimos en solidaridad con todas las personas por quienes Jesús sufrió y murió. Los invito ahora a hacer silencio un momento y a pensar en aquellos con quienes deseen compartir este pan.

Todos: *Compartir el pan ácimo.*

Despedida
Líder: Recemos juntos la oración que Jesús nos enseñó.

Todos: **Padre nuestro...**

Chapter 7

Sharing Bread

Gathering

All: ***Gather in the prayer area.***

Leader: Jesus promised that whenever we gather in his name, he is in our midst. With this in mind, we begin with the Sign of the Cross.

All: ***All sign themselves.***

Leader: Let us bow our heads and remember that the Lord is with us in this moment of prayer. *(Pause.)*

Heavenly Father, by sharing in the Eucharist which your Son commanded us to offer as his memorial, may we become, with him, an everlasting gift to you. We ask this through Jesus Christ our Lord, who lives and reigns for ever and ever.

All: **Amen.**

Scripture Reading

Leader: The ancient roots of our celebration of the Eucharist are found in the Jewish Passover—God leading the Israelites out of slavery in Egypt. The celebration of the Passover commemorates that liberation. The unleavened bread, the "bread of affliction," that is eaten every year at Passover is a reminder of the haste with which the Israelites had to flee from Pharaoh. Listen now to these words of Moses, as he commands the Israelites to commemorate faithfully how God delivered them.

Reader: A reading from the Book of Deuteronomy.
Proclaim Deuteronomy 16:1–3.
Conclude by saying,
The word of the Lord.

All: **Thanks be to God.**

Prayer of Intercession

Leader: Let us remember in prayer the children of God whose daily bread is a "bread of affliction."

Reader: For those who suffer physical agony, either from the pain of illness or from torture, let us pray to the Lord:

All: **Lord, hear our prayer.**

Reader: For those whose homes and livelihood have been lost due to the ravages of war or natural disasters, let us pray to the Lord:

All: **Lord, hear our prayer.**

Reader: For the terminally ill, for children dying of AIDS, and for those who grieve the loss of loved ones, let us pray to the Lord:

All: **Lord, hear our prayer.**

Reader: For candidates throughout the world who are preparing for the Sacrament of Confirmation, and for their sponsors and their families, let us pray to the Lord:

All: **Lord, hear our prayer.**

Reader: Let us now pray in silence for our personal intentions. *(Pause.)*
Let us pray to the Lord:

All: **Lord, hear our prayer.**

Ritual Action: Sharing Bread

Leader: Sharing the unleavened "bread of affliction" at Passover reminds the Jewish people to this day of the sufferings of God's people under all of the "pharaohs" of this world. The Eucharist continues to use unleavened bread, but it is for us a memorial of the Passover of Jesus—the passage he made through suffering and death into life without end. We will now share with one another a bite of unleavened bread. I invite you to think of it as "bread of affliction" that symbolizes all of those who suffer in this world from the slavery of sin, violence, poverty, despair, and any other burden. We share it in solidarity with all people for whom Jesus suffered and died. I invite you now to be still for a moment and to think of those with whom you wish to share this bread.

All: ***Share the unleavened bread.***

Closing

Leader: Let us pray together the prayer that Jesus taught.

All: **Our Father . . .**

Capítulo 8

Difundir la Buena Nueva

Reunión

Todos: *Reunirse en el área de oración.*

Líder: Jesús prometió que cada vez que nos reuniéramos en su nombre, Él estaría entre nosotros. Con esto en mente, comenzamos haciendo la Señal de la Cruz.

Todos: *Hacer la Señal de la Cruz.*

Líder: Inclinemos la cabeza y recordemos que el Señor está con nosotros en este momento de oración. *(Pausa).*

Dios Padre, enviaste a tu Hijo al mundo para que fuese su luz verdadera. Derrama el Espíritu Santo para despertar nuestra fe y ayudarnos a compartir el Evangelio con los demás. Te lo pedimos por nuestro Señor Jesucristo, tu Hijo, que vive y reina contigo y el Espíritu Santo, un solo Dios, por los siglos de los siglos.

Todos: **Amén.**

Lectura de la Escritura

Líder: El Espíritu Santo está presente con la Iglesia, guiándola para que proclame el Evangelio en palabras y en hechos con el mismo poder sin temores como hizo Jesús. Escuchen estos pasajes de los Hechos de los Apóstoles y presten atención a cómo muestra San Lucas que la prédica valiente de los Apóstoles revela que el Espíritu Santo actúa en ellos.

Lector 1: *Proclamar Hechos de los Apóstoles 1:6–8. Breve pausa antes de entregar la Biblia al siguiente lector.*

Lector 2: *Proclamar Hechos de los Apóstoles 2:38–41. Breve pausa antes de entregar la Biblia al siguiente lector.*

Lector 3: *Proclamar Hechos de los Apóstoles 3:2–10. Breve pausa antes de entregar la Biblia al siguiente lector.*

Lector 4: *Proclamar Hechos de los Apóstoles 5:27–32.*

Acción ritual: Ofrecer una bendición

Líder: El Espíritu Santo les dio a los Apóstoles el valor para que fuesen testigos públicos valientes y sin temor de su fe en Jesús. Nosotros hemos recibido ese mismo Espíritu Santo en el Bautismo. Nosotros también estamos llamados a ofrecer testimonio público de nuestra fe en Jesús. A varios miembros de nuestro grupo se les ha pedido que ofrezcan, y han accedido a hacerlo, un breve testimonio de cómo se ha fortalecido su fe en Jesús durante el tiempo de su preparación para la Confirmación.

Extendamos las manos en apoyo y pidamos una bendición de Dios para ellos.

Todos: *Extender las manos y repetir esta oración después del líder.*

Líder: Que Dios los bendiga con su gracia al compartir su fe con los demás.

Oración de intercesión

Líder: Recordemos en la oración a todos los bautizados, quienes están llamados a proclamar el Evangelio dondequiera que estén.

Lector: Por aquellos que están en medio de nosotros y diligentemente cumplen el mandato de Jesús de hacer que todos los pueblos sean sus discípulos, oremos al Señor:

Todos: **Te rogamos, Señor.**

Lector: Por aquellos que sufren a causa de sus esfuerzos por vivir el Evangelio, oremos al Señor:

Todos: **Te rogamos, Señor.**

Lector: Por aquellos que abrazan la pobreza, llevan una vida sencilla, dejan a sus familiares y sus amigos, y viajan para vivir y predicar el Evangelio, oremos al Señor:

Todos: **Te rogamos, Señor.**

Lector: Por todos los recién confirmados, sus padrinos y sus familiares, que generosamente responden a la Despedida de la Misa y dan testimonio de Cristo dondequiera que estén, oremos al Señor:

Todos: **Te rogamos, Señor.**

Lector: Oremos ahora en silencio por nuestras intenciones personales. *(Pausa).*
Oremos al Señor:

Todos: **Te rogamos, Señor.**

Despedida

Líder: Recemos juntos la oración que Jesús nos enseñó.

Todos: **Padre nuestro...**

Chapter 8

Spreading the Good News

Gathering

All: ***Gather in the prayer area.***

Leader: Jesus promised that whenever we gather in his name, he is in our midst. With this in mind, we pray the Sign of the Cross.

All: ***All sign themselves.***

Leader: Let us bow our heads and remember that the Lord is with us in this moment of prayer. *(Pause.)*

God our Father, you sent your Son into the world to be its true light. Pour out the Holy Spirit to awaken our faith and help us share the Gospel with others. We ask this through our Lord Jesus Christ, your Son, who lives and reigns with you and the Holy Spirit, one God, for ever and ever.

All: **Amen.**

Scripture Reading

Leader: The Holy Spirit is present with the Church, guiding her to proclaim the Gospel in word and deed with the same fearless power as Jesus did. Listen to these passages from the Acts of the Apostles and pay attention to how Saint Luke shows that the bold preaching of the Apostles reveals the Holy Spirit at work in them.

Reader 1: *Proclaim Acts of the Apostles 1:6–8. Pause briefly before handing the Bible to the next reader.*

Reader 2: *Proclaim Acts of the Apostles 2:38–41. Pause briefly before handing the Bible to the next reader.*

Reader 3: *Proclaim Acts of the Apostles 3:2–10. Pause briefly before handing the Bible to the next reader.*

Reader 4: *Proclaim Acts of the Apostles 5:27–32.*

Ritual Action: Offering a Blessing

Leader: The Holy Spirit gave the Apostles the courage to be fearless, bold, and public witnesses to their faith in Jesus. That same Holy Spirit has been given to us at Baptism. We too are called to offer public witness to our faith in Jesus. Several members of our group have been asked and have agreed to offer a short witness to how their faith in Jesus has grown stronger during the time of their preparation for Confirmation.

Let us raise our hands in support and ask for God's blessing on them.

All: ***Raise your hands and echo this prayer after the leader.***

Leader: May you be blessed with God's grace as you share your faith with others.

Prayer of Intercession

Leader: Let us remember in prayer all the baptized, who are called to proclaim the Gospel wherever they are.

Reader: For those in our midst who diligently fulfill Jesus' command to make disciples of all people, let us pray to the Lord:

All: **Lord, hear our prayer.**

Reader: For those who suffer because of their efforts to live the Gospel, let us pray to the Lord:

All: **Lord, hear our prayer.**

Reader: For those who embrace poverty, live a simple life, leave their families and friends, and travel to live and preach the Gospel, let us pray to the Lord:

All: **Lord, hear our prayer.**

Reader: For all the newly confirmed, their sponsors, and their families that they generously respond to the Dismissal at Mass and bear witness to Christ wherever they are, let us pray to the Lord:

All: **Lord, hear our prayer.**

Reader: Let us now pray in silence for our personal intentions. *(Pause.)* Let us pray to the Lord:

All: **Lord, hear our prayer.**

Closing

Leader: Let us pray together the prayer that Jesus taught.

All: **Our Father . . .**

Celebrar la Confirmación

El rito de la celebración del Sacramento de la Confirmación generalmente tiene lugar en la Misa "para que se manifieste más claramente la conexión fundamental de este Sacramento con toda la iniciación cristiana, que alcanza su cumbre en la comunión del Cuerpo y la Sangre de Cristo. De este modo los confirmandos participan de la Eucaristía con la que se completa su iniciación cristiana" (*Ritual para la Confirmación* 13). El obispo es generalmente el ministro ordinario de la Confirmación. Por razones pastorales, puede delegar en un sacerdote la administración del Sacramento.

SACRAMENTO DE LA CONFIRMACIÓN

Presentación de los candidatos

Después del Evangelio, el obispo y los sacerdotes que administrarán el sacramento con él toman asiento. El párroco u otro sacerdote, el diácono o el catequista presenta a los candidatos a confirmarse de acuerdo con la costumbre de la región. De ser posible, se llama a los candidatos por su nombre para que cada uno avance hasta el presbiterio. Si los candidatos son niños, los acompaña uno de sus padrinos o de sus padres, y permanece de pie delante del celebrante.

Homilía o enseñanza

El obispo da luego una breve homilía.

Renovación de las promesas bautismales

Después de la homilía, los candidatos se ponen de pie y el obispo les pregunta:

OBISPO: ¿Renuncian ustedes a Satanás, y a todas sus obras y seducciones?

[CANDIDATOS]: Sí, renuncio.

OBISPO: ¿Creen en Dios, Padre todopoderoso, creador del cielo y de la tierra?

CANDIDATOS: Sí, creo.

OBISPO: ¿Creen en Jesucristo, su único Hijo, nuestro Señor, que nació de Santa María Virgen, padeció, fue sepultado, resucitó de entre los muertos y está sentado a la derecha del Padre?

CANDIDATOS: Sí, creo.

OBISPO: ¿Creen en el Espíritu Santo, Señor y dador de vida, que hoy les va a ser comunicado de un modo singular por el [S]acramento de la Confirmación, como fue dado a los Apóstoles el día de Pentecostés?

CANDIDATOS: Sí, creo.

OBISPO: ¿Creen en la santa Iglesia católica, la comunión de los santos, en el perdón de los pecados, en la resurrección de los muertos y en la vida eterna?

CANDIDATOS: Sí, creo.

OBISPO: Esta es nuestra fe. Esta es la fe de la Iglesia, que nos gloriamos de profesar, en Jesucristo, nuestro Señor.

TODOS LOS PRESENTES: Amén.

Celebrating Confirmation

The rite for the celebration of the Sacrament of Confirmation usually takes place at Mass "in order that the fundamental connection of this sacrament with all of Christian initiation may stand out in a clearer light. Christian initiation reaches its culmination in the communion of the body and blood of Christ. The newly confirmed therefore participate in the eucharist, which completes their Christian initiation" (*Rite of Confirmation* 13). The bishop is the ordinary minister of Confirmation. For pastoral reasons he may delegate a priest to administer the Sacrament.

SACRAMENT OF CONFIRMATION

Presentation of the Candidates

After the Gospel the bishop and the priests who will be ministers of the sacrament with him take their seats. The pastor or another priest, deacon, or catechist presents the candidates for confirmation, according to the custom of the region. If possible, each candidate is called by name and comes individually to the sanctuary. If the candidates are children, they are accompanied by one of their sponsors or parents and stand before the celebrant.

Homily or Instruction

The bishop then gives a brief homily.

Renewal of Baptismal Promises

After the homily the candidates stand and the bishop questions them:

BISHOP: Do you reject Satan and all his works and all his empty promises?

[CANDIDATES]: I do.

BISHOP: Do you believe in God the Father almighty, creator of heaven and earth?

CANDIDATES: I do.

BISHOP: Do you believe in Jesus Christ,
  his only Son, our Lord,
who was born of the Virgin Mary,
was crucified, died, and was
  buried, rose from the dead,
and is now seated at the right
  hand of the Father?

CANDIDATES: I do.

BISHOP: Do you believe in the Holy Spirit,
the Lord, the giver of life,
who came upon the apostles
  at Pentecost
and today is given to you
  sacramentally in confirmation?

CANDIDATES: I do.

BISHOP: Do you believe in the holy
  catholic Church,
the communion of saints,
  the forgiveness of sins,
the resurrection of the body,
  and life everlasting?

CANDIDATES: I do.

BISHOP: This is our faith. This is the faith
  of the Church.
We are proud to profess it
  in Christ Jesus our Lord.

ALL PRESENT: **Amen.**

Imposición de las manos

"Por la imposición de las manos sobre los confirmandos, hecha por el obispo y por los sacerdotes concelebrantes, se actualiza el gesto bíblico, con el que se invoca el don del Espíritu Santo . . ." (*Ritual para la Confirmación* 9). Los sacerdotes celebrantes se ubican de pie cerca del obispo. De frente al pueblo y con las manos juntas, el obispo canta o dice:

Obispo: Oremos, hermanos,
a Dios, Padre todopoderoso,
por estos hijos suyos,
que renacieron ya a la vida eterna en el Bautismo,
para que envíe abundantemente sobre ellos al Espíritu Santo,
a fin de que este mismo Espíritu
los fortalezca con la abundancia de sus dones,
los consagre con su unción espiritual
y haga de ellos imagen fiel de Jesucristo.

Todos rezan en silencio unos instantes. El obispo y los sacerdotes que administran el sacramento con él imponen las manos sobre todos los candidatos (extendiendo las manos sobre ellos). Solo el obispo canta o dice:

Dios todopoderoso,
Padre de nuestro Señor Jesucristo,
que has hecho nacer de nuevo a estos hijos tuyos
por medio del agua y del Espíritu Santo,

librándolos del pecado,
escucha nuestra oración
y envía sobre ellos al Espíritu Santo Consolador:
espíritu de sabiduría y de inteligencia,
espíritu de consejo y de fortaleza,
espíritu de ciencia, de piedad
y de tu santo temor.
Por Jesucristo, nuestro Señor.
Todos: Amén.

Unción con el Santo Crisma

La unción con el crisma y las palabras que la acompañan expresan claramente el efecto de haber dado al Espíritu Santo. El bautizado, signado por la mano del obispo con el aceite aromático, recibe el carácter indeleble, señal del Señor, al mismo tiempo que el don del Espíritu, que le configura más perfectamente con Cristo y le confiere la gracia de derramar el 'buen olor' entre los hombres" (Ritual para la Confirmación 9). El diácono trae el Santo Crisma al obispo. Cada candidato se acerca al obispo o el obispo puede acercarse a cada candidato. Quien presenta al candidato le coloca la mano derecha sobre el hombro y le dice el nombre del candidato al obispo o el mismo candidato puede decir su nombre.

El obispo moja el pulgar derecho en el crisma y traza la señal de la cruz en la frente de quien se está confirmando y dice:

Obispo: (*Nombre*), recibe por esta señal el Don del Espíritu Santo.

[Recién confirmado]: Amén.

[Obispo]: La paz esté contigo.

[Recién confirmado]: Y con tu espíritu.

Plegaria Universal

A continuación se reza la Plegaria Universal, u Oración de los Fieles.

The Laying On of Hands

"The laying of hands on the candidates by the bishop and the concelebrating priests represents the biblical gesture by which the gift of the Holy Spirit is invoked . . ." (*Rite of Confirmation* 9). The concelebrating priests stand near the bishop. He faces the people and with hands joined, sings or says:

BISHOP: My dear friends:
in baptism God our Father gave
    the new birth of eternal life
to his chosen sons and daughters.
Let us pray to our Father
that he will pour out the Holy Spirit
to strengthen his sons and
    daughters with his gifts
and anoint them to be more like
    Christ the Son of God.

All pray in silence for a short time.

The bishop and the priests who will minister the sacrament with him lay hands upon all the candidates (by extending their hands over them). The bishop alone sings or says:

All-powerful God, Father of our
    Lord Jesus Christ,
by water and the Holy Spirit
you freed your sons and daughters
    from sin
and gave them new life.
Send your Holy Spirit upon them
to be their Helper and Guide.
Give them the spirit of wisdom
    and understanding,
the spirit of right judgment and
    courage,
the spirit of knowledge and
    reverence.
Fill them with the spirit of wonder
    and awe in your presence.
We ask this through Christ
    our Lord.

ALL: **Amen.**

The Anointing With Chrism

The anointing with chrism and the accompanying words express clearly the effect of the giving of the Holy Spirit. Signed with the perfumed oil, the baptized receive the indelible character, the seal of the Lord, together with the gift of the Holy Spirit that conforms them more closely to Christ and gives them the grace of spreading 'the sweet odor of Christ'" (*Rite of Confirmation* 9). The deacon brings the Chrism to the bishop. Each candidate goes to the bishop, or the bishop may go to the individual candidates. The one who presented the candidate places his right hand on the latter's shoulder and gives the candidate's name to the bishop; or the candidate may give his own name.

The bishop dips his right thumb in the chrism and makes the sign of the cross on the forehead of the one to be confirmed, as he says:

BISHOP: (*Name*), be sealed with the Gift
    of the Holy Spirit.

[NEWLY CONFIRMED]: **Amen.**

[BISHOP]: Peace be with you.

[NEWLY CONFIRMED]: **And with your spirit.**

General Intercessions

The general intercessions, or prayer of the faithful, follow.

219

RITO DE CONCLUSIÓN

Bendición

En lugar de la bendición habitual del final de la Misa, se usa la siguiente bendición o la oración sobre el pueblo.

OBISPO: Que Dios Padre todopoderoso,
que los ha adoptado como hijos,
haciéndolos renacer del agua
y del Espíritu Santo,
los bendiga
y los haga siempre dignos
de su amor paternal.

TODOS: **Amén.**

OBISPO: Que el Hijo unigénito de Dios,
que prometió a su Iglesia
la presencia continua del Espíritu de verdad,
los bendiga y los confirme
en la confesión de la fe verdadera.

TODOS: **Amén.**

OBISPO: Que el Espíritu Santo,
que encendió en el corazón de los discípulos
el fuego del amor,
los bendiga y,
congregándolos en la unidad,
los conduzca,
a través de las pruebas de la vida,
a los gozos del Reino eterno.

TODOS: **Amén.**

INMEDIATAMENTE EL OBISPO AGREGA:

OBISPO: Y que a todos ustedes aquí presentes
los bendiga Dios todopoderoso,
Padre, Hijo y Espíritu Santo.

TODOS: **Amén.**

Oración sobre el pueblo

En lugar de la bendición anterior, se puede usar la oración sobre el pueblo.

[DIÁCONO U OTRO MINISTRO]: Inclínense para recibir la bendición.

El obispo extiende las manos sobre el pueblo y canta o dice:

OBISPO: Confirma, Señor,
lo que has realizado en nosotros
y conserva en el corazón de tus fieles
los dones del Espíritu Santo,
para que nunca se avergüencen
de dar testimonio de Jesucristo
y cumplan siempre con amor tu voluntad.

TODOS: **Amén.**

OBISPO: Y que a todos ustedes aquí presentes
los bendiga Dios todopoderoso,
Padre, Hijo y Espíritu Santo.

TODOS: **Amén.**

CONCLUDING RITES

Blessing

Instead of the usual blessing at the end of Mass, the following blessing or prayer over the people is used.

BISHOP: God our Father
made you his children by water
and the Holy Spirit:
may he bless you
and watch over you with his
fatherly love.

ALL: **Amen.**

BISHOP: Jesus Christ the Son of God
promised that the Spirit of truth
would be with his Church for ever:
may he bless you and give you
courage
in professing the true faith.

ALL: **Amen.**

BISHOP: The Holy Spirit
came down upon the disciples
and set their hearts on fire with love:
may he bless you,
keep you one in faith and love
and bring you to the joy of God's
kingdom.

ALL: **Amen.**

THE BISHOP ADDS IMMEDIATELY:

BISHOP: May almighty God bless you,
the Father, and the Son, and the
Holy Spirit.

ALL: **Amen.**

Prayer Over the People

Instead of the preceding blessing, the prayer over the people may be used.

[DEACON OR OTHER MINISTER]: Bow your heads and pray for God's blessing.

The bishop extends his hands over the people and sings or says:

BISHOP: God our Father,
complete the work you have begun
and keep the gifts of your
Holy Spirit active in the hearts
of your people. Make them ready
to live his Gospel and eager
to do his will. May they never
be ashamed to proclaim to all the
world Christ crucified living and
reigning for ever and ever.

ALL: **Amen.**

BISHOP: And may the blessing of
almighty God
the Father, and the Son, and the
Holy Spirit
come upon you and remain with
you for ever.

ALL: **Amen.**

Oraciones y prácticas católicas

Señal de la cruz

En el nombre del Padre
y del Hijo
y del Espíritu Santo.
Amén.

Gloria al Padre (Doxología)

Gloria al Padre
y al Hijo
y al Espíritu Santo.
Como era en el principio,
ahora y siempre,
por los siglos de los siglos. Amén.

Padre Nuestro (Oración del Señor)

Padre nuestro, que estás en el cielo,
santificado sea tu Nombre;
venga a nosotros tu reino;
hágase tu voluntad
    en la tierra como en el cielo.
Danos hoy nuestro pan de cada día;
perdona nuestras ofensas,
como también nosotros perdonamos
    a los que nos ofenden;
no nos dejes caer en la tentación,
    y líbranos del mal.
Amén.

Ave María

Dios te salve, María, llena eres de gracia;
el Señor es contigo.
Bendita Tú eres entre todas las mujeres,
y bendito es el fruto de tu vientre, Jesús.
Santa María, Madre de Dios,
ruega por nosotros, pecadores,
ahora y en la hora de nuestra muerte.
Amén.

Signum Crucis

In nómine Patris,
et Fílii,
et Spíritus Sancti. Amén.

Gloria Patri

Glória Patri
et Fílio
et Spirítui Sancto.
Sicut erat in princípio,
et nunc et semper
et in sæcula sæculórum. Amén.

Pater Noster

Pater noster, qui es in cælis:
sanctificétur nomen tuum;
advéniat regnum tuum;
fiat volúntas tua, sicut in cælo, et in terra.
Panem nostrum cotidiánum
da nobis hódie;
et dimítte nobis débita nostra,
sicut et nos dimíttimus debitóribus nostris;
et ne nos indúcas in tentatiónem;
sed líbera nos a malo. Amén.

Ave, Maria

Ave, María, grátia plena, Dóminus tecum.
Benedícta tu in muliéribus, et benedíctus
fructus ventris
tui, Iesus.
Sancta María, Mater Dei,
ora pro nobis peccatóribus,
nunc et in hora mortis nostræ. Amén.

Las cuatro oraciones de esta página están en español y en latín. El latín es el idioma universal de la Iglesia Católica Romana.

Catholic Prayers and Practices

Sign of the Cross

In the name of the Father,
and of the Son,
and of the Holy Spirit. Amen.

Glory Be (Doxology)

Glory be to the Father
and to the Son
and to the Holy Spirit,
as it was in the beginning
is now, and ever shall be
world without end. Amen.

Our Father (Lord's Prayer)

Our Father, who art in heaven,
hallowed be thy name;
thy kingdom come,
thy will be done
    on earth as it is in heaven.
Give us this day our daily bread,
and forgive us our trespasses,
as we forgive those who trespass
    against us;
and lead us not into temptation,
    but deliver us from evil. Amen.

The Hail Mary

Hail, Mary, full of grace,
the Lord is with thee.
Blessed art thou among women
and blessed is the fruit of thy
    womb, Jesus.
Holy Mary, Mother of God,
pray for us sinners,
now and at the hour of our death. Amen.

Signum Crucis

In nómine Patris,
et Fílii,
et Spíritus Sancti. Amen.

Gloria Patri

Glória Patri
et Fílio
et Spirítui Sancto.
Sicut erat in princípio,
et nunc et semper
et in sæcula sæculórum. Amen.

Pater Noster

Pater noster, qui es in cælis:
sanctificétur nomen tuum;
advéniat regnum tuum;
fiat volúntas tua, sicut in cælo, et in terra.
Panem nostrum cotidiánum
    da nobis hódie;
et dimítte nobis débita nostra,
sicut et nos dimíttimus debitóribus nostris;
et ne nos indúcas in tentatiónem;
sed líbera nos a malo. Amen.

Ave, Maria

Ave, María, grátia plena,
Dóminus tecum.
Benedícta tu in muliéribus,
et benedíctus fructus ventris
    tui, Iesus.
Sancta María, Mater Dei,
ora pro nobis peccatóribus,
nunc et in hora mortis nostræ. Amen.

The four prayers on this page are in English and in Latin.
Latin is the universal language of the Roman Catholic Church.

Invocación al Espíritu Santo

Ven, Espíritu Santo,
llena los corazones de tus fieles,
y enciende en ellos el fuego de tu amor.
Envía tu Espíritu Creador
y renueva la faz de la tierra.
Amén.

Oración del penitente

Dios mío, me arrepiento de todo corazón de
todo lo malo que hecho y de todo lo bueno
que he dejado de hacer, porque pecando
te he ofendido a ti, que eres el sumo bien y
digno de ser amado sobre todas las cosas.
Propongo firmemente, con tu gracia, cumplir
la penitencia, no volver a pecar y evitar las
ocasiones de pecado.
Perdóname, Señor, por los méritos de la
pasión de nuestro salvador Jesucristo.

Credo de Nicea

Creo en un solo Dios,
   Padre Todopoderoso, Creador del cielo y
de la tierra,
   de todo lo visible y lo invisible.
Creo en un solo Señor, Jesucristo, Hijo único
de Dios,
   nacido del Padre antes de todos los siglos:
   Dios de Dios, Luz de Luz,
   Dios verdadero de Dios verdadero,
   engendrado, no creado,
   de la misma naturaleza del Padre,
   por quien todo fue hecho;
   que por nosotros, los hombres,
   y por nuestra salvación bajó del cielo,
   y por obra del Espíritu Santo
   se encarnó de María, la Virgen, y se hizo
hombre;
   y por nuestra causa fue crucificado
   en tiempos de Poncio Pilato;
   padeció y fue sepultado,
   y resucitó al tercer día, según las
Escrituras,
   y subió al cielo, y está sentado a la
derecha del Padre;

   y de nuevo vendrá con gloria
   para juzgar a vivos y muertos,
   y su reino no tendrá fin.
Creo en el Espíritu Santo, Señor y dador de
vida,
   que procede del Padre y del Hijo,
   que con el Padre y el Hijo
   recibe una misma adoración y gloria,
   y que habló por los profetas.
Creo en la Iglesia,
   que es una, santa, católica y apostólica.
Confieso que hay un solo bautismo
   para el perdón de los pecados.
Espero la resurrección de los muertos
   y la vida del mundo futuro.
Amén.

Acto de fe

Dios mío, porque eres verdad infalible, creo
firmemente todo aquello que has revelado
y la Santa Iglesia nos propone para creer.
Creo expresamente en ti, único Dios
verdadero en tres Personas iguales y
distintas, Padre, Hijo y Espíritu Santo.
Y creo en Jesucristo, Hijo de Dios, que
se encarnó y murió por nosotros, el cual
nos dará a cada uno, según los méritos, el
premio o el castigo eterno.
Conforme a esta fe quiero vivir siempre.
Señor, acrecienta mi fe.

Acto de esperanza

Señor Dios mío, espero por tu gracia
la remisión de todos mis pecados; y
después de esta vida, alcanzar la eterna
felicidad, porque tú lo prometiste que eres
infinitamente poderoso, fiel, benigno y
lleno de misericordia. Quiero vivir y morir
en esta esperanza. Amén.

Acto de caridad

Dios mío, te amo sobre todas las cosas y al
prójimo por ti, porque Tú eres el infinito,
sumo y perfecto Bien, digno de todo amor.
En esta caridad quiero vivir y morir. Amén.

Prayer to the Holy Spirit

Come, Holy Spirit, fill the hearts
　　of your faithful.
And kindle in them the
　　fire of your love.
Send forth your Spirit and
　　they shall be created.
And you will renew the
　　face of the earth.

Act of Contrition

My God,
I am sorry for my sins with all my heart.
In choosing to do wrong
and failing to do good,
I have sinned against you
whom I should love above all things.
I firmly intend, with your help,
to do penance,
to sin no more,
and to avoid whatever leads me to sin.
Our Savior Jesus Christ
suffered and died for us.
In his name, my God, have mercy.

Nicene Creed

I believe in one God,
the Father almighty,
maker of heaven and earth,
of all things visible and invisible.

I believe in one Lord Jesus Christ,
the Only Begotten Son of God,
born of the Father before all ages.
God from God, Light from Light,
true God from true God,
begotten, not made, consubstantial
　　with the Father;
through him all things were made.
For us men and for our salvation
he came down from heaven,
and by the Holy Spirit was incarnate
　　of the Virgin Mary,
and became man.

For our sake he was crucified under
　　Pontius Pilate,
he suffered death and was buried,
and rose again on the third day
in accordance with the Scriptures.
He ascended into heaven
and is seated at the right hand of the Father.
He will come again in glory
to judge the living and the dead
and his kingdom will have no end.

I believe in the Holy Spirit, the Lord,
　　the giver of life,
who proceeds from the Father and the Son,
who with the Father and the Son
　　is adored and glorified,
who has spoken through the prophets.

I believe in one, holy, catholic and
　　apostolic Church.
I confess one Baptism for the
　　forgiveness of sins
and I look forward to the resurrection
　　of the dead
and the life of the world to come.
Amen.

Act of Faith

O my God, I firmly believe that you are one
God in three divine Persons, Father, Son,
and Holy Spirit; I believe that your divine
Son became man and died for our sins, and
that he will come to judge the living and the
dead. Amen.

Act of Hope

O my God, relying on your infinite goodness
and promises, I hope to obtain pardon of
my sins, the help of your grace, and life
everlasting, through the merits of Jesus
Christ, my Lord and Redeemer. Amen.

Act of Love

O my God, I love you above all things, with
my whole heart and soul, because you are
all good and worthy of all my love. I love
my neighbor as myself for the love of you.
I forgive all who have injured me and I ask
pardon of all whom I have injured. Amen.

Rosario

Los católicos rezan el Rosario para honrar a María y para recordar los acontecimientos importantes en la vida de Jesús y de María. Comenzamos a rezar el Rosario diciendo la Señal de la Cruz, el Credo de los Apóstoles, el Padre Nuestro y tres Ave Marías. Se reza cada misterio del Rosario orando el Padre Nuestro una vez, el Ave María diez veces y el Gloria al Padre una vez. Cuando terminamos de rezar el último misterio, rezamos el *Salve Regina*.

Misterios Gozosos

1. La Anunciación
2. La Visitación
3. La Natividad
4. La Presentación
5. El hallazgo de Jesús en el Templo

Misterios Luminosos

1. El Bautismo de Jesús en el río Jordán
2. El milagro de Jesús en la boda de Caná
3. La proclamación del Reino de Dios
4. La Transfiguración
5. La institución de la Eucaristía

Misterios Dolorosos

1. La agonía en el Huerto
2. La flagelación en la columna
3. La coronación de espinas
4. La cruz a cuestas
5. La Crucifixión

Misterios Gloriosos

1. La Resurrección
2. La Ascensión
3. La venida del Espíritu Santo
4. La Asunción de María
5. La Coronación de María

Salve Regina

Dios te salve, Reina y Madre de misericordia,
vida, dulzura y esperanza nuestra;
Dios te salve.
A ti llamamos los desterrados hijos de Eva;
a ti suspiramos, gimiendo y llorando
en este valle de lágrimas.
Ea, pues, Señora, abogada nuestra,
vuelve a nosotros esos tus ojos
misericordiosos;
y después de este destierro, muéstranos a Jesús,
fruto bendito de tu vientre.
¡Oh, clementísima, oh piadosa, oh dulce
Virgen María!

Acordaos

Acordaos, oh piadosísima Virgen María, que jamás se ha oído decir que ninguno de los que haya acudido a tu protección, implorando tu asistencia y reclamando tu socorro, haya sido abandonado de ti. Animado con esta confianza, a ti también acudo, oh Madre, Virgen de las vírgenes, y aunque gimiendo bajo el peso de mis pecados, me atrevo a comparecer ante tu presencia soberana. No deseches mis humildes súplicas, oh Madre del Verbo divino, antes bien, escúchalas y acógelas benignamente. Amén.

Diez Mandamientos

1. Yo soy el Señor, tu Dios. No habrá para ti otros dioses delante de mí.
2. No tomarás en falso el nombre del Señor tu Dios.
3. Sanctificarás las fiestas.
4. Honra a tu padre y a tu madre.
5. No matarás.
6. No cometerás adulterio.
7. No robarás.
8. No darás testimonio falso contra tu prójimo.
9. No desearás la mujer de tu prójimo.
10. No codiciarás . . . nada que sea de tu prójimo.

Rosary

Catholics pray the Rosary to honor Mary and remember the important events in the lives of Jesus and Mary. We begin praying the Rosary by praying the Sign of the Cross, the Apostles' Creed, the Lord's Prayer, and three Hail Marys. Each mystery of the Rosary is prayed by praying the Lord's Prayer once, the Hail Mary ten times, and the Glory Be once. When we have finished the last mystery, we pray the Hail, Holy Queen.

Joyful Mysteries

1. The Annunciation
2. The Visitation
3. The Nativity
4. The Presentation in the Temple
5. The Finding of the Child Jesus After Three Days in the Temple

Luminous Mysteries

1. The Baptism at the Jordan
2. The Miracle at Cana
3. The Proclamation of the Kingdom and the Call to Conversion
4. The Transfiguration
5. The Institution of the Eucharist

Sorrowful Mysteries

1. The Agony in the Garden
2. The Scourging at the Pillar
3. The Crowning with Thorns
4. The Carrying of the Cross
5. The Crucifixion and Death

Glorious Mysteries

1. The Resurrection
2. The Ascension
3. The Descent of the Holy Spirit at Pentecost
4. The Assumption of Mary
5. The Crowning of the Blessed Virgin as Queen of Heaven and Earth

Hail, Holy Queen

Hail, holy Queen, Mother of mercy:
Hail, our life, our sweetness
    and our hope.
To you do we cry, poor banished children
    of Eve.
To you do we send up our sighs,
mourning and weeping
    in this valley of tears.
Turn then, most gracious advocate,
your eyes of mercy toward us;
and after this our exile
show unto us the blessed fruit
    of your womb, Jesus.
O clement, O loving, O sweet Virgin Mary.

Memorare

Remember, O most gracious Virgin Mary, that never was it known that anyone who fled to your protection, implored your help, or sought your intercession was left unaided. Inspired by this confidence, I fly unto you, O Virgin of virgins, my mother; to you do I come, before you I stand, sinful and sorrowful. O Mother of the Word Incarnate, despise not my petitions, but in your mercy hear and answer me. Amen.

The Ten Commandments

1. I am the Lord your God: you shall not have strange gods before me.
2. You shall not take the name of the LORD your God in vain.
3. Remember to keep holy the LORD's Day.
4. Honor your father and your mother.
5. You shall not kill.
6. You shall not commit adultery.
7. You shall not steal.
8. You shall not bear false witness against your neighbor.
9. You shall not covet your neighbor's wife.
10. You shall not covet your neighbor's goods.

Las Bienaventuranzas

"Felices los que tienen el espíritu del pobre,
porque de ellos es el Reino de los Cielos.
Felices los que lloran,
porque recibirán consuelo.
Felices los pacientes,
porque recibirán la tierra en herencia.
Felices los que tienen hambre y sed de justicia,
porque serán saciados.
Felices los compasivos,
porque obtendrán misericordia.
Felices los de corazón limpio,
porque verán a Dios.
Felices los que trabajan por la paz,
porque serán reconocidos como hijos de Dios.
Felices los que son perseguidos por causa del bien,
porque de ellos es el Reino de los Cielos".

Mateo 5:3–12

El Gran Mandamiento

"Amarás al Señor tu Dios con todo tu corazón, con toda tu alma y con toda tu mente. Amarás a tu prójimo como a ti mismo."

Mateo 22:37, 39

Obras de Misericordia Corporales

Dar de comer al hambriento.
Dar de beber al sediento.
Vestir al desnudo.
Visitar a los presos.
Dar techo a quien no lo tiene.
Visitar a los enfermos.
Enterrar a los muertos.

Obras de Misericordia Espirituales

Corregir al que yerra.
Enseñar al que no sabe.
Dar buen consejo al que lo necesita.
Consolar al triste.
Sufrir con paciencia los defectos de los demás.
Perdonar las injurias.
Rogar a Dios por vivos y difuntos.

Dones del Espíritu Santo

Sabiduría
Entendimiento
Buen juicio (Consejo)
Valor (Fortaleza)
Ciencia
Reverencia (Piedad)
Admiración y veneración (Temor de Dios)

Frutos del Espíritu Santo

caridad	longanimidad	fidelidad
gozo	bondad	modestia
paz	benignidad	continencia
paciencia	mansedumbre	castidad

The Beatitudes

"Blessed are the poor in spirit,
    for theirs is the kingdom of heaven.
Blessed are they who mourn,
    for they will be comforted.
Blessed are the meek,
    for they will inherit the land.
Blessed are they who hunger
      and thirst for righteousness,
    for they will be satisfied.
Blessed are the merciful,
    for they will be shown mercy.
Blessed are the clean of heart,
    for they will see God.
Blessed are the peacemakers,
    for they will be called children of God.
Blessed are they who are persecuted for
      the sake of righteousness,
    for theirs is the kingdom of heaven.

"Blessed are you when they insult you and persecute you and utter every kind of evil against you [falsely] because of me. Rejoice and be glad, for your reward will be great in heaven." MATTHEW 5:3–12

The Great Commandment

"You shall love the Lord,
your God, with all your
heart, with all your soul,
and with all your mind. . . .
You shall love your neighbor as yourself."
MATTHEW 22:37, 39

Corporal Works of Mercy

Feed people who are hungry.
Give drink to people who are thirsty.
Clothe people who need clothes.
Visit prisoners.
Shelter people who are homeless.
Visit people who are sick.
Bury people who have died.

Spiritual Works of Mercy

Help people who sin.
Teach people who are ignorant.
Give advice to people who have doubts.
Comfort people who suffer.
Be patient with other people.
Forgive people who hurt you.
Pray for people who are alive and
      for those who have died.

Gifts of the Holy Spirit

Wisdom
Understanding
Right judgment (Counsel)
Courage (Fortitude)
Knowledge
Reverence (Piety)
Wonder and awe (Fear of the Lord)

Fruits of the Holy Spirit

charity	kindness	faithfulness
joy	goodness	modesty
peace	generosity	self-control
patience	gentleness	chastity

El Sacramento de la Penitencia y de la Reconciliación

Rito individual

Recepción del penitente

Lectura de la Palabra de Dios

Confesión de los pecados y aceptación de la penitencia

Oración del Penitente y absolución

Proclamación de alabanza a Dios y despedida

Rito comunitario

Ritos iniciales

Celebración de la Palabra de Dios

Rito de la Reconciliación

Rito de conclusión

Oración del Penitente

Dios mío,
me arrepiento de todo corazón
de todo lo malo que he hecho
y de todo lo bueno que he dejado de hacer,
porque pecando te he ofendido a ti,
que eres el sumo bien y digno de ser
amado sobre todas las cosas.
Propongo firmemente, con tu gracia,
cumplir la penitencia,
no volver a pecar
y evitar las ocasiones de pecado.
Perdóname, Señor,
por los méritos de la pasión
de nuestro Salvador Jesucristo.

Principios básicos de la enseñanza de la Iglesia sobre la justicia social

La enseñanza de la Iglesia sobre la justicia social nos guía a llevar una vida de santidad y a construir una sociedad justa. Estos principios son:

1. Toda vida humana es sagrada. La igualdad básica de todos los hombres se deriva de su dignidad como personas humanas y de los derechos que provienen de esa dignidad.
2. La persona humana es el principio, el objeto, y el sujeto de todos los grupos sociales.
3. Dios ha creado la persona humana para que pertenezca a una familia y a las demás comunidades sociales, y para que participe en ellas.
4. El respeto por los derechos de las personas se deriva de su dignidad como tales. La sociedad y todas las organizaciones sociales deben promover la virtud y proteger la vida humana y los derechos humanos, y deben garantizar las condiciones que fomentan el ejercicio de la libertad.
5. Las comunidades políticas y las autoridades públicas se basan en la naturaleza humana. Pertenecen a un orden que estableció Dios.
6. Toda autoridad humana debe ser usada para el bien común de la sociedad.
7. El bien común de la sociedad consiste en respetar y promover los derechos fundamentales de la persona humana, el desarrollo justo de los bienes materiales y espirituales de la sociedad, y la paz y la seguridad de todas las personas.
8. Es necesario que trabajemos para eliminar las desigualdades, que producto del pecado, existen entre las personas y por el mejoramiento de las condiciones en que viven. Las necesidades de los pobres y los vulnerables tienen prioridad.
9. Somos una única familia humana y mundial. Debemos compartir nuestras bendiciones espirituales, más aún que las materiales.

Basado en el Catecismo de la Iglesia Católica

The Sacrament of Penance and Reconciliation

Individual Rite

Reception of the Penitent

Reading of the Word of God

Confession of Sins and Acceptance
   of Satisfaction (Penance)

Prayer of the Penitent and Absolution

Proclamation of Praise of God
   and Dismissal

Communal Rite

Introductiory Rites

Celebration of the Word of God

Rite of Reconciliation

Concluding Rite

Act of Contrition

My God,
I am sorry for my sins
   with all my heart.
In choosing to do wrong
and failing to do good,
I have sinned against you
whom I should love above all things.
I firmly intend, with your help,
to do penance,
to sin no more,
and to avoid whatever leads me to sin.
Our Savior Jesus Christ
suffered and died for us.
In his name, my God, have mercy.

Basic Principles of the Church's Teaching on Social Justice

The Church's teaching on social justice guides us in living lives of holiness and building a just society. These principles are:

1. All human life is sacred. The basic equality of all people flows from their dignity as human persons and the rights that flow from that dignity.

2. The human person is the principle, the object, and the subject of every social group.

3. The human person has been created by God to belong to and to participate in a family and other social communities.

4. Respect for the rights of people flows from their dignity as persons. Society and all social organizations must promote virtue and protect human life and human rights and guarantee the conditions that promote the exercise of freedom.

5. Political communities and public authority are based on human nature. They belong to an order established by God.

6. All human authority must be used for the common good of society.

7. The common good of society consists of respect for and promotion of the fundamental rights of the human person; the just development of material and spiritual goods of society; and the peace and safety of all people.

8. We need to work to eliminate the sinful inequalities that exist between peoples and for the improvement of the living conditions of people. The needs of the poor and vulnerable have a priority.

9. We are one human and global family. We are to share our spiritual blessings, even more than our material blessings.

Based on the *Catechism of the Catholic Church*

Enseñanzas clave de la Iglesia Católica*

EL MISTERIO DE DIOS

REVELACIÓN DIVINA

¿Quién soy?

Todas las personas humanas han sido creadas por Dios para que vivan en amistad con Él tanto aquí en la Tierra como en el Cielo para siempre.

¿Cómo sabemos esto con respecto a nosotros mismos?

Lo sabemos porque todas las personas desean conocer y amar a Dios y desean que Dios las conozca y las ame. Lo sabemos también porque Dios nos habló acerca de nosotros y de Él.

¿Cómo nos lo dijo Dios?

En primer lugar, Dios nos lo dice por medio de su creación, que es la obra de Dios; la creación refleja la bondad y la belleza del Creador y nos habla acerca de Dios Creador. En segundo lugar, Dios vino a nosotros y nos lo dijo, o nos lo reveló, con respecto a sí mismo. Lo reveló más plenamente al enviar a su Hijo, Jesucristo, que se hizo uno de nosotros y vivió entre nosotros.

¿Qué es la fe?

La fe es un don sobrenatural que viene de Dios, que nos permite conocer a Dios y todo lo que Él ha revelado, y a responder a Dios con todo nuestro corazón y nuestra mente.

¿Qué es un misterio de fe?

La palabra misterio describe el hecho de que nunca podremos comprender o captar completamente a Dios ni su plan amoroso para nosotros. Sólo sabemos quién es Dios y cuál es su plan para nosotros por medio de la Revelación Divina.

¿Qué es la Revelación Divina?

La Revelación Divina es el don generoso de Dios de darse a conocer y entregarse a nosotros comunicando gradualmente con palabras y hechos su propio misterio y su plan divino para la humanidad. Dios se revela a sí mismo para que podamos vivir en comunión con Él y con los demás para siempre.

¿Qué es la Sagrada Tradición?

La palabra tradición proviene de un término del latín que significa "transmitir". La Sagrada Tradición es la transmisión de la Revelación Divina por la Iglesia, a través del poder y la guía del Espíritu Santo.

¿Qué es el depósito de la fe?

El depósito de la fe es la fuente de fe en la que nos basamos para transmitir la Revelación de Dios. El depósito de la fe es la unión de la Sagrada Escritura y la Sagrada Tradición, que la Iglesia transmite desde el tiempo de los Apóstoles.

¿Qué es el Magisterio?

El Magisterio es la autoridad de enseñar de la Iglesia. Con la guía del Espíritu Santo, la Iglesia tiene la responsabilidad de interpretar auténtica y exactamente la Palabra de Dios, tanto en la Sagrada Escritura como en la Sagrada Tradición. Lo hace para asegurar que su entendimiento de la Revelación sea fiel a la enseñanza de los Apóstoles.

¿Qué es un dogma de fe?

Un dogma de fe es una verdad que la Iglesia enseña tal como la reveló Dios y a la que estamos llamados a dar nuestra conformidad de mente y corazón en la fe.

SAGRADA ESCRITURA

¿Qué es la Sagrada Escritura?

Las palabras sagrada escritura vienen de dos términos del latín que significan "escritos santos". La Sagrada Escritura es la colección de todos los escritos que Dios inspiró a los autores para que escribieran en su nombre.

¿Qué es la Biblia?

La palabra biblia proviene de un término griego que significa "libro". La Biblia es la colección de los cuarenta y seis libros del Antiguo Testamento y los veintisiete libros del Nuevo Testamento identificados por la Iglesia como todos los escritos que Dios inspiró a los autores humanos para que escribieran en su nombre.

¿Qué es el canon de la Escritura?

La palabra canon proviene de un término griego que significa "varilla para medir", o estándar por el cual se juzga algo. El canon de la Sagrada Escritura es la lista de libros que la Iglesia ha identificado y enseña que son la Palabra de Dios inspirada.

¿Qué es la inspiración bíblica?

La inspiración bíblica es un término que describe al Espíritu Santo que guía a los autores humanos de la Sagrada Escritura para que comuniquen fiel y exactamente la Palabra de Dios.

¿Qué es el Antiguo Testamento?

El Antiguo Testamento es la primera parte principal de la Biblia. Son los cuarenta y seis libros que inspiró el Espíritu Santo, escritos antes del nacimiento de Jesús y centrados en la Alianza entre Dios y su pueblo, Israel, y la promesa del Mesías o Salvador. El Antiguo Testamento se divide en la Tora o Pentateuco, los libros históricos, la literatura de sabiduría y los escritos de los profetas.

 "Para una revisión más completa, ver el *Compendio del catechism de la Iglesia Católica*."

Key Teachings of the Catholic Church*

THE MYSTERY OF GOD

DIVINE REVELATION

Who am I?
Every human person has been created by God to live in friendship with him both here on Earth and forever in Heaven.

How do we know this about ourselves?
We know this because every human person desires to know and love God as well as desires that God know and love them. We also know this because God told us this about ourselves and about him.

How did God tell us?
First of all God tells us this through creation, which is the work of God; creation reflects the goodness and beauty of the Creator and tells us about God the Creator. Secondly, God came to us and told us, or revealed this about himself. He revealed this most fully by sending his Son, Jesus Christ, who became one of us and lived among us.

What is faith?
Faith is a supernatural gift from God that enables us to come to know God and all that he has revealed, and to respond to God with our whole heart and mind.

What is a mystery of faith?
The word *mystery* describes the fact that we can never fully comprehend or fully grasp God and his loving plan for us. We only know who God is and his plan for us through Divine Revelation.

What is Divine Revelation?
Divine Revelation is God's free gift of making himself known to us and giving himself to us by gradually communicating in deeds and words his own mystery and his divine plan for humanity. God reveals himself so that we can live in communion with him and with one another forever.

What is Sacred Tradition?
The word *tradition* comes from a Latin word meaning "to pass on." Sacred Tradition is the passing on of Divine Revelation by the Church through the power and guidance of the Holy Spirit.

What is the deposit of faith?
The deposit of faith is the source of faith that we draw from in order to pass on God's Revelation. The deposit of faith is the unity of Sacred Scripture and Sacred Tradition handed on by the Church from the time of the Apostles.

What is the Magisterium?
The Magisterium is the teaching authority and teaching office of the Church. Guided by the Holy Spirit, the Church has the responsibility to authentically and accurately interpret the Word of God, both in Sacred Scripture and in Sacred Tradition. She does this to assure that her understanding of Revelation is faithful to the teaching of the Apostles.

What is a dogma of faith?
A dogma of faith is a truth taught by the Church as revealed by God and to which we are called to give our assent of mind and heart.

SACRED SCRIPTURE

What is Sacred Scripture?
The words *sacred scripture* come from two Latin words meaning "holy writings." Sacred Scripture is the collection of all the writings God has inspired authors to write in his name.

What is the Bible?
The word *bible* comes from a Greek word meaning "book." The Bible is the collection of the forty-six books of the Old Testament and the twenty-seven books of the New Testament named by the Church as all the writings God has inspired human authors to write in his name.

What is the canon of Scripture?
The word *canon* comes from a Greek word meaning "measuring rod," or standard by which something is judged. The canon of Scripture is the list of books that the Catholic Church has identified and teaches to be the inspired Word of God.

What is biblical inspiration?
Biblical inspiration is a term that describes the Holy Spirit guiding the human writers of Sacred Scripture so that they faithfully and accurately communicate the Word of God.

What is the Old Testament?
The Old Testament is the first main part of the Bible. It is the forty-six books inspired by the Holy Spirit, written before the birth of Jesus and centered on the Covenant between God and his people, Israel, and the promise of the Messiah or Savior. The Old Testament is divided into the Torah/Pentateuch, historical books, wisdom literature, and writings of the prophets.

¿Qué es la Tora?

La Tora es la Ley de Dios, que fue revelada a Moisés. La Tora escrita se encuentra en los cinco primeros libros del Antiguo Testamento, llamados "Tora" o "Pentateuco".

¿Qué es el Pentateuco?

La palabra *pentateuco* significa "cinco recipientes". El Pentateuco son los cinco primeros libros del Antiguo Testamento, a saber, Génesis, Éxodo, Levítico, Números y Deuteronomio.

¿Qué es la Alianza?

La Alianza es el acuerdo solemne de fidelidad que hicieron Dios y su pueblo libremente. Se renovó y alcanzó su plenitud en Jesucristo, la Alianza nueva y eterna.

¿Qué son los libros históricos del Antiguo Testamento?

Los libros históricos nos hablan de la fidelidad y la infidelidad del pueblo de Dios a la Alianza y acerca de las consecuencias de esas elecciones.

¿Qué son los escritos de Sabiduría del Antiguo Testamento?

Los escritos de Sabiduría son los siete libros del Antiguo Testamento que contienen inspirados consejos prácticos y pautas de sentido común para vivir la Alianza y la Ley de Dios. Son el Libro de Job, el Libro de los Salmos, el Libro del Eclesiastés, el Libro de la Sabiduría, el Libro de los Proverbios, el Libro de Sirácida (Eclesiástico) y el Cantar de los Cantares.

¿Qué son los escritos de los profetas del Antiguo Testamento?

La palabra *profeta* proviene de un término griego que significa "los que hablan ante los demás". Los profetas bíblicos fueron aquellas personas que Dios había elegido para que hablaran en su nombre. Los escritos de los profetas son los dieciocho libros del Antiguo Testamento que contienen el mensaje de los profetas al pueblo de Dios. Le recuerdan al pueblo de Dios la fidelidad sin fin de Dios hacia ellos y la responsabilidad que ellos tienen de ser fieles a la Alianza.

¿Qué es el Nuevo Testamento?

El Nuevo Testamento es la segunda parte principal de la Biblia. Son los veintisiete libros inspirados por el Espíritu Santo y escritos en la época apostólica que se centran en Jesucristo y su obra salvadora entre nosotros. Las partes principales son los cuatro Evangelios, los Hechos de los Apóstoles, las veintiuna epístolas y el Libro del Apocalipsis.

¿Qué son los Evangelios?

La palabra *evangelio* proviene de un término griego que significa "buena nueva". El Evangelio es la Buena Nueva del plan amoroso de Dios de la Salvación, revelado en la Pasión, Muerte, Resurrección y Ascensión de Jesucristo.

Los Evangelios son las cuatro versiones escritas de Mateo, Marcos, Lucas y Juan. Los cuatro Evangelios ocupan un lugar fundamental en la Sagrada Escritura porque Jesucristo es su centro.

¿Qué es una epístola?

La palabra *epístola* proviene de un término griego que significa "mensaje o carta". Una epístola es un tipo de carta formal. Algunas de las cartas del Nuevo Testamento son epístolas.

¿Qué son las epístolas y cartas paulinas?

Las epístolas y cartas paulinas son las catorce cartas del Nuevo Testamento que se atribuyen tradicionalmente a San Pablo Apóstol.

¿Qué son las cartas católicas?

Las cartas católicas son las siete cartas del Nuevo Testamento que llevan los nombres de los Apóstoles Juan, Pedro, Judas y Santiago, y que se escribieron más bien para la Iglesia universal que para una comunidad en particular de la Iglesia.

LA SANTÍSIMA TRINIDAD

¿Quién es el Misterio de la Santísima Trinidad?

La Santísima Trinidad es el misterio de un Dios en Tres Personas Divinas: Dios Padre, Dios Hijo y Dios Espíritu Santo. Es el misterio fundamental de la fe cristiana.

¿Quién es Dios Padre?

Dios Padre es la Primera Persona de la Santísima Trinidad.

¿Quién es Dios Hijo?

Dios Hijo es Jesucristo, la Segunda Persona de la Santísima Trinidad. Es el único Hijo engendrado del Padre, que se hizo carne y se convirtió en uno de nosotros sin renunciar a su divinidad.

¿Quién es Dios Espíritu Santo?

Dios Espíritu Santo es la Tercera Persona de la Santísima Trinidad, que procede del Padre y del Hijo. Es el Intérprete, o Paráclito, que el Padre nos envió en nombre de Jesús, su Hijo.

¿Qué son las misiones divinas, u obras de Dios?

Toda la obra de Dios es común a las Tres Personas Divinas de la Santísima Trinidad. La obra de creación es la labor de la Santísima Trinidad, que se atribuye al Padre. Del mismo modo, la obra de Salvación se atribuye al Hijo y la obra de santificación se atribuye al Espíritu Santo.

OBRA DIVINA DE LA CREACIÓN

¿Qué es la obra divina de la Creación?

La Creación es la obra de Dios que dio origen a todo y a todos, visible e invisible, por amor y sin ninguna ayuda.

What is the Torah?
The Torah is the Law of God that was revealed to Moses. The written Torah is found in the first five books of the Old Testament, which are called the "Torah" and the "Pentateuch."

What is the Pentateuch?
The word *pentateuch* means "five containers." The Pentateuch is the first five books of the Old Testament, namely Genesis, Exodus, Leviticus, Numbers, and Deuteronomy.

What is the Covenant?
The Covenant is the solemn agreement of fidelity that God and the people of God freely entered into. It was renewed and fulfilled in Jesus Christ, the new and everlasting Covenant.

What are the historical books of the Old Testament?
The historical books tell about the fidelity and infidelity of God's people to the Covenant and about the consequences of those choices.

What are the Wisdom writings of the Old Testament?
The Wisdom writings are the seven books of the Old Testament that contain inspired practical advice and common-sense guidelines for living the Covenant and the Law of God. They are the Book of Job, Book of Psalms, Book of Ecclesiastes, Book of Wisdom, Book of Proverbs, Book of Sirach (Ecclesiasticus), and Song of Songs.

What are the writings of the prophets in the Old Testament?
The word *prophet* comes from a Greek word meaning "those who speak before others." The biblical prophets were those people God has chosen to speak in his name. The writings of the prophets are the eighteen books of the Old Testament that contain the message of the prophets to God's people. They remind God's people of God's unending fidelity to them and of their responsibility to be faithful to the Covenant.

What is the New Testament?
The New Testament is the second main part of the Bible. It is the twenty-seven books inspired by the Holy Spirit and written in apostolic times that center on Jesus Christ and his saving work among us. The main parts of the New Testament are the Gospels, the Acts of the Apostles, the twenty-one New Testament Epistles, or letters, and the Book of Revelation.

What are the Gospels?
The word *gospel* comes from a Greek word meaning "good news." The Gospel is the Good News of God's loving plan of Salvation, revealed in the Passion, Death, Resurrection, and Ascension of Jesus Christ. The Gospels are the four written accounts of Matthew, Mark, Luke, and John. The four Gospels occupy a central place in Sacred Scripture because Jesus Christ is their center.

What is an Epistle?
The word *epistle* comes from a Greek word meaning "message or letter." Epistles are a longer, more formal type of letter. Some of the letters in the New Testament are Epistles.

What are the Pauline Epistles and letters?
The Pauline Epistles and letters are the thirteen letters in the New Testament attributed to Saint Paul the Apostle.

What are the Catholic Letters?
The Catholic Letters are the seven New Testament letters that bear the names of the Apostles John, Peter, Jude, and James, and which were written to the universal Church rather than to a particular Church community.

THE HOLY TRINITY

Who is the Mystery of the Holy Trinity?
The Holy Trinity is the mystery of One God in Three Persons—God the Father, God the Son, God the Holy Spirit. It is the central mystery of the Christian faith.

Who is God the Father?
God the Father is the First Person of the Holy Trinity.

Who is God the Son?
God the Son is Jesus Christ, the Second Person of the Holy Trinity. He is the Only Begotten Son of the Father who took on flesh and became one of us without giving up his divinity.

Who is God the Holy Spirit?
God the Holy Spirit is the Third Person of the Holy Trinity, who proceeds from the Father and Son. He is the Advocate, or Paraclete, sent to us by the Father in the name of his Son, Jesus.

What are the divine missions, or the works of God?
The divine missions are the particular works of God attributed to each of the Three Persons of the Holy Trinity. The work of creation is attributed to the Father, the work of Salvation is attributed to the Son, and the work of sanctification, or our holiness, is attributed to the Holy Spirit.

DIVINE WORK OF CREATION

What is the divine work of creation?
Creation is the work of God bringing into existence everything and everyone, seen and unseen, out of love and without any help.

¿Quiénes son los ángeles?

Los ángeles son criaturas espirituales que no tienen un cuerpo como el de los humanos. Los ángeles glorifican a Dios sin cesar y, a veces, sirven a Dios llevando su mensaje a las personas.

¿Quién es la persona humana?

"La dignidad de la persona humana está enraizada en su creación a imagen y semejanza de Dios" (CIC 1700). (Ver Génesis 1:27.) La dignidad humana se alcanza en la vocación de una vida de felicidad con Dios.

¿Qué es el alma?

El alma es la parte espiritual de una persona. Es inmortal; nunca muere. El alma es el ser más interior, aquel que lleva la impronta de la imagen de Dios.

¿Qué es el intelecto?

El intelecto es un poder esencial del alma. Es el poder de conocer a Dios, a nosotros mismos y a los demás; es el poder para entender el orden de las cosas que Dios estableció.

¿Qué es el libre albedrío?

El libre albedrío es una cualidad esencial del alma. Es la habilidad y el poder que Dios da para reconocerlo como parte de nuestra vida y para elegir centrar nuestra vida a su alrededor, así como para elegir entre el bien y el mal. Por medio del libre albedrío, la persona humana es capaz de dirigirse hacia lo verdadero, bello y bueno, es decir, la vida en comunión con Dios.

¿Qué es el Pecado Original?

El Pecado Original es el pecado de Adán y Eva, por el cual eligieron el mal por sobre la obediencia a Dios. Al hacerlo, perdieron el estado de santidad original para ellos y para todos sus descendientes. Como resultado del Pecado Original, entraron en el mundo la muerte, el pecado y el sufrimiento.

JESUCRISTO, EL HIJO DE DIOS ENCARNADO

¿Qué es la Anunciación?

La Anunciación es el anuncio del ángel Gabriel a María de que Dios la había elegido para ser la madre de Jesús, el Hijo de Dios, por el poder del Espíritu Santo.

¿Qué es la Encarnación?

La palabra *encarnación* proviene de un término del latín que significa "hacerse carne". El término *Encarnación* es el hecho de que el Hijo de Dios, la Segunda Persona de la Santísima Trinidad, se hizo verdaderamente humano mientras seguía siendo verdaderamente Dios. Jesucristo es verdadero Dios y verdadero hombre.

¿Qué es el Misterio Pascual?

El Misterio Pascual son los acontecimientos salvadores de la Pasión, Muerte, Resurrección y gloriosa Ascensión de Jesucristo; el paso de Jesús de la muerte a una vida nueva y gloriosa; el nombre que damos al plan de Dios de Salvación en Jesucristo.

¿Qué es la Salvación?

La palabra *salvación* proviene de un término del latín que significa "salvar". La Salvación es redimir o librar a la humanidad del poder del pecado y de la muerte a través de Jesucristo "[quien] murió por nuestros pecados, como dicen las escrituras" (ver 1.ª Corintios 15:3). Toda Salvación viene de Cristo, la Cabeza, a través de la Iglesia, la cual es su Cuerpo.

¿Qué es la Resurrección?

La Resurrección es el hecho histórico del paso de Jesús de la muerte a una nueva y gloriosa vida, después de su muerte en la Cruz y su sepultura en el sepulcro.

¿Qué es la Ascensión?

La Ascensión es el regreso del Cristo Resucitado en gloria a su Padre, al mundo de lo divino.

¿Qué significa la Segunda Venida de Cristo?

El advenimiento de Cristo es su regreso en gloria al final de los tiempos para juzgar a los vivos y a los muertos; el cumplimiento del plan de Dios en Cristo.

¿Qué significa que Jesús es el Señor?

La palabra *señor* significa "amo, soberano, una persona de autoridad" y se usa en el Antiguo Testamento para nombrar a Dios. La designación, o título, "Jesús, el Señor", expresa que Jesús es verdaderamente Dios.

¿Qué significa que Jesús es el Mesías?

La palabra *mesías* es un término hebreo que significa "ungido". Jesucristo es el Ungido, el Mesías, el que Dios prometió enviar para salvar a las personas. Jesús es el Salvador del mundo.

EL MISTERIO DE LA IGLESIA

¿Qué es la Iglesia?

La palabra *iglesia* significa "asamblea", los llamados a reunirse. La Iglesia es el Sacramento de la Salvación: el signo y el instrumento de nuestra reconciliación y comunión con Dios Santísima Trinidad y con los demás. La Iglesia es el Cuerpo de Cristo, el pueblo que Dios Padre ha llamado a reunirse en Jesucristo por medio del poder del Espíritu Santo.

¿Cuál es la obra principal de la Iglesia?

La obra principal de la Iglesia es proclamar el Evangelio, o Buena Nueva, de Jesucristo e invitar a todas las personas a conocerlo y a creer en Él, y a vivir en comunión con Él. Llamamos a esta obra de la Iglesia "evangelización", palabra que proviene de un término griego que significa "dar buenas noticias".

¿Qué es el Cuerpo de Cristo?

El Cuerpo de Cristo es una imagen de la Iglesia, que usó el Apóstol San Pablo, que enseña que todos los miembros de la Iglesia son uno en Cristo, que es la Cabeza de la Iglesia, y que todos los miembros tienen una misión única y vital en la Iglesia.

Who are angels?

Angels are spiritual creatures who do not have bodies as humans do. Angels give glory to God without ceasing and sometimes serve God by bringing his message to people.

Who is the human person?

"The dignity of the human person is in their creation in the image and likeness of God" (see Genesis 1:27). This dignity is fulfilled in the vocation to a life of happiness with God.

What is the soul?

Our soul is the spiritual part of who we are. It is immortal; it never dies. Our soul is our innermost being, that which bears the imprint of the image of God.

What is the intellect?

Our intellect is an essential power of our soul. It is the power to know God, ourselves, and others; it is the power to understand the order of things established by God.

What is free will?

Free will is an essential quality of the soul. It is the God-given ability and power to recognize him as part of our lives and to choose to center our lives around him as well as to choose between good and evil. By free will, the human person is capable of directing himself toward his true good, namely, life in communion with God.

What is Original Sin?

Original Sin is the sin of Adam and Eve by which they choose evil over obedience to God and by doing so lost the state of original holiness for themselves for all their descendants. As a result of Original Sin, death, sin, and suffering entered the world.

JESUS CHRIST, THE INCARNATE SON OF GOD

What is the Annunciation?

The Annunciation is the announcement by the angel Gabriel to Mary that she was chosen by God to become the Mother of Jesus, the Son of God, by the power of the Holy Spirit.

What is the Incarnation?

The word *incarnation* comes from a Latin word meaning "take on flesh." The term Incarnation is the fact that the Son of God, the Second Person of the Holy Trinity, truly became human while remaining truly God. Jesus Christ is true God and true man.

What is the Paschal Mystery?

The Paschal Mystery is the saving events of the Passion, Death, Resurrection, and glorious Ascension of Jesus Christ; the passing over of Jesus from death into a new and glorious life; the name we give to God's plan of Salvation in Jesus Christ.

What is Salvation?

The word *salvation* comes from a Latin word meaning "to save." Salvation is the saving, or deliverance, of humanity from the power of sin and death through Jesus Christ "[who] died for our sins in accordance with the scriptures" (1 Corinthians 15:3). All Salvation comes from Christ the Head through the Church, which is his Body.

What is the Resurrection?

The Resurrection is the historical fact of Jesus being raised from the dead to a new glorified life after his death on the Cross and burial in the tomb.

What is the Ascension

The Ascension is the return of the Risen Christ in glory to his Father, to the world of the divine.

What is the Second Coming of Christ?

The Second Coming of Christ is the return of Christ in glory at the end of time to judge the living and the dead; the fulfillment of God's plan in Christ.

What does it mean that Jesus is Lord?

The word *lord* means "master, ruler, a person of authority" and is used in the Old Testament to name God. The designation, or title, "Jesus, the Lord" expresses that Jesus is truly God.

What does it mean that Jesus is the Messiah?

The word *messiah* is a Hebrew term meaning "anointed one." Jesus Christ is the Anointed One, the Messiah, who God promised to send to save people. Jesus is the Savior of the world.

THE MYSTERY OF THE CHURCH

What is the Church?

The word *church* means "convocation, those called together." The Church is the sacrament of Salvation—the sign and instrument of our reconciliation and communion with God the Holy Trinity and with one another. The Church is the Body of Christ, the people God the Father has called together in Jesus Christ through the power of the Holy Spirit.

What is the central work of the Church?

The central work of the Church is to proclaim the Gospel, or Good News, of Jesus Christ and to invite all people to come to know and believe in him and to live in communion with him. We call this work of the Church "evangelization," a word that comes from a Greek word that means "to tell good news."

What is the Body of Christ?

The Body of Christ is an image for the Church used by Saint Paul the Apostle that teaches that all the members of the Church are one in Christ, who is the Head of the Church, and that all members have a unique and vital work in the Church.

¿Quiénes son el Pueblo de Dios?

El Pueblo de Dios son aquellos a los que el Padre ha elegido y reunido en Cristo, el Hijo de Dios Encarnado, la Iglesia. Todas las personas están invitadas a pertenecer al Pueblo de Dios y a vivir como una familia de Dios.

¿Qué es el Templo del Espíritu Santo?

El Templo del Espíritu Santo es una imagen del Nuevo Testamento, que se usa para describir que el Espíritu Santo mora en la Iglesia y dentro del corazón de los fieles.

¿Qué es la Comunión de los Santos?

La comunión de los santos es la comunión de las cosas sagradas y de las personas santas, que forman parte de la Iglesia. Es la comunión, o unidad, de todos los fieles, los que viven en la Tierra, los que se están purificando después de la muerte y los que disfrutan de la vida duradera y la felicidad eterna con Dios, los ángeles, María y todos los Santos.

¿Cuáles son los Atributos de la Iglesia?

Los Atributos de la Iglesia son cuatro signos y características esenciales de la Iglesia y su misión, a saber: una, santa, católica y apostólica.

¿Quiénes son los Apóstoles?

La palabra *apóstol* proviene de un término griego que significa "enviar". Los Apóstoles fueron aquellos doce hombres que Jesús eligió y envió a predicar el Evangelio y a hacer discípulos de todos los pueblos.

¿Quiénes son los "Doce"?

Los "Doce" es el término que identifica a los Apóstoles que eligió Jesús antes de su Muerte y Resurrección. "Estos son los nombres de los doce apóstoles: primero Simón, llamado Pedro, y su hermano Andrés; Santiago, hijo de Zebedeo, y su hermano Juan; Felipe y Bartolomé; Tomás y Mateo, el recaudador de impuestos; Santiago, el hijo de Alfeo, y Tadeo; Simón, el cananeo y Judas Iscariote, el que lo traicionaría" (Mateo 10:2–4). Los Apóstoles Matías y Pablo fueron elegidos después de la Ascensión de Jesús.

¿Qué es Pentecostés?

Pentecostés es la venida del Espíritu Santo sobre la Iglesia tal como lo prometió Jesús; marca el comienzo de la obra de la Iglesia.

¿Quiénes son los ministros ordenados de la Iglesia?

Los ministros ordenados de la Iglesia son aquellos hombres bautizados que están consagrados en el Sacramento del Orden Sagrado para servir a toda la Iglesia. Los ministros ordenados de la Iglesia son los obispos, los sacerdotes y los diáconos, que forman el clero.

¿Cómo guían el Papa y los otros obispos a la Iglesia en su obra?

Cristo, la Cabeza de la Iglesia, gobierna la Iglesia a través del Papa y el colegio episcopal que está en comunión con él. El Papa es el obispo de Roma y el sucesor del Apóstol San Pedro.

El Papa, Vicario de Cristo, es la base visible de la unidad de toda la Iglesia. Los demás obispos son los sucesores de los otros Apóstoles y son la base visible de sus propias Iglesias particulares. El Espíritu Santo guía al Papa y al colegio episcopal que trabaja con el Papa, para enseñar la fe y la doctrina moral sin errores. Esta gracia del Espíritu Santo se llama *infalibilidad*.

¿Qué es la vida consagrada?

La vida consagrada es un estado de vida para aquellos bautizados que prometen o hacen votos de vivir el Evangelio mediante la profesión de los consejos evangélicos de la pobreza, la castidad y la obediencia, en una manera de vivir que aprueba la Iglesia. La vida consagrada se conoce también como "vida religiosa".

¿Quiénes son los laicos?

Los laicos son todos los bautizados que no han recibido el Sacramento del Orden Sagrado ni han prometido o hecho votos de vivir la vida consagrada. Están llamados a ser testigos de Cristo en el núcleo mismo de la comunidad humana.

LA SANTÍSIMA VIRGEN MARÍA

¿Cuál es la función de María en el plan amoroso de Dios para la humanidad?

María tiene una función única en el plan de Dios de Salvación para la humanidad. Por esta razón, está llena de gracia desde el primer momento de su concepción, o existencia. Dios eligió a María para que fuera la madre del Hijo de Dios Encarnado, Jesucristo, que es verdadero Dios y verdadero hombre. María es la Madre de Dios, la Madre de Cristo y la Madre de la Iglesia. Es la Santa más importante de la Iglesia.

¿Qué es la Inmaculada Concepción?

La Inmaculada Concepción es la gracia única dada a María, que la preservó totalmente de la mancha de todo pecado desde el mismísimo primer momento de su existencia, o concepción, en el vientre de su madre y a lo largo de su vida.

¿Qué es la virginidad perpetua de María?

La *virginidad perpetua de María* es un término que describe el hecho de que María permaneció siempre virgen. Era virgen antes de la concepción de Jesús, durante su nacimiento, y siguió siendo virgen después del nacimiento de Jesús durante toda su vida.

¿Qué es la Asunción de María?

Al final de su vida en la Tierra, la Santísima Virgen María fue llevada en cuerpo y alma al Cielo, donde participa de la gloria de la Resurrección de su Hijo. María, Madre de la Iglesia, oye nuestras oraciones e intercede por nosotros ante su Hijo. Ella es una imagen de la gloria celestial de la que todos nosotros deseamos participar cuando Cristo, su Hijo, vuelva otra vez en gloria.

Who are the People of God?

The new People of God are those the Father has chosen and gathered in Christ, the Incarnate Son of God, the Church. All people are invited to belong to the People of God and to live as one family of God.

What is the Temple of the Holy Spirit?

The Temple of the Holy Spirit is a New Testament image used to describe the indwelling of the Holy Spirit in the Church and within the hearts of the faithful.

What is the Communion of Saints?

The Communion of Saints is the communion of holy things and holy people that make up the Church. It is the communion, or unity, of all the faithful, those living on Earth, those being purified after death, and those enjoying life everlasting and eternal happiness with God, the angels, and Mary and all the Saints.

What are the Marks of the Church?

The Marks of the Church are the four attributes and essential characteristics of the Church and her mission, namely, one, holy, catholic, and apostolic.

Who are the Apostles?

The word *apostle* comes from a Greek word meaning "to send away." The Apostles were those disciples chosen and sent by Jesus to preach the Gospel and to make disciples of all people.

Who are the Twelve?

The Twelve is the term that identifies the Apostles chosen by Jesus before his Death and Resurrection. "The names of the twelve Apostles are these: first, Simon called Peter, and his brother Andrew; James, the son of Zebedee, and his brother John; Philip and Bartholomew, Thomas and Matthew the tax collector; James the son of Alphaeus, and Thaddaeus; Simon the Cananean, and Judas Iscariot who betrayed him" (Matthew 10:2–4). The Apostles Matthias and Paul were chosen after Jesus' Ascension.

What is Pentecost?

Pentecost is the coming of the Holy Spirit upon the Church as promised by Jesus; it marks the beginning of the work of the Church.

Who are the ordained ministers of the Church?

The ordained ministers of the Church are those baptized men who are consecrated in the Sacrament of Holy Orders to serve the whole Church. Bishops, priests, and deacons are the ordained ministers of the Church and make up the clergy.

How do the Pope and other bishops guide the Church in her work?

Christ, the Head of the Church, governs the Church through the Pope and the college of bishops in communion with him. The Pope is the bishop of Rome and the successor of Saint Peter the Apostle. The Pope, the Vicar of Christ, is the visible foundation of the unity of the whole Church. The other bishops are the successors of the other Apostles and are the visible foundation of their own particular Churches. The Holy Spirit guides the Pope alone, and the college of bishops working together with the Pope, to teach the faith and moral doctrine without error. This grace of the Holy Spirit is called *infallibility*.

What is the consecrated life?

The consecrated life is a state of life for those baptized who promise or vow to live the Gospel by means of professing the evangelical counsels of poverty, chastity, and obedience, in a way of life approved by the Church. The consecrated life is also known as the religious life.

Who are the laity?

The laity (or laypeople) are all the baptized who have not received the Sacrament of Holy Orders nor have promised or vowed to live the consecrated life. They are called to be witnesses to Christ at the very heart of the human community.

THE BLESSED VIRGIN MARY

What is Mary's role in God's loving plan for humanity?

Mary has a unique role in God's plan of Salvation for humanity. For this reason she was full of grace from the first moment of her conception, or existence. God chose Mary to be the Mother of the Incarnate Son of God, Jesus Christ, who is truly God and truly man. Mary is the Mother of God, the Mother of Christ, and the Mother of the Church. She is the greatest Saint of the Church.

What is the Immaculate Conception?

The Immaculate Conception is the unique grace given to Mary that totally preserved her from the stain of all sin from the very first moment of her existence, or conception, in her mother's womb and throughout her life.

What is the perpetual virginity of Mary?

The perpetual virginity of Mary is a term that described the fact that Mary was always a virgin. She was virgin before the conception of Jesus, during his birth, and remained a virgin after the birth of Jesus her whole life.

What is the Assumption of Mary?

At the end of her life on Earth, the Blessed Virgin Mary was taken body and soul into Heaven, where she shares in the glory of her Son's Resurrection. Mary, the Mother of the Church, hears our prayers and intercedes for us with her Son. She is an image of the heavenly glory in which we all hope to share when Christ, her Son, comes again in glory.

VIDA ETERNA

¿Qué es la vida eterna?

La vida eterna es la vida después de la muerte. En la muerte, el alma se separa del cuerpo. En el Credo de los Apóstoles, profesamos la fe en "la vida eterna". En el Credo de Nicea, profesamos la fe en "la vida del mundo futuro".

¿Qué es el juicio particular?

El juicio particular es la misión dada a nuestra alma en el momento de la muerte hasta nuestro destino final, según lo que hayamos hecho en nuestra vida.

¿Qué es el Juicio Final?

El Juicio Final es el juicio en el que todos los humanos aparecerán en su propio cuerpo y darán cuenta de sus actos. En el Juicio final, Cristo mostrará su identidad con el más humilde de sus hermanos y hermanas.

¿Qué es la visión beatífica?

La visión beatífica es ver a Dios "cara a cara" en la gloria celestial.

¿Qué es el Cielo?

El Cielo es la vida eterna y la comunión con la Santísima Trinidad. Es el estado supremo de la felicidad; de vivir con Dios para siempre, para lo cuál Él nos ha creado.

¿Qué es el Reino de Dios?

El Reino de Dios, o Reino de los Cielos, es la imagen que usó Jesús para describir a todas las personas y la creación viviendo en comunión con Dios. El Reino de Dios se realizará plenamente cuando Cristo venga otra vez en gloria al final de los tiempos.

¿Qué es el Purgatorio?

El Purgatorio es la oportunidad después de la muerte de purificar y fortalecer nuestro amor por Dios antes de entrar en el Cielo.

¿Qué es el infierno?

El infierno es la separación inmediata y eterna de Dios y de los Santos.

CELEBRACIÓN DE LA VIDA Y EL MISTERIO CRISTIANOS

LA LITURGIA Y EL CULTO

¿Qué es el culto?

El culto es la adoración y el honor que dirigimos a Dios. La Iglesia adora a Dios públicamente en la celebración de la liturgia. La liturgia es el culto de Dios de la Iglesia. Es la obra de toda la Iglesia.

¿Qué es la liturgia de la Iglesia?

La liturgia de la Iglesia es dar culto a Dios. Es la obra del Cristo entero, Cabeza y Cuerpo. En la liturgia, el misterio de la Salvación en Cristo se hace presente por medio del poder del Espíritu Santo.

¿Qué es el año litúrgico?

El año litúrgico es el ciclo de tiempos y fiestas importantes que forman el año eclesiástico de culto. Los principales tiempos y días del año litúrgico son el Adviento, la Navidad, la Cuaresma, el Triduo Pascual, la Pascua y el Tiempo Ordinario.

LOS SACRAMENTOS

¿Qué son los Sacramentos?

Los Sacramentos son siete signos del amor de Dios y las principales acciones litúrgicas de la Iglesia, a través de los cuales los fieles se hacen partícipes del Misterio Pascual de Cristo. Los Sacramentos son signos efectivos de gracia, instituidos por Cristo y confiados a la Iglesia, mediante los cuales la vida divina se comparte con nosotros.

¿Cuáles son los Sacramentos de la Iniciación Cristiana?

Los Sacramentos de la Iniciación Cristiana son el Bautismo, la Confirmación y la Eucaristía. Estos tres Sacramentos son el fundamento de toda vida cristiana. "El Bautismo es el comienzo de la vida nueva en Cristo; la Confirmación es su fortalecimiento; la Eucaristía alimenta a los fieles para su transformación en Cristo."

¿Qué es el Sacramento del Bautismo?

Por medio del Bautismo, nacemos a una nueva vida en Cristo. Nos unimos a Jesucristo, nos volvemos miembros de la Iglesia y volvemos a nacer como hijos de Dios. Recibimos el don del Espíritu Santo y se nos perdonan el Pecado Original y nuestros pecados personales. El Bautismo nos marca de manera indeleble y para siempre al pertenecer a Cristo. Debido a esto, el Bautismo se puede recibir solo una vez.

¿Qué es el Sacramento de la Confirmación?

La Confirmación fortalece las gracias del Bautismo y celebra el don especial del Espíritu Santo. La Confirmación también imprime un carácter espiritual o indeleble en el alma y se puede recibir solo una vez.

¿Qué es el Sacramento de la Eucaristía?

La Eucaristía es la fuente y la cima de la vida cristiana. En la Eucaristía, los fieles se unen a Cristo para agradecer, honrar y glorificar al Padre a través del poder del Espíritu Santo. A través del poder del Espíritu Santo y de las palabras del sacerdote, el pan y el vino se convierten en el Cuerpo y la Sangre de Cristo.

LIFE EVERLASTING

What is eternal life?
Eternal life is life after death. At death the soul is separated from the body. In the Apostles' Creed we profess faith in "life everlasting." In the Nicene Creed we profess faith in "the life of the world to come."

What is the particular judgment?
The particular judgment is the assignment given to our souls at the moment of our death to our final destiny based on what we have done in our lives.

What is the Last Judgment?
The Last Judgment is the judgment at which all the humans will appear in their own bodies and give an account of their deeds. At the Last Judgment Christ will show his identity with the least of his brothers and sisters.

What is the beatific vision?
The beatific vision is seeing God face-to-face in heavenly glory.

What is Heaven?
Heaven is eternal life and communion with the Holy Trinity. It is the supreme state of happiness of living with God forever for which he created us.

What is the Kingdom of God?
The Kingdom of God, or Kingdom of Heaven, is the image used by Jesus to describe all people and creation living in communion with God. The Kingdom of God will be fully realized when Christ comes again in glory at the end of time.

What is Purgatory?
Purgatory is the opportunity after death to purify and strengthen our love for God before we enter Heaven.

What is hell?
Hell is the immediate and everlasting separation from God and the Saints.

CELEBRATION OF THE CHRISTIAN LIFE AND MYSTERY

LITURGY AND WORSHIP

What is worship?
Worship is the adoration and honor given to God. The Church worships God publicly in the celebration of the liturgy.

What is the liturgy of the Church?
The liturgy is the Church's worship of God. It is the work of the whole Christ, Head and Body. In the liturgy the mystery of Salvation in Christ is made present by the power of the Holy Spirit.

What is the liturgical year?
The liturgical year is the cycle of seasons and great feasts that make up the Church year of worship. The main seasons of the Church year are Advent, Christmas, Lent, Triduum, Easter, and Ordinary Time.

THE SACRAMENTS

What are the Sacraments?
The Sacraments are seven signs of God's love and the main liturgical actions of the Church through which the faithful are made sharers in the Paschal Mystery of Christ. The Sacraments are effective signs of grace, instituted by Christ and entrusted to the Church, by which divine life is shared with us.

What are the Sacraments of Christian Initiation?
The Sacraments of Christian Initiation are Baptism, Confirmation, and Eucharist. These three Sacraments are the foundation of every Christian life. "Baptism is the beginning of new life in Christ; Confirmation is its strengthening; the Eucharist nourishes the faithful for their transformation into Christ."

What is the Sacrament of Baptism?
Through Baptism we are reborn into new life in Christ. We are joined to Jesus Christ, become members of the Church, and are reborn as God's children. We receive the gift of the Holy Spirit, and Original Sin and our personal sins are forgiven. Baptism marks us indelibly and forever as belonging to Christ. Because of this, Baptism can be received only once.

What is the Sacrament of Confirmation?
Confirmation strengthens the graces of Baptism and celebrates the special gift of the Holy Spirit. Confirmation also imprints a spiritual or indelible character on the soul and can be received only once.

What is the Sacrament of the Eucharist?
The Eucharist is the source and summit of the Christian life. In the Eucharist the faithful join with Christ to give thanksgiving, honor, and glory to the Father through the power of the Holy Spirit. Through the power of the Holy Spirit and the words of the priest, the bread and wine become the Body and Blood of Christ.

¿Cuál es la obligación de los fieles de participar en la Eucaristía?

Los fieles tienen la obligación de participar en la Eucaristía los domingos y los días de precepto. El domingo es el Día del Señor. El domingo, el día de la Resurrección del Señor, es "el fundamento y núcleo de todo el año litúrgico" (SC 106). Para la vida cristiana, es vital participar regularmente en la Eucaristía y recibir la Sagrada Comunión. En la Eucaristía recibimos el Cuerpo y la Sangre de Cristo.

¿Qué es el Santísimo Sacramento?

El Santísimo Sacramento es otro nombre para la Eucaristía. El término se usa con frecuencia para identificar a la Eucaristía guardada en el sagrario.

¿Qué es la Misa?

La Misa es la principal celebración de la Iglesia, en la cual nos reunimos para escuchar la Palabra de Dios (Liturgia de la Palabra) y a través de la cual se nos hace partícipes de la Muerte y la Resurrección salvadoras de Cristo, y alabamos y glorificamos al Padre (Liturgia Eucarística).

¿Cuáles son los Sacramentos de Curación?

Los dos Sacramentos de Curación son: de la Penitencia y de la Reconciliación, y de la Unción de los Enfermos. A través del poder del Espíritu Santo, se continúa la obra de Salvación de Cristo Médico y la curación de los miembros de la Iglesia.

¿Qué es el Sacramento de la Penitencia y de la Reconciliación?

El Sacramento de la Penitencia y de la Reconciliación es uno de los dos Sacramentos de Curación por el cual recibimos el perdón de Dios por los pecados que hemos cometido después del Bautismo.

¿Qué es la confesión?

La confesión es contarle nuestros pecados a un sacerdote en el Sacramento de la Penitencia y de la Reconciliación. Este acto del penitente es un elemento esencial del Sacramento de la Penitencia y de la Reconciliación. Confesión es también otro nombre para el Sacramento de la Penitencia y la Reconciliación.

¿Qué es el sello de confesión?

El sello de confesión es la obligación del sacerdote de no revelar nunca a nadie lo que el penitente le ha confesado.

¿Qué es la contrición?

La contrición es el arrepentimiento por los pecados, que incluye el deseo y el compromiso de reparar el daño que causó nuestro pecado y el propósito de enmienda de no volver a pecar. La contrición es un elemento esencial del Sacramento de la Penitencia y de la Reconciliación.

¿Qué es una penitencia?

Una penitencia es una oración o acto de bondad que muestra que estamos verdaderamente arrepentidos por nuestros pecados y que nos ayuda a reparar el daño que causó nuestro pecado. Aceptar nuestra penitencia es una parte fundamental del Sacramento de la Penitencia y de la Reconciliación.

¿Qué es la absolución?

La absolución es el perdón de los pecados por Dios a través del ministerio del sacerdote.

¿Qué es el Sacramento de la Unción de los Enfermos?

El Sacramento de la Unción de los Enfermos es uno de los dos Sacramentos de Curación. La gracia de este Sacramento fortalece la fe y la confianza en Dios de quienes están gravemente enfermos, debilitados por su edad avanzada o moribundos.

Los fieles pueden recibir este Sacramento cada vez que estén gravemente enfermos o si su enfermedad empeora.

¿Qué es el Viático?

El Viático es la Eucaristía, o Sagrada Comunión, que se recibe como alimento y fortaleza de un moribundo para el viaje desde la vida en la Tierra, a través de la muerte, hasta la vida eterna.

¿Cuáles son los Sacramentos al Servicio de la Comunidad?

Los dos Sacramentos al Servicio de la Comunidad son el Orden Sagrado y el Matrimonio. Estos Sacramentos confieren una obra particular, o misión, a ciertos miembros de la Iglesia para el servicio de edificar el Pueblo de Dios.

¿Qué es el Sacramento del Orden Sagrado?

El Sacramento del Orden Sagrado es uno de los dos Sacramentos al Servicio de la Comunidad. Es el Sacramento por el cual los hombres bautizados se consagran como obispos, sacerdotes o diáconos para servir a toda la Iglesia en el nombre y la persona de Cristo.

¿Quién es un obispo?

Un obispo es un sacerdote que recibe la plenitud del Sacramento del Orden Sagrado. Es un sucesor de los Apóstoles y guía una iglesia particular, que se le confía, por medio de la enseñanza, dirigiendo el culto divino y gobernando la Iglesia como lo hizo Jesús.

¿Quién es un sacerdote?

Un sacerdote es un hombre bautizado que ha recibido el Sacramento del Orden Sagrado. Los sacerdotes son colaboradores de sus obispos, que tienen el ministerio de "enseñar auténticamente la fe, de celebrar el culto divino, sobre todo la Eucaristía, y de dirigir su Iglesia como verdaderos pastores" (CIC 939).

¿Quién es un diácono?

Un diácono se ordena para ayudar a los obispos y los sacerdotes. No está ordenado para el sacerdocio sino para un ministerio de servicio a la Iglesia.

¿Qué es el Sacramento del Matrimonio?

El Sacramento del Matrimonio es uno de los dos Sacramentos al Servicio de la Comunidad. En el Sacramento del Matrimonio, un hombre bautizado y una mujer bautizada dedican su vida a la Iglesia y mutuamente en un vínculo de amor fiel y procreador para toda la vida. En este Sacramento, reciben la gracia para ser un signo viviente del amor de Cristo por la Iglesia.

What is the obligation of the faithful to participate in the Eucharist?

The faithful have the obligation to participate in the Eucharist on Sundays and holy days of obligation. Sunday is the Lord's Day. Sunday, the day of the Lord's Resurrection, is "the foundation and kernel of the whole liturgical year" (SC 106). Regular participation in the Eucharist and receiving Holy Communion is vital to the Christian life. In the Eucharist we receive the Body and Blood of Christ.

What is the Blessed Sacrament?

The Blessed Sacrament is another name for the Eucharist. The term is often used to identify the Eucharist reserved in the tabernacle.

What is the Mass?

The Mass is the main celebration of the Church at which we gather to listen to the Word of God (Liturgy of the Word) and through which we are made sharers in the saving Death and Resurrection of Christ and give praise and glory to the Father (Liturgy of the Eucharist).

What are the Sacraments of Healing?

Penance and Reconciliation and Anointing of the Sick are the two Sacraments of Healing. Through the power of the Holy Spirit, Christ the Physician's work of Salvation and healing of the members of the Church is continued.

What is the Sacrament of Penance and Reconciliation?

The Sacrament of Penance and Reconciliation is one of the two Sacraments of Healing through which we receive God's forgiveness for the sins we have committed after Baptism.

What is confession?

Confession is the telling of sins to a priest in the Sacrament of Penance and Reconciliation. This act of the penitent is an essential element of the Sacrament of Penance and Reconciliation. Confession is also another name for the Sacrament of Penance and Reconciliation.

What is the seal of confession?

The seal of confession is the obligation of the priest to never reveal to anyone what a penitent has confessed to him.

What is contrition?

Contrition is sorrow for sins that includes the desire and commitment to make reparation for the harm caused by our sin and the purpose of amendment not to sin again. Contrition is an essential element of the Sacrament of Penance.

What is a penance?

A penance is a prayer or act of kindness that shows we are truly sorry for our sins and that helps us repair the damage caused by our sin. Accepting and doing our penance is an essential part of the Sacrament of Penance and Reconciliation.

What is absolution?

Absolution is the forgiveness of sins by God through the ministry of the priest.

What is the Sacrament of the Anointing of the Sick?

The Sacrament of the Anointing of the Sick is one of the two Sacraments of Healing. The grace of this Sacrament strengthens our faith and trust in God when we are seriously ill, weakened by old age, or dying. The faithful may receive this Sacrament each time they are seriously ill or an illness gets worse.

What is Viaticum?

Viaticum is the Eucharist, or Holy Communion, received as food and strength for a dying person's journey from life on Earth through death to eternal life.

What are the Sacraments at the Service of Communion?

Holy Orders and Matrimony are the two Sacraments at the Service of Communion. These Sacraments bestow a particular work, or mission, on certain members of the Church to serve to build up the People of God.

What is the Sacrament of Holy Orders?

The Sacrament of Holy Orders is one of the two Sacraments at the Service of Communion. It is the Sacrament in which baptized men are consecrated as bishops, priests, or deacons to serve the whole Church in the name and person of Christ.

Who is a bishop?

A bishop is a priest who receives the fullness of the Sacrament of Holy Orders. He is a successor of the Apostles and shepherds a particular church entrusted to him by means of teaching, leading divine worship, and governing the Church as Jesus did.

Who is a priest?

A priest is a baptized man who has received the Sacrament of Holy Orders. Priests are coworkers with their bishops, who have the ministry of "authentically teaching the faith, celebrating divine worship, above all the Eucharist, and guiding their Churches as true pastors" (CCC 939).

Who is a deacon?

A deacon is ordained to assist bishops and priests. He is not ordained to the priesthood but to a ministry of service to the Church.

What is the Sacrament of Matrimony?

The Sacrament of Matrimony is one of the two Sacraments at the Service of Communion. In the Sacrament of Matrimony a baptized man and a baptized woman dedicate their lives to the Church and to one another in a lifelong bond of faithful life-giving love. In this Sacrament they receive the grace to be a living sign of Christ's love for the Church.

¿Qué son los sacramentales de la Iglesia?

Los sacramentales son signos sagrados instituidos por la Iglesia. Incluyen bendiciones, oraciones y ciertos objetos que nos preparan para participar de los Sacramentos y nos hacen conscientes y nos ayudan a responder a la presencia amorosa de Dios en nuestra vida.

VIDA EN EL ESPÍRITU SANTO

LA VIDA MORAL

¿Por qué se creó a la persona humana?

La persona humana se creó para honrar y glorificar a Dios y para vivir una vida de bienaventuranza con Dios aquí en la Tierra y para siempre en el Cielo.

¿Qué es la vida moral cristiana?

Los bautizados tienen una nueva vida en Cristo en el Espíritu Santo. Responden al "deseo de felicidad que Dios ha puesto en el corazón del hombre", cooperando con la gracia del Espíritu Santo y viviendo el Evangelio. "La vida moral es un culto espiritual que se alimenta en la liturgia y la celebración de los Sacramentos" (CIC 2047).

¿Cuál es el camino a la felicidad que reveló Jesucristo?

Jesús enseñó que el camino a la felicidad es el Gran Mandamiento de amar a Dios por sobre todas las cosas y a nuestro prójimo como a nosotros mismos. Es el resumen y el núcleo de los Mandamientos y de toda la Ley de Dios.

¿Cuáles son los Diez Mandamientos?

Los Diez Mandamientos son las leyes de la Alianza que Dios reveló a Moisés y a los israelitas en el monte Sinaí. Los Diez Mandamientos se conocen también como el Decálogo, o "Diez Palabras". Son la "expresión privilegiada de la ley natural", que está escrita en el corazón de todas las personas.

¿Qué son las Bienaventuranzas?

Las Bienaventuranzas son las enseñanzas de Jesús que resumen el camino a la verdadera felicidad, el Reino de Dios, que es vivir en comunión y en amistad con Dios y con María y todos los Santos. Las Bienaventuranzas nos guían para que vivamos como discípulos de Cristo, manteniendo nuestra vida enfocada y centrada en Dios.

¿Qué es el Nuevo Mandamiento?

El Nuevo Mandamiento es el mandamiento de amor que Jesús dio a sus discípulos. Jesús dijo: "Les doy un mandamiento nuevo: que se amen los unos a los otros. Ustedes deben amarse unos a otros como yo los he amado" (Juan 13:34).

¿Qué son las Obras de Misericordia?

La palabra *misericordia* proviene de un término hebreo que destaca la caridad y bondad incondicionales de Dios que obran en el mundo. Las Obras de Misericordia son actos de caridad y bondad por los cuales nos acercamos a las personas por sus necesidades corporales y espirituales.

¿Qué son los Preceptos de la Iglesia?

Los Preceptos de la Iglesia son responsabilidades específicas que se refieren a la vida moral y cristiana, unidas a la liturgia y alimentadas por ella.

SANTIDAD DE VIDA Y GRACIA

¿Qué es la santidad?

La santidad es el estado de vivir en comunión con Dios. Designa a la vez la presencia de Dios, el Santo, con nosotros y nuestra fidelidad a Él. Es la característica de una persona que lleva una relación correcta con Dios, con las personas y con la creación.

¿Qué es la gracia?

La gracia es el don de Dios de compartir su vida y su amor con nosotros. Las categorías de la gracia son: gracia santificante, gracia actual, carismas y gracias sacramentales.

¿Qué es la gracia santificante?

La palabra *santificante* proviene de un término del latín que significa "hacer santo". La gracia santificante es un don de Dios concedido libremente y dado por el Espíritu Santo, como la fuente de santidad y un remedio contra el pecado.

¿Qué es la gracia actual?

Las gracias actuales son las ayudas divinas que da Dios, que nos dan el poder de vivir como sus hijas e hijos adoptivos.

¿Qué son los carismas?

Los carismas son dones o gracias dados libremente a los cristianos en particular por el Espíritu Santo, para el beneficio de edificar la Iglesia.

¿Qué son las gracias sacramentales?

Las gracias sacramentales son las gracias de cada uno de los Sacramentos, que nos ayudan a vivir nuestra vocación cristiana.

¿Cuáles son los Dones del Espíritu Santo?

Los siete Dones del Espíritu Santo son las gracias que nos fortalecen para vivir nuestro Bautismo, o nuestra nueva vida en Cristo. Ellos son: sabiduría, entendimiento, buen juicio (o consejo), valor (o fortaleza), ciencia, reverencia (o piedad) y admiración y veneración (o temor de Dios).

¿Qué son los Frutos del Espíritu Santo?

Los doce Frutos del Espíritu Santo son los signos y los efectos visibles del Espíritu Santo que obran en nuestra vida. Ellos son: caridad (amor), gozo, paz, paciencia, longanimidad, bondad, benignidad, mansedumbre, fidelidad, modestia, continencia y castidad.

What are the sacramentals of the Church?

Sacramentals are sacred signs instituted by the Church. They include blessings, prayers, and certain objects that prepare us to participate in the Sacraments and make us aware of and help us respond to God's loving presence in our lives.

LIFE IN THE SPIRIT

THE MORAL LIFE

Why was the human person created?

The human person was created to give honor and glory to God and to live a life of beatitude with God here on Earth and forever in Heaven.

What is the Christian moral life?

The baptized have new life in Christ in the Holy Spirit. They respond to the "desire for happiness that God has placed in every human heart" by cooperating with the grace of the Holy Spirit and living the Gospel. "The moral life is a spiritual worship that finds its nourishment in the liturgy and celebration of the sacraments" (CCC 2047).

What is the way to happiness revealed by Jesus Christ?

Jesus taught that the Great Commandment of loving God above all else and our neighbor as ourselves is the path to happiness. It is the summary and heart of the Commandments and all of God's Law.

What are the Ten Commandments?

The Ten Commandments are the Laws of the Covenant that God revealed to Moses and the Israelites on Mount Sinai. The Ten Commandments are also known as the Decalogue, or "Ten Words." They are the "privileged expression of the natural law," which is written on the hearts of all people.

What are the Beatitudes?

The Beatitudes are the teachings of Jesus that summarize the path to true happiness, the Kingdom of God, which is living in communion and friendship with God, and with Mary and all the Saints. The Beatitudes guide us in living as disciples of Christ by keeping our life focused and centered on God.

What is the New Commandment?

The New Commandment is the Commandment of love that Jesus gave his disciples. Jesus said, "I give you a new commandment: love one another. As I have loved you, so you also should love one another" (John 13:34).

What are the Works of Mercy?

The word *mercy* comes from a Hebrew word pointing to God's unconditional love and kindness at work in the world. Human works of mercy are acts of loving kindness by which we reach out to people in their corporal and spiritual needs.

What are the precepts of the Church?

Precepts of the Church are specific responsibilities that concern the moral and Christian life united with the liturgy and nourished by it.

HOLINESS OF LIFE AND GRACE

What is holiness?

Holiness is the state of living in communion with God. It designates both the presence of God, the Holy One, with us and our faithfulness to him. It is the characteristic of a person who is in right relationship with God, with people, and with creation.

What is grace?

Grace is the gift of God sharing his life and love with us. Categories of grace are sanctifying grace, actual grace, charisms, and sacramental graces.

What is sanctifying grace?

The word *sanctifying* comes from a Latin word meaning "to make holy." Sanctifying grace is a gratuitous gift of God, given by the Holy Spirit, as a remedy for sin and the source of holiness.

What is actual grace?

Actual graces are the God-given divine helps empowering us to live as his adopted daughters and sons.

What are charisms?

Charisms are gifts or graces freely given to individual Christians by the Holy Spirit for the benefit of building up the Church.

What are sacramental graces?

Sacramental graces are the graces of each of the Sacraments that help us live out our Christian vocation.

What are the Gifts of the Holy Spirit?

The seven Gifts of the Holy Spirit are graces that strengthen us to live our Baptism, our new life in Christ. They are wisdom, understanding, right judgment (or counsel), courage (or fortitude), knowledge, reverence (or piety), wonder and awe (or fear of the Lord).

What are the Fruits of the Holy Spirit?

The twelve Fruits of the Holy Spirit are visible signs and effects of the Holy Spirit at work in our life. They are charity (love), joy, peace, patience, kindness, goodness, generosity, gentleness, faithfulness, modesty, self-control, and chastity.

LAS VIRTUDES

¿Qué son las virtudes?

Las virtudes son poderes, hábitos o comportamientos espirituales que nos ayudan a hacer el bien. La Iglesia Católica habla de Virtudes Teologales, Virtudes Morales y Virtudes Cardinales.

¿Cuáles son las Virtudes Teologales?

Las Virtudes Teologales son las tres virtudes de la fe, la esperanza y la caridad (amor). Estas virtudes "son infundidas por Dios en el alma de los fieles para hacerlos capaces de obrar como hijos suyos y merecer la vida eterna" (CIC 1813).

¿Cuáles son las Virtudes Morales?

Las Virtudes Morales son "actitudes firmes, disposiciones estables, perfecciones habituales del entendimiento y de la voluntad que regulan nuestros actos, ordenan nuestras pasiones y guían nuestra conducta según la razón y la fe. Proporcionan facilidad, dominio y gozo para llevar una vida moralmente buena" (CIC 1804).

¿Cuáles son las Virtudes Cardinales?

Las Virtudes Cardinales son las cuatro Virtudes Morales de la prudencia, la justicia, la fortaleza y la templanza. Se las llama Virtudes Cardinales porque todas las Virtudes Morales se relacionan con ellas y están agrupadas en torno a ellas.

MAL MORAL Y PECADO

¿Qué es el mal moral?

El mal moral es el daño que por voluntad propia nos ocasionamos mutuamente y a la buena creación de Dios.

¿Qué es la conciencia?

La palabra *conciencia* proviene de un término del latín que significa "ser consciente de la culpa". La conciencia es la parte de toda persona humana que nos ayuda a juzgar si un acto moral está de acuerdo o no con la Ley de Dios; nuestra conciencia nos mueve a hacer el bien y a evitar el mal.

¿Qué es la tentación?

La tentación es todo lo que, dentro o fuera de nosotros, en vez de guiarnos a hacer algo bueno que sabemos que podemos y debemos hacer, nos lleva a hacer o decir algo que sabemos que está en contra de la voluntad de Dios. La tentación es todo lo que trata de alejarnos de vivir una vida santa.

¿Qué es el pecado?

El pecado es hacer o decir libremente y a sabiendas lo que está en contra de la voluntad de Dios y de la Ley de Dios. El pecado se pone en contra del amor de Dios y aleja nuestro corazón de su amor. La Iglesia habla de pecado mortal, pecado venial y Pecados Capitales.

¿Qué es el pecado mortal?

Un pecado mortal es una falla grave y deliberada de nuestro amor y respecto por Dios, nuestro prójimo, la creación y nosotros mismos. Es elegir a sabiendas y voluntariamente hacer algo que está gravemente en contra de la Ley de Dios. El efecto del pecado mortal es la pérdida de la gracia santificante y, si la persona no se arrepiente, el pecado mortal lleva a la muerte eterna.

¿Qué son los pecados veniales?

Los pecados veniales son pecados menos graves que un pecado mortal. Ellos debilitan nuestro amor por Dios y por los demás, y disminuyen nuestra santidad.

¿Qué son los Pecados Capitales?

Los Pecados Capitales son los pecados que son la causa de otros pecados. Los siete Pecados Capitales son: soberbia, avaricia, envidia, ira, gula, lujuria y pereza.

ORACIÓN CRISTIANA

¿Qué es la oración?

La oración es una conversación con Dios. Es hablarle y escucharlo, elevando nuestra mente y nuestro corazón hacia Dios Padre, Hijo y Espíritu Santo.

¿Cuál es la oración de todos los cristianos?

La Oración del Señor, o el Padre Nuestro, es la oración de todos los cristianos. Es la oración que Jesús enseñó a sus discípulos y que dio a la Iglesia. El Padre Nuestro es un "resumen de todo el Evangelio". Rezar el Padre Nuestro "nos pone en comunión con el Padre y con su Hijo, Jesucristo" (CIC 2799), y desarrolla "en nosotros la voluntad de ser como Jesús y de poner nuestra confianza en el Padre como Él hizo".

¿Cuáles son las expresiones tradicionales de la oración?

Las expresiones tradicionales de la oración son la oración vocal, la oración de meditación y la oración de contemplación.

¿Qué es la oración vocal?

La oración vocal es una oración hablada: rezar usando palabras dichas en voz alta.

¿Qué es la oración de meditación?

La meditación es una forma de oración en la que usamos nuestra mente, nuestro corazón, nuestra imaginación, nuestras emociones y nuestros deseos para entender y seguir lo que el Señor nos pide que hagamos.

¿Qué es la oración de contemplación?

La contemplación es una forma de oración que es, simplemente, estar con Dios.

¿Cuáles son las formas tradicionales de la oración?

Las formas tradicionales de la oración son: oración de adoración y bendición, oración de acción de gracias, oración de alabanza, oración de petición y oración de intercesión.

¿Qué son las devociones?

Las devociones son una parte de la vida de oración de la Iglesia y de los bautizados. Son actos de oración comunitaria o individual que se originan en torno a la celebración de la liturgia.

THE VIRTUES

What are virtues?
The virtues are spiritual powers or habits or behaviors that help us do what is good. The Catholic Church speaks of Theological Virtues, Moral Virtues, and Cardinal Virtues.

What are the Theological Virtues?
The Theological Virtues are the three virtues of faith, hope, and charity (love). These virtues are "infused into the souls of the faithful to make them capable of acting as his children and of meriting eternal life" (CCC 1813).

What are the Moral Virtues?
The Moral Virtues are "firm attitudes, stable dispositions, habitual perfections of intellect and will that govern our actions, order our passions, and guide our conduct according to reason and faith. They make possible ease, self-mastery, and joy in leading a morally good life" (CCC 1804).

What are the Cardinal Virtues?
The Cardinal Virtues are the four Moral Virtues of prudence, justice, fortitude, and temperance. They are called the Cardinal Virtues because all of the Moral Virtues are related to and grouped around them.

MORAL EVIL AND SIN

What is moral evil?
Moral evil is the harm we willingly inflict on one another and on God's good creation.

What is conscience?
The word *conscience* comes from a Latin word meaning "to be conscious of guilt." Conscience is that part of every human person that helps us judge whether a moral act is in accordance or not in accordance with God's Law; our conscience moves us to do good and avoid evil.

What is temptation?
Temptation is everything, either within us or outside us, that tries to move us from doing something good that we know we can and should do and to do or say something we know is contrary to the will of God. Temptation is whatever tries to move us away from living a holy life.

What is sin?
Sin is freely and knowingly doing or saying what we know is against the will of God and the Law of God. Sin sets itself against God's love and turns our hearts away from his love. The Church speaks of mortal sin, venial sin, and Capital Sins.

What is mortal sin?
A mortal sin is a serious, deliberate failure in our love and respect for God, our neighbor, creation, and ourselves. It is knowingly and willingly choosing to do something that is gravely contrary to the Law of God. The effect of mortal sin is the loss of sanctifying grace and, if unrepented, mortal sin brings eternal death.

What are venial sins?
Venial sins are sins that are less serious than a mortal sin. They weaken our love for God and for one another and diminish our holiness.

What are Capital Sins?
Capital Sins are sins that are at the root of other sins. The seven Capital Sins are false pride, avarice, envy, anger, gluttony, lust, and sloth (CCC 2761).

CHRISTIAN PRAYER

What is prayer?
Prayer is conversation with God. It is talking and listening to him, raising our minds and hearts to God the Father, Son, and Holy Spirit.

What is the prayer of all Christians?
The Lord's Prayer, or Our Father, is the prayer of all Christians. It is the prayer Jesus taught his disciples and gave to the Church. The Lord's Prayer is "a summary of the whole Gospel." Praying the Lord's Prayer "brings us into communion with the Father and his Son, Jesus Christ" (CCC 2799). and develops "in us the will to become like [Jesus] and to place our trust in the Father as he did."

What are the traditional expressions of prayer?
The traditional expressions of prayer are vocal prayer, the prayer of meditation, and the prayer of contemplation.

What is vocal prayer?
Vocal prayer is spoken prayer; prayer using words said aloud or in the quiet of one's heart.

What is the prayer of meditation?
Meditation is a form of prayer in which we use our minds, hearts, imaginations, emotions, and desires to understand and follow what the Lord is asking us to do.

What is the prayer of contemplation?
Contemplation is a form of prayer that is simply being with God.

What are the traditional forms of prayer?
The traditional forms of prayer are the prayer of adoration and blessing, the prayer of thanksgiving, the prayer of praise, the prayer of petition, and the prayer of intercession.

What are devotions?
Devotions are part of the prayer life of the Church and of the baptized. They are acts of communal or individual prayer that surround and arise out of the celebration of the liturgy.

Glosario

Alianza
Pacto solemne entre Dios y su pueblo por el cual acordaron un compromiso mutuo; la Alianza nueva y eterna se estableció en Jesucristo a través de su Misterio Pascual — el misterio salvador de su Pasión, Muerte, Resurrección y Ascensión— y la entrega del Espíritu Santo en Pentecostés.

chivo expiatorio
Expresión referida a alguien que carga con la culpa o la responsabilidad de los demás; originalmente, un animal sobre el cual extendía las manos el Sumo Sacerdote judío en una ceremonia ritual para transferirle la culpa del pueblo israelita y luego desterraba al desierto a fin de que "se llevara" los pecados del pueblo.

Crisma
Aceite de oliva perfumado; uno de los tres óleos que la Iglesia bendice, que se usa en la celebración del Bautismo, la Confirmación y el Orden Sagrado, así como también en la consagración de las iglesias, el altar y los vasos sagrados.

Cuerpo de Cristo
Imagen de la Iglesia que usó San Pablo Apóstol, que enseña que todos los miembros de la Iglesia son uno en Cristo, la Cabeza de la Iglesia, y que todos los miembros tienen una tarea exclusiva y fundamental en la Iglesia.

encíclica
Carta formal acerca de la enseñanza doctrinal o moral, u otro aspecto de la vida de la Iglesia, escrita por el Papa o con la autorización del Papa.

epíclesis
Nombre dado a la oración que invoca la presencia transformadora del Espíritu Santo.

Etapa de Purificación e Iluminación
Última etapa del proceso catecumenal del Rito de la Iniciación Cristiana, que coincide con el tiempo de Cuaresma.

evangelización
Obra fundamental de la Iglesia para la cual existe; la obra de la Iglesia de compartir el Evangelio con todos los pueblos "para que entre en el corazón de todos y renueve la faz de la tierra".

fariseo
Miembro de una secta judía de la época de Jesús, cuyos miembros dedicaban la vida al cumplimiento estricto de la Ley que se encuentra en la Tora.

inspiración bíblica
Proceso por el cual el Espíritu Santo asistió a los escritores humanos de la Sagrada Escritura para que enseñaran con fidelidad y sin errores la verdad salvadora que Dios, el principal autor de las Escrituras, deseaba comunicar.

Iglesia
El Pueblo de Dios, a quien Dios Padre reunió en Jesucristo por el poder del Espíritu Santo. La palabra *iglesia* proviene de la palabra griega *ekklesia*, que significa "asamblea, convocación". La Iglesia es el Sacramento de la Salvación, el signo y el instrumento de nuestra reconciliación y comunión mutua y con Dios. La Iglesia es el Cuerpo de Cristo, la Esposa de Cristo y el Templo del Espíritu Santo.

Leccionario
Libro que contiene las lecturas de la Sagrada Escritura asignadas para proclamarlas en la celebración de la liturgia.

liturgia
Participación del Pueblo de Dios en la "obra de Dios": la obra de toda la Iglesia; de Cristo, la Cabeza de la Iglesia; y de todos los miembros del Cuerpo de Cristo, mediante la cual Cristo continúa su obra de Redención. La palabra *liturgia* proviene de una palabra griega que significa "obra pública hecha para beneficio del pueblo".

Liturgia de la Palabra
Parte de las celebraciones litúrgicas de la Iglesia durante la cual se proclaman las Sagradas Escrituras y se invita a la asamblea de los fieles a responder con fe.

Mesías

La palabra hebrea *messiah* se traduce al griego como *christos* (Cristo) y significa "el ungido"; el Ungido que Dios prometió enviar a su pueblo para salvarlo; Jesucristo, el Ungido de Dios.

Misa

Palabra que significa "enviado"; la celebración sacramental más importante de la Iglesia en la cual nos reunimos a escuchar la Palabra de Dios y a celebrar la Eucaristía; nombre dado a la celebración de la Eucaristía, que proviene de las palabras latinas de una de las frases de despedida: "*Ite, missa est*".

Misa Crismal

Misa que celebra durante la Semana Santa, de ser posible a la mañana del Jueves Santo, el obispo de una diócesis, quien consagra el Santo Crisma y los demás óleos que se usarán en las liturgias de todas las iglesias de la diócesis durante el año.

Misterio Pascual

Los hechos salvadores de la Pasión, Muerte, Resurrección y gloriosa Ascensión de Jesucristo.

parábola

Tipo de relato que Jesús contaba, en el que comparaba una cosa con otra para enseñar e invitar a quienes lo escuchaban a tomar la decisión de vivir para el Reino de Dios.

Pascua judía

La fiesta judía que celebra que los israelitas pudieron evitar la muerte y que Dios salvó a su pueblo de la esclavitud en Egipto y lo guió a la libertad en la tierra que Él le había prometido.

poemas del Siervo

Serie de pasajes del Libro de Isaías que describen los sufrimientos del Siervo de Yavé, que redimirá al pueblo de Dios.

prefigurar

Palabra que significa "figurarse, o imaginar, o anunciar anticipadamente".

Reino de Dios

Imagen bíblica que describe a todos los hombres y la creación viviendo en comunión con Dios cuando Jesucristo vuelva en la gloria al final de los tiempos.

Resurrección

Regreso físico de Jesús de entre los muertos a una nueva y gloriosa vida al tercer día de su Muerte en la Cruz y de ser colocado en un sepulcro; un hecho que históricamente atestiguaron los discípulos que verdaderamente se encontraron con el Resucitado.

Revelación Divina

Don dado libremente por Dios, que comunica gradualmente, a lo largo del tiempo, en palabras y en obras su propio misterio y su plan divino de creación y Salvación.

Rito de la paz

Uno de los rituales litúrgicos más antiguos de la Iglesia, en el cual los cristianos comparten entre sí un gesto y una oración para que vengan sobre ellos las bendiciones de la paz de Cristo.

Sacramento

Signo eficaz de gracia que Cristo instituyó y confió a la Iglesia, por el cual se nos concede vida divina a través de la obra del Espíritu Santo.

Sacramentos de la Iniciación Cristiana

El Bautismo, la Confirmación y la Eucaristía; las bases de toda vida cristiana.

sacrificio

Ofrenda voluntaria, hecha por amor, de algo muy valioso, por ejemplo, la propia vida.

Sanedrín

Consejo supremo gubernamental del pueblo judío en los tiempos de Jesús.

Shalom

Palabra hebrea que significa paz, la suma de todas las bendiciones, materiales y espirituales, y un estado de armonía con Dios, el propio ser y la naturaleza, que trae a la persona la felicidad perfecta.

Viático

Nombre dado a la Sagrada Comunión cuando es administrada a un moribundo como alimento y fortaleza para su viaje de la vida en la Tierra a la vida eterna, a través de la muerte.

Glossary

biblical inspiration
The process by which the Holy Spirit assisted the human writers of Sacred Scripture so that they would teach faithfully, and without error, the saving truth that God, the principal author of the Scriptures, wished to communicate.

Body of Christ
An image for the Church used by Saint Paul the Apostle that teaches that all the members of the Church are one in Christ, the Head of the Church, and that all members have a unique and vital work in the Church.

Chrism
Perfumed olive oil; one of the three oils blessed by the Church that is used in the celebration of Baptism, Confirmation, and Holy Orders, as well as in the consecration of churches, the altar, and sacred vessels.

Chrism Mass
The Mass celebrated during Holy Week, if possible on Holy Thursday morning, by the bishop of a diocese who consecrates the Sacred Chrism and other oils that will be used at liturgies in every church of the diocese throughout the year.

Covenant
The solemn agreement between God and his people in which they mutually committed themselves to each other; the new and everlasting Covenant was established in Jesus Christ through his Paschal Mystery— the saving mystery of his Passion, Death, Resurrection, and Ascension—and the sending of the Holy Spirit on Pentecost.

Church
The People of God, whom God the Father has called together in Jesus Christ through the power of the Holy Spirit. The word *church* comes from the Greek word *ekklesia* meaning "convocation, a calling together." The Church is the sacrament of Salvation, the sign and instrument of our reconciliation and communion with God and with one another. The Church is the Body of Christ, the Bride of Christ, and the Temple of the Holy Spirit.

Divine Revelation
God's free gift of gradually, over time, communicating in words and deeds his own mystery and his divine plan of creation and Salvation.

epiclesis
The name given to the prayer that invokes the transforming presence of the Holy Spirit.

encyclical
A formal letter about doctrinal or moral teaching or another aspect of the life of the Church written by the Pope or under the authority of the Pope.

evangelization
The central work of the Church for which she exists; the Church's work of sharing the Gospel with all people "so that it may enter the hearts of all [people] and renew the face of the earth."

Kingdom of God
The biblical image used to describe all people and creation living in communion with God when Jesus Christ comes again in glory at the end of time.

Lectionary
The book that contains the Scripture readings that are assigned to be proclaimed at the celebration of the liturgy.

liturgy
The participation of the People of God in the "work of God"—the work of the whole Church, of Christ the Head of the Church, and of the members of the Body of Christ through which Christ continues his work of Redemption. The word *liturgy* comes from a Greek word meaning "a public work done on behalf of the people."

Liturgy of the Word
The part of the Church's liturgical celebrations during which the Sacred Scriptures are proclaimed and the assembly of the faithful is invited to respond with faith.

Mass
A word meaning "sent forth"; the main sacramental celebration of the Church at which we gather to listen to the Word of God and celebrate the Eucharist; the name given to the Eucharistic celebration coming from the Latin words of one of the closing dismissals, "Ite, missa est."

Messiah
The Hebrew word messiah is translated into Greek as christos (Christ) and means "anointed one"; the Anointed One whom God promised to send his people to save them; Jesus Christ, the Anointed One of God.

parable
A type of story that Jesus told comparing one thing to another to teach and invite his listeners to make a decision to live for the Kingdom of God.

Paschal Mystery
The saving events of the Passion, Death, Resurrection, and glorious Ascension of Jesus Christ.

Passover
The Jewish feast that celebrates the sparing of the Israelites from death, and God's saving his people from slavery in Egypt and leading them to freedom in the land he promised them.

Period of Purification and Enlightenment
The last stage of the catechumenal process in the Rite of Christian Initiation, which coincides with the Season of Lent.

Pharisee
A member of a Jewish sect in Jesus' time whose members dedicated their lives to the strict keeping of the Law found in the Torah.

prefigure
A word meaning "to figure, or image, or announce beforehand."

Resurrection
The bodily raising of Jesus from the dead on the third day of his Death on the Cross and burial in a tomb to a new and glorified life, an event historically attested to by the disciples who really encountered the Risen One.

Sacrament
A efficacious sign of grace, instituted by Christ and entrusted to the Church, by which divine life is dispensed to us through the work of the Holy Spirit.

Sacraments of Christian Initiation
Baptism, Confirmation, and Eucharist; the foundation of every Christian life.

sacrifice
The free offering, out of love, of something of great value, for example, one's life.

Sanhedrin
The supreme governing council of the Jewish people during Jesus' time.

scapegoat
A term that refers to an individual who carries the blame or guilt of others; originally an animal on whom the Jewish High Priest laid hands in a ritual ceremony, transferring the guilt of the Israelite people, then banishing the animal to the desert so that it would "carry away" the people's sins.

Servant poems
A series of passages in the Book of Isaiah that describe the sufferings of the Servant of YHWH who will redeem God's people.

Shalom
Hebrew word for peace, the sum of all blessings, material and spiritual, and a state of harmony with God, self, and nature that brings a person perfect happiness.

Sign of Peace
One of the Church's most ancient liturgical rituals in which Christians share with one another a gesture and a prayer that the blessings of Christ's peace come upon them.

Viaticum
The name given to Holy Communion when it is administered to a dying person as food and strength for their journey from life on Earth, through death, to eternal life.

Indice

Index

Créditos

Diseño de la portada: Kristy Howard

CRÉDITOS DE LAS FOTOGRAFÍAS
Abreviaturas: (f.) de fondo, (sup.) superior, (inf.) inferior, (i.) izquierda, (d.) derecha, (c.) central.

Credits

Scripture excerpts are taken or adapted from the *New American Bible with Revised New Testament and Psalms* Copyright © 1991, 1986, 1970, Confraternity of Christian Doctrine, Washington, DC. Used with permission. All rights reserved. No part of the *New American Bible* may be reproduced by any means without the permission of the copyright owner.

Excerpts from the English translation of the *Catechism of the Catholic Church* for use in the United States of America, second edition, copyright © 1997, United States Catholic Conference, Inc.–Libreria Editrice Vaticana. Used with permission.

Excerpts from the English translation of *The Roman Missal* © 2010 International Commission on English in the Liturgy, Inc. ICEL; excerpts from English translation of the *Rite of Baptism for Children* © 1969, ICEL; the English translation of the Prayer of the Penitent from *Rite of Penance* © 1974, ICEL; excerpts from the English translation of *Rite of Confirmation (Second Edition)* © 1975,

ICEL; excerpts from the English translation of *A Book of Prayers* © 1982, ICEL; excerpts from the English translation of *The General Instruction of the Roman Missal* © 2010, ICEL. All rights reserved.

English translation of "The Nicene Creed," "The Apostles' Creed," "Sanctus," "Benedictus," "Gloria Patri," and "Magnificat" by the International Consultation on English Texts (ICET). Excerpts from *Catholic Household Blessings and Prayers* (revised edition), © 2007, United States Conference of Catholic Bishops.

Excerpts from *The Constitution on the Sacred Liturgy* (Sacrosanctum Concilium) from *Vatican Council II: The Conciliar and Post Conciliar Documents*, New Revised Edition, Austin Flannery, O.P., Gen. Ed., copyright © 1975, 1986, 1992, 1996 by Costello Publishing Company, Inc. Used with Permission.

Excerpts from *Catecheses Mystigogicae*, Saint Cyril of Jerusalem.

Cover design: Kristy Howard

PHOTO CREDITS
Abbreviated as follows: (bkgd) background, (t) top, (b) bottom, (l) left, (r) right, (c) center.

Page 7, © Gene Plaisted, OSC/Crosiers; 9, © Bill Wittman; 11, © SuperStock; 13, © Beauvais Cathedral, Beauvais, France/Giraudon/ The Bridgeman Art Library; 15–17, © Bill Wittman; 19, © Gene Plaisted, OSC/Crosiers; 21, © Bill Wittman; 23–25 (all), courtesy of Encounter the Gospel of Life Organization; 27 (tl), © Dennis Wise/Getty; 27 (r), © Farida Zaman/Images.com; 29 (t), © Ron Chapple/Getty Images; 29 (b), © Punchstock/Getty; 33, © Leon Zernitsky/Illustration Source.com; 41, © Gene Plaisted, OSC/Crosiers; 43, © Bill Wittman; 45, Midwest Theological Forum/ theologicalforum.org; 47 (tr), © Carlos Silva/AP Images; 47 (bl), Courtesy of the Sisters of Notre Dame de Namur; 49 (all), © Paulo Santos/AP Images; 51, © Jose Ortega/Illustration Source.com; 51–53, © Comstock Images/Getty; 53, © Reed Kaestner/ Corbis; 57, © Bill Wittman; 59, 61, © SuperStock; 63, © Steve Kropp/Illustration Source.com; 65, © Julie Lonneman/The Spirit Source; 67, © RCL/RCL; 69, © Bill Wittman; 71–73 (all), © Jesuit Volunteer Corps; 75, © George Shewchuk/Getty Images; 81, © Julie Lonneman/The Spirit Source; 83, © The Bridgeman Art Library; 85, © Gene Plaisted, OSC/Crosiers; 89, © Godong/GettyImages; 91, © Friedrich Stark / Alamy; 95, © The Granger Collection, New York; 97 (tr), © Massimo Sambucetti/AP Images; 97 (bl), © C. Walker/Topham/The Image Works; 99 (tl), © Tony Freeman/PhotoEdit; 99 (br), © Bill Wittman; 101 (bl), © Bob Elsdale/Getty Images; 101 (tr), © Dana White/PhotoEdit; 105–107, © Gene Plaisted, OSC/Crosiers; 111, ©, Bill Wittman; 113, © Alan Oddie/PhotoEdit; 115, © Bill Wittman; 119, Courtesy of Cristo Rey; 121 (all), Courtesy of Cristo Rey; 123, © Images.com/Corbis; 125, © Liz Couldwell/Susan Doyle/Getty Images; 129, © Pat LaCroix/Getty Images; 131, © Stephan Daigle/Images.com; 133, © Sebastien Desarmaux/Godong/Corbis; 135, © Gene Plaisted, OSC/Crosiers; 137, © AP Images; 139, © Gene Plaisted, OSC/Crosiers; 141, © Bill Wittman; 143–145 (all), © Dan O'Connell/Peacebuilders Initiative; 147 (tl, c),© Don Hammond/DesignPics; 147 (b), © Auslöser/Corbis; 149, © Myrleen Ferguson Cate/PhotoEdit; 153, © Alex Wong/Getty Images; 155, © Dave Bartruff/Corbis; 157, ©Look and Learn/Bridgeman Art Library; 159, © Bill Wittman; 163–165, © Gene Plaisted, OSC/ Crosiers; 167 (tr), © ISSOUF SANOGO/AFP/Getty Images; 167–169, © Sean Sprague/The Image Works; 171 (t), © Encounter Gospel of Life/Encounter Gospel of Life Organization; 171 (b), © Journal-Courier/Steve/The Image Works; 177, © Diane Ong/Superstock; 179, © Gene Plaisted, OSC/Crosiers; 181, © SuperStock; 183 (t), © AP Images; 183 (b), © AP Images; 185, © USCCB; 187, © artservant; 189, © Gene Plaisted, OSC/Crosiers; 191 (all), © Bill Wittman; 193, © Robin Nelson/PhotoEdit; 195 (t), © Carsten Koall/Getty Images; 195 (c), © Gaudenti Sergio/Kipa/Corbis; 197, © Jeff Greenberg/PhotoEdit; 217-219 (all), © Bill Wittman; 221, © Gene Plaisted, OSC/Crosiers; 229,© Tony Freeman/PhotoEdit.